ALEXANDRE

DUMAS

O CONDE DE MONTE CRISTO

Versão condensada Boris Moissard

Tradução Jorge Bastos

EDITORA
NOVA
FRONTEIRA

Título original: *Le Comte de Monte-Cristo*

Texto de Alexandre Dumas, condensado por Boris Moissard

Publicado mediante acordo com Isabelle Torrubia Agência Literária

Editora Nova Fronteira Participações S.A.
Rua Candelária, 60 – 7º andar – Centro – 20091-020
Rio de Janeiro – RJ – Brasil
Tel.: (21) 3882-8200 – Fax: (21) 3882-8212/8313

CIP-Brasil. Catalogação na publicação
Sindicato Nacional dos Editores de Livros, RJ

D92c Dumas, Alexandre, 1802-1870
O conde de Monte Cristo / Alexandre Dumas ; tradução Jorge Bastos ; versão condensada por Boris Moissard. - 1. ed. - Rio de Janeiro : Nova Fronteira, 2019.

Tradução de: Le comte de Monte-Cristo
ISBN 9788520942451

1. Romance francês. I. Bastos, Jorge. II. Moissard, Boris. III. Título.

18-52580 CDD: 843
CDU: 82-31(44)

Printed in India

SUMÁRIO

I
Marselha — A chegada

Em 24 de fevereiro de 1815, o vigia da basílica de Notre-Dame de la Garde avistou os três mastros do *Faraó*, a embarcação que chegava de Esmirna, Trieste e Nápoles.

O veleiro se aproximava, mas tão lentamente e com ares de tanto desânimo que os curiosos já se perguntavam que acidente poderia ter ocorrido a bordo. O piloto se preparou para conduzir o *Faraó* pela estreita abertura do porto de Marselha, tendo ao lado um jovem que observava cada movimento do navio e transmitia à tripulação as ordens do piloto.

A espécie de apreensão que baixou sobre as pessoas que esperavam na esplanada de Saint-Jean afetou mais particularmente um dos espectadores, fazendo-o saltar para dentro de um pequeno bote e ordenar que remassem até o *Faraó*.

Vendo-o se aproximar, o jovem marinheiro deixou seu posto junto do piloto e foi se apoiar na balaustrada do navio, de chapéu na mão.

— Ah, é você, Dantès! — gritou o homem no bote. — O que aconteceu, e por que toda essa tristeza a bordo?

— Uma grande desgraça, sr. Morrel! — respondeu o rapaz. — Nas alturas de Civitavecchia perdemos o bravo capitão Leclère.

— Meu Deus! Como essa tragédia aconteceu?

— Ah, da maneira mais inesperada! Ele teve uma conversa bastante longa com o comandante do porto de Nápoles, que o deixou visivelmente nervoso e agitado. Em 24 horas foi tomado pela febre e três dias depois estava morto… Mas se quiser subir, sr. Morrel — emendou Dantès, vendo a impaciência do armador —, o seu guarda-livros, sr. Danglars, já está vindo da cabine e poderá dar melhores informações.

O recém-chegado era um homem de 25 ou 26 anos, de aparência bastante sombria.

— Estou vendo, sr. Morrel, que já soube do triste acontecimento, não é? — perguntou Danglars.

— Sim, acabei de saber. Pobre Leclère, era um bravo e correto capitão!

— E, acima de tudo, excelente marinheiro, que envelheceu entre o céu e o mar, como deve ser o responsável pelos interesses de uma casa tão importante quanto a Morrel & Filho — disse Danglars.

— Mas nem é preciso ser marinheiro tão antigo assim para fazer direito o trabalho — continuou o armador, seguindo com os olhos Dantès, ocupado em atracar o navio. — Veja o nosso amigo Edmond, que cumpre a sua função sem precisar pedir conselho a ninguém.

— Pode ser — concordou Danglars, lançando na direção do colega um olhar de viés, meio desconfiado —, com certeza. É jovem e não tem dúvida a respeito de coisa alguma. Assim que o capitão morreu, ele assumiu o comando sem perguntar a ninguém, e nos fez perder um dia e meio na ilha de Elba, em vez de vir diretamente a Marselha.

— Dantès — chamou o armador, dirigindo-se ao rapaz —, por favor, venha até aqui um minuto.

Danglars se afastou um pouco.

— Gostaria de saber por que vocês pararam na ilha de Elba.

— Para cumprir a última ordem do capitão Leclère, que me entregou uma encomenda para o grande marechal Bertrand.

Morrel olhou em volta e puxou o jovem para mais perto.

— E como vai o imperador? — perguntou, ansioso.

— Bem, pelo menos aparentemente.

— Falou com ele?

— Na verdade, ele que falou comigo, senhor — respondeu Dantès, sorrindo.

O rapaz se afastou. Com isso, Danglars voltou a se aproximar e perguntou:

— E então? Parece que tinha bons motivos para atracar em Portoferraio…

— Excelentes, meu caro sr. Danglars.

— Ainda sobre o capitão Leclère, Dantès lhe entregou uma carta dele?

— A mim, não. Quer dizer então que havia uma?

— Creio que, além da encomenda, o capitão Leclère tenha deixado também uma carta.

— Ele não mencionou nada — disse o armador.

Danglars pensou por um momento.

— Nesse caso, sr. Morrel, por favor, não fale disso com Dantès. Devo ter me enganado.

II
O pai e o filho

Deixemos Danglars tentando soprar insinuações contra o companheiro de bordo no ouvido do armador e sigamos Dantès, que, depois de ter percorrido toda a av. Canebière, parou diante de uma porta entreaberta, através da qual era possível ver um pequeno quarto.

Era o quarto em que morava o seu pai.

— Pai, meu querido pai!

O velho deu um grito e se virou; então, vendo o filho, estendeu os braços, trêmulo e bastante enfraquecido.

— O que houve, pai? — assustou-se o rapaz. — Não está se sentindo bem?

— Estou, sim, meu querido Edmond! Só não esperava que já fosse te encontrar, e a alegria e a surpresa, assim de repente... Deus do céu! Tenho a impressão de que vou morrer!

— O que é isso, pai? Um copo de vinho vai te reanimar. Onde você guarda o vinho? — perguntou, abrindo dois ou três armários.

— Nem adianta procurar... — disse o velho. — Não tem mais vinho.

— Mas quando parti, há três meses, deixei com você duzentos francos — estranhou o filho.

— Deixou, Edmond, mas se esqueceu de uma pequena dívida que tinha com o vizinho, o Caderousse. Ele cobrou e disse que, se eu não pagasse, ele iria à firma do sr. Morrel. Então, com medo que isso pudesse prejudicá-lo... paguei.

— Deus do céu, me desculpe, pai! — desesperou-se Edmond, caindo de joelhos.

Então, imediatamente esvaziou os bolsos e colocou em cima da mesa umas 12 moedas de ouro.

— Calma, não precisa exagerar — disse o velho, sorrindo. — Vou usar esse dinheiro moderadamente. Se eu for visto comprando coisas demais de uma só vez, vão achar que precisei esperar a sua volta para isso.

— Como quiser. Mas antes de mais nada, pai, chame alguém para ajudá-lo com a casa; não quero mais que fique sozinho. Espere, tem alguém chegando.

No vão da porta externa, surgiu a cabeça escura e barbada de Caderousse. Era um jovem de 25 ou 26 anos e tinha nas mãos um pedaço de pano que, por ser alfaiate, provavelmente serviria de forro para algum paletó.

— Ah! Está de volta, Edmond? — cumprimentou, com um forte sotaque marselhês e de sorriso aberto.

— Como bem pode ver, vizinho. E conte comigo naquilo que eu puder ser útil — devolveu Dantès.

— Esse bom Caderousse — disse o velho —, gosta tanto da gente.

— Com certeza! Pois são raras, hoje em dia, pessoas tão corretas. Mas parece que chegou rico, rapaz! Melhor assim, melhor assim! Os amigos vão ficar contentes, sobretudo certa pessoa lá para os lados do forte Saint-Nicolas.

— Mercedes — completou o velho.

— Ela mesma, pai. E agora que já o vi, sei que está bem e tem o necessário, peço permissão para uma visita aos catalães.

— Vá, meu menino, vá. E que Deus o abençoe com a sua mulher, como me abençoou com o filho que tenho!

— Então, já vou — desculpou-se Edmond e saiu, depois de beijar o pai e acenar para Caderousse.

O vizinho ficou ainda um instante e depois, despedindo-se também do velho Dantès, voltou à rua e foi encontrar Danglars, que o esperava numa esquina da rua Senac.

— Como foi? — quis saber Danglars. — Ele contou que vai ser capitão?

— Ele fala como se já fosse.

— E continua apaixonado pela bela catalã?

— Loucamente. Foi inclusive procurá-la. Porém, ou estou completamente enganado ou ele terá uma boa decepção.

— Como assim?

— Bem, toda vez que vem à cidade, Mercedes vem acompanhada de um vistoso catalão, que ela diz ser seu primo.

— Ah! E acha que ele a corteja?

— Bom, que diabo pode querer um rapagão de 21 anos com uma bela jovenzinha de 17?

III
Os catalães

É preciso que os leitores nos acompanhem até uma daquelas casas cujas paredes externas tomam emprestada do sol essa bonita cor de folha morta, tão característica da região, e tingem seu interior com uma camada branca de cal, constituindo assim o maior encanto das *posadas* espanholas.

Uma bonita jovem de cabelos negros e olhos aveludados estava de pé, encostada numa divisória da sala.

A três passos dela, sentado numa cadeira, balançada de modo descontínuo, um rapaz grande e forte olhava para a jovem, com uma expressão em que a apreensão e a frustração travavam um intenso combate. O olhar era interrogativo, mas de forma alguma abalava a firmeza da moça.

— Vamos, Mercedes — dizia ele —, já estamos quase na Páscoa, é a época boa para os casamentos, me responda!

— Já respondi cem vezes, Fernand, e é preciso muita falta de amor-próprio para querer me perguntar isso de novo!

— Mercedes! — ouviu-se um alegre chamado, fora da casa. — Mercedes!

— Ah! — exclamou a jovem, apaixonadamente, com o rosto corado de satisfação. — Viu só? Ele não me esqueceu, tanto que ele acaba de chegar aqui!

Então, ela correu para fora, gritando:

— Aqui, Edmond! Aqui!

Edmond percebeu a figura obscura de Fernand, que se desenhava à sombra, ameaçadora. O jovem catalão levou a mão à faca presa na cinta.

— Ah, desculpe — disse Dantès, contraindo as sobrancelhas. — Não vi que havia mais alguém.

E, voltando-se para Mercedes:

— Quem é o seu convidado?

— Será o seu melhor amigo, pois é grande amigo meu. Meu primo, Fernand, ou seja, o homem de quem, depois de você, Edmond, mais gosto no mundo. Não se lembra dele?

Com essas palavras, a jovem fixou o seu olhar imperioso no catalão, que, como se estivesse hipnotizado, se aproximou lentamente de Edmond e estendeu a mão.

Mas, mal encostou no recém-chegado, imediatamente se retirou.

⋆ ⋆ ⋆

— Ei, catalão! Fernand! Aonde vai assim com tanta pressa? — disse alguém.

Ele parou e viu que a voz era de Caderousse, que estava com Danglars, numa mesa à sombra de um caramanchão coberto de folhagem.

Enxugou, então, o suor que escorria da testa e se dirigiu devagar até eles. O frescor da cobertura vegetal do caramanchão devolveu um pouco de calma, mas, em vez de simplesmente se sentar, o catalão desabou numa das poltronas em volta da mesa.

— Está vendo, Danglars — disse Caderousse, dando uma piscada de olho para o companheiro —, nosso Fernand, aqui presente, um bom e bravo catalão, é um dos melhores pescadores de Marselha e está apaixonado por uma bonita jovem chamada Mercedes. Só que, infelizmente, a bela, por sua vez, está apaixonada pelo imediato do *Faraó*... E como o *Faraó* atracou hoje no porto... Percebe?

Com olhar penetrante, Danglars observava o jovem, vendo que as palavras de Caderousse caíam sobre ele como se fossem chumbo derretido.

— E para quando é a festa de casamento? — perguntou o alfaiate.

— Está longe de acontecer! — murmurou Fernand.

— Hum! Pode ser, mas vai acontecer — insistiu o outro. — Sei com tanta certeza quanto sei que Dantès será capitão do *Faraó*, não é, Danglars?

Danglars estranhou a afirmação inesperada e olhou para Caderousse, tentando decifrar na sua expressão se o golpe era premeditado, mas nada conseguiu ler naquele rosto já alterado pela embriaguez. Ele, então, não respondeu e apenas encheu os copos, dizendo:

— Se é assim, um brinde ao capitão Edmond Dantès, marido da bela catalã!

Caderousse ergueu o copo com a mão, que já parecia pesar muito, e bebeu de uma só vez. Fernand espatifou o seu no chão.

— Ei, ei, ei! — exclamou Caderousse. — O que é aquilo que vejo lá no alto da colina, na direção do vilarejo dos catalães? Você deve enxergar melhor que eu, Fernand, porque já estou vendo tudo tremido. O vinho engana, mas parece ser um casal apaixonado, um ao lado do outro, de mãos dadas. Pronto, se beijaram!

Danglars seguia com os olhos os dois companheiros de mesa: um desfigurado pela bebedeira e o outro pelo amor.

"Não vou conseguir muita coisa com esses dois bobalhões", pensou ele, "um frustrado que se embebeda de vinho, quando devia se embriagar de fel, e um imbecil de quem roubam a amada debaixo do seu nariz e se limita a choramingar. Realmente, Edmond tem um destino de vencedor: vai se casar com a mocinha bonita, vai ser capitão de navio e está tudo resolvido. A menos que eu me meta nisso."

— Ei! — continuava a gritar Caderousse, tentando se pôr de pé, apoiando-se na mesa. — Ei! Edmond! Não vê os amigos, ou já está se sentindo importante demais para falar com eles? Ei! Bom dia, sra. Dantès...

Mercedes o cumprimentou e, com toda seriedade, disse:

— Ainda não é o meu nome e, no meu país, dizem que dá azar chamar as moças pelo nome do noivo. Continue a me chamar de Mercedes, por favor.

— Perdoe meu bom vizinho Caderousse — disse Edmond —, é por muito pouco que ele se engana!

— Quer dizer que o casamento não deve demorar, sr. Dantès? — perguntou Danglars, cumprimentando os dois jovens.

— Será o mais rápido possível. Estamos indo buscar a aprovação do velho Dantès e, amanhã ou depois de amanhã, teremos a comemoração, aqui na Reserva. Os amigos vão estar presentes, espero, considere-se convidado, sr. Danglars, e você também, Caderousse.

— E Fernand? — provocou Caderousse. — Fernand também?

— O irmão de minha mulher é meu irmão — respondeu Edmond. — Seria com muita tristeza que Mercedes e eu o veríamos se afastar de nós num momento como esse.

Fernand abriu a boca para responder, mas a voz não cruzou a garganta e palavra alguma conseguiu se articular.

IV
Complô

De longe, Danglars acompanhou Edmond e Mercedes até que os dois desaparecessem numa das esquinas do forte Saint-Nicolas. Só depois se voltou para a mesa, atentando para Fernand que, pálido e trêmulo, voltara a se sentar, enquanto Caderousse cantarolava, com a voz pastosa, um refrão de bebedeira.

— É, meu amigo — disse Danglars a Fernand —, é sem dúvida um casório que nem a todos deixa feliz.

— Para mim, será o fim — respondeu Fernand.

— E vai ficar aí arrancando os cabelos, em vez de buscar uma estratégia que impeça isso de acontecer?

— Eu bem que enfiaria meu punhal *nele*, mas ela jurou que se mataria caso alguma desgraça atingisse o noivo.

— Vamos — procurou animá-lo Danglars —, você parece ser um bom sujeito, e eu gostaria de poupá-lo dessa dor. Basta que Dantès não se case, não é? E tenho a impressão de que o casamento pode muito bem não acontecer, mesmo sem que ele morra. Imagine uma muralha de prisão, entre Dantès e Mercedes, e os dois estarão tão separados quanto por uma lápide de túmulo.

— Devo lembrar que, da prisão, as pessoas acabam saindo — observou Caderousse. — E se essa pessoa se chamar Edmond Dantès, ao sair, vai se vingar.

— Isso é o de menos! — murmurou Fernand. — Mas de que maneira...? De que maneira...?

— Garçom! — chamou Danglars. — Por favor, uma pena, papel e tinta!

O garçom levou à mesa o papel, a tinta e a pena.

— Digamos que — continuou o guarda-livros —, chegando de uma viagem como esta, por exemplo, parando nos portos de Nápoles e da ilha de Elba, alguém o denuncie ao procurador do rei como agente bonapartista...

E Danglars, pondo em ação o que dizia, escreveu com a mão esquerda as seguintes linhas, que foram, em seguida, lidas para Fernand: "Que o sr. procurador do rei saiba, da parte de um amigo do trono, que o assim denominado Edmond Dantès, imediato do navio *Faraó*, que chegou esta manhã de Esmirna, foi encarregado por Murat de uma carta para o usurpador e, deste último, de outra missiva para o comitê bonapartista de Paris. A prova do seu crime se revelará com a sua prisão, pois a carta estará com ele ou na casa do seu pai ou, quando não, em sua cabine, a bordo do *Faraó*."

— Tudo se encaixa, não é? — prosseguiu Danglars. — Sua vingança vai se apoiar no senso comum e de forma alguma será atribuída a você. A coisa se encaminhará por si só, basta dobrar essa carta, como estou fazendo, e escrever em cima: "Ao sr. procurador do rei." E pronto, está resolvido!

Como se tudo não passasse de brincadeira, Danglars escreveu o endereço.

— É fácil — emendou Caderousse, que instintivamente entendia o que semelhante denúncia podia causar —, mas comete-se uma infâmia.

— É claro, isso não passa de uma piada e eu seria o primeiro a lamentar que algo assim acontecesse ao nosso bom Dantès! — disse, então, Danglars. — E vejam...

Ele amassou e jogou a carta longe.

— Vamos embora — chamou Caderousse. — Vem conosco, Fernand?

— Não —respondeu ele. — Volto ao vilarejo dos catalães.

— Então, vamos, Danglars, e deixemos o amigo por aqui, se é o que ele quer.

Vinte passos adiante, Danglars olhou para trás e viu Fernand se precipitar sobre o papel amassado e colocá-lo no bolso. Em seguida, deixando o caramanchão, o rapaz tomou a direção do Pillon.

— Pronto — murmurou o guarda-livros —, acho que a coisa teve início e se encaminhará por si só.

V
O almoço de noivado

O dia seguinte foi de sol, com a mesa preparada no primeiro andar daquela mesma Reserva, com o caramanchão que já conhecemos.

Nem Mercedes, nem Edmond notavam o sorriso dissimulado de Fernand. Os pobres apaixonados estavam tão felizes que nada viam além da própria felicidade e do belo céu que os abençoava.

Assim que os noivos e seus acompanhantes se aproximaram da Reserva, o sr. Morrel se adiantou na direção deles, à frente dos seus marinheiros, aos quais já havia anunciado a promessa feita a Dantès, de suceder ao capitão Leclère. O armador e a noiva deram o exemplo e foram os primeiros a subir a escada de madeira que levava à sala em que a mesa estava servida. Por cinco minutos essa escada rangeu sob a pisada dos muitos convidados.

— Meu pai — disse Mercedes ao velho Dantès, enquanto escolhia um lugar ao longo da mesa —, o senhor à minha direita, por favor. À esquerda, terei quem foi para mim um irmão — acrescentou, com uma ternura que penetrou como um punhal no coração de Fernand.

Edmond tomara a mesma iniciativa, dispondo à sua direita o sr. Morrel e à esquerda Danglars. Em seguida, com um gesto, deixou que os demais convidados escolhessem à vontade os seus lugares.

Fernand não parava quieto na cadeira, assustando-se ao menor ruído e enxugando, de vez em quando, o suor que escorria do rosto.

— Pois é, vizinho Caderousse, Mercedes não é ainda minha mulher... — disse Dantès, puxando para fora do bolso o relógio. — Mas será, dentro de uma hora e meia!

— Uma hora! — surpreendeu-se Danglars, empalidecendo. — Como assim?

— Foi o que ouviram, meus amigos — continuou o noivo. — Graças a um crédito concedido pelo sr. Morrel que, depois do meu pai, é o homem a quem mais devo no mundo, todos os empecilhos foram removidos. Às duas e meia, o prefeito de Marselha nos espera no Palácio da Cidade.

Fernand fechou os olhos. Uma névoa de calor queimou-lhe as pálpebras. Ele se apoiou na mesa para não cair.

— Nesse caso, o que considerávamos um almoço de noivado — disse Danglars — é, na verdade, um almoço de núpcias.

Dizendo isso, o guarda-livros não perdia Fernand de vista, sentado junto à janela, e o viu se levantar, num movimento quase convulsivo. Logo depois, passadas firmes e o rumor confuso de vozes, misturadas ao tilintar de armas, chamaram a atenção de todos, impondo um silêncio apreensivo.

Esse rumor se aproximou. Três pancadas foram dadas à porta, com cada um olhando espantado para o seu vizinho de mesa.

— Em nome da lei! — bradou uma voz vibrante.

A porta foi aberta e um comissário, portando seus distintivos, entrou na sala com quatro soldados armados.

— Edmond Dantès — anunciou a autoridade —, em nome da lei, eu o prendo!

— A mim? — exclamou Edmond, muito surpreso. — Por qual motivo?

— Não sei dizer, mas o seu primeiro interrogatório logo o fará saber.

— Caramba! O que significa isso? — perguntou espantado Caderousse a Danglars, que se fingia igualmente surpreso.

— Sei tanto quanto você! — respondeu ele. — Vejo o que está acontecendo, mas sem entender. Tudo parece bem confuso.

Com os olhos, Caderousse procurou Fernand, que havia desaparecido.

Dantès desceu a escada, tendo o comissário de polícia à frente e os soldados atrás. Uma carruagem com a porta aberta os aguardava e ele subiu, com dois guardas e o comissário. A porta foi fechada e o veículo partiu na direção de Marselha.

— Até breve, até breve, Edmond! — gritou Mercedes do parapeito da janela.

Para o prisioneiro, esse último grito foi como um uivo de dor da sua amada. Ele colocou a cabeça para fora da janelinha e gritou:

— Até breve, Mercedes!

Em seguida, a carruagem desapareceu por trás do forte Saint-Nicolas.

A notícia de que Dantès acabava de ser preso como agente bonapartista logo se espalhou pela cidade.

— Quem imaginaria algo assim, meu caro Danglars? — admirava-se o sr. Morrel, dirigindo-se ao guarda-livros e à Caderousse, enquanto voltava às pressas para a cidade, pois achava que conseguiria alguma notícia direta de Edmond pelo substituto do procurador do rei, o sr. de Villefort, a quem ele conhecia. — Quem imaginaria?

— Ora, sr. Morrel! — respondeu seu funcionário. — Eu bem lhe disse que Dantès, sem a menor necessidade, fez um desvio pela ilha de Elba, o que, como o senhor sabe, me pareceu suspeito.

— E com isso — lamentou-se o armador —, temos o *Faraó* sem capitão.

— Estou à disposição — disse Danglars. — Como você sabe, conheço bem todas as manobras necessárias num navio.

— Obrigado, Danglars, isso resolveria tudo. Assuma o comando e controle o desembarque da carga: os negócios não podem ser prejudicados de maneira alguma.

Então ele deixou os dois amigos e tomou o rumo do Palácio da Justiça.

VI
O substituto do procurador do rei

Na rua do Grand-Cours, em frente à fonte das Medusas, celebrava-se também, no mesmo dia e à mesma hora, um almoço de noivado.

Só que não era gente do povo, marinheiros e soldados, quem atuava nesse outro palco, e sim membros da mais alta sociedade marselhesa.

Um velho aristocrata, condecorado com a cruz de São Luís, levantou-se e propôs aos convivas um brinde à saúde do rei Luís XVIII. Era o marquês de Saint-Méran.

— Certamente se juntariam a nós — disse a marquesa de Saint-Méran, mulher de olho seco e lábios finos — esses revolucionários que nos derrubaram e que deixamos conspirar tranquilamente; eles têm que concordar que a verdadeira lealdade estava do nosso lado, pois permanecemos fiéis à monarquia que desmoronava, enquanto eles, pelo contrário, saudavam o sol nascente e assim faziam fortuna; eles concordariam que nosso rei era Luís, o Bem-Amado, enquanto o usurpador que eles arranjaram era apenas Napoleão, o Maldito. Não acha, Villefort?

— O que disse, sra. marquesa? Queira me desculpar, não segui a conversa.

— Pense apenas nos nossos filhos, marquesa — cortou o marido, voltando ao brinde que havia levantado. — São eles que estão se casando e, naturalmente, não querem ouvir falar de política agora.

— Sinto muito, mãe — disse uma jovem e bonita moça de cabelos louros —, já estou devolvendo à conversa o sr. de Villefort a quem, por um momento, pedi atenção. Sr. de Villefort, minha mãe...

— Está desculpada, Renée — agradeceu a marquesa. — Eu dizia, Villefort, que os bonapartistas não têm nossa convicção, nosso entusiasmo e nem nossa lealdade.

— Ah, senhora, mas eles têm pelo menos o fanatismo. Napoleão é o Maomé do Ocidente. Para todos esses seus seguidores vulgares, ele é não só um legislador e um chefe, mas também uma imagem, a representação da igualdade.

— Isso que está dizendo, Villefort, cheira a revolução a uma légua de distância. Mas é normal, ninguém é filho de girondino sem guardar certo vínculo com a terra.

— Mãe, mãe — interferiu Renée —, já havíamos combinado de não voltar a essas más lembranças.

— Senhora — respondeu Villefort —, junto-me à srta. de Saint-Méran e, com muita humildade, peço que deixemos de lado o passado. Pessoalmente, não só me separei da opinião, mas também do nome de meu pai. Ele foi, e talvez inclusive ainda seja, bonapartista e se chama Noirtier, enquanto eu sou monarquista e me chamo Villefort.

— Está bem — disse a marquesa —, esqueçamos o passado, é tudo que quero. Mas pelo menos, Villefort, seja inflexível no futuro. Não esqueça que o garantimos junto à Sua Majestade que, seguindo nossa recomendação, procurou igualmente esquecer. Mas se jamais algum conspirador cair em suas mãos, lembre-se de que a vigilância sobre o senhor é ainda maior, por vir de uma família que tem prováveis relações com a conspiração.

— Ah, sr. de Villefort! — sugeriu uma bonita mocinha, filha do conde de Salvieux e amiga da srta. de Saint-Méran. — Seria ótimo se houvesse um bom processo enquanto estamos em

Marselha. Nunca assisti a um julgamento com júri, e dizem que é muito interessante.

Nesse momento, como se o acaso esperasse apenas a expressão daquele desejo para satisfazê-lo, um criado entrou e lhe falou algo ao ouvido. Então, Villefort deixou a mesa, mas voltou instantes depois, com a expressão alegre e um sorriso nos lábios.

Renée olhou-o com ternura. Visto assim, com seus olhos azuis e costeletas escuras emoldurando o rosto, era de fato um belo rapaz.

— Por que motivo o chamaram? — perguntou a moça, vagamente apreensiva.

— Parece que acabam de, simplesmente, descobrir um complô bonapartista.

— Será possível? — alarmou-se a marquesa.

— Tenho aqui a carta de denúncia.

— E onde se encontra o infeliz? — perguntou Renée.

— Já à minha disposição.

— Por favor, meu amigo — disse o marquês —, não falte a seus deveres para nos fazer companhia, se o serviço do rei o exige em outro lugar.

— Ah, sr. de Villefort — pediu Renée, juntando as mãos —, seja tolerante, é o dia do seu noivado!

Villefort deu a volta na mesa e, aproximando-se de onde estava sentada a jovem, apoiou-se no encosto da cadeira e disse:

— Para poupá-la de qualquer aflição, farei o possível, querida Renée, mas se a acusação for verdadeira, será preciso cortar a erva daninha bonapartista.

Renée teve um arrepio ao ouvir a palavra *cortar*, pois a tal erva que se pretendia cortar tinha uma cabeça.

VII
O interrogatório

Assim que deixou a sala em que almoçavam, Villefort abandonou a sua máscara alegre e assumiu o ar grave que deve ter alguém com o supremo poder de decidir sobre a vida de seu semelhante.

Foi majestosamente, então, que entrou em sua casa, contígua ao Palácio da Justiça. A antecâmara estava repleta de policiais. No meio, sob a vigilância de olhares faiscantes de ódio, de pé, calmo e imóvel, podia-se ver o prisioneiro.

Villefort atravessou o recinto, deu uma olhada rápida em Dantès e, depois de pegar a papelada que lhe passou um agente, desapareceu, dizendo:

— Tragam o acusado.

Pouco depois, Dantès entrou.

Estava um tanto pálido, mas calmo e sorridente. Cumprimentou o juiz polidamente e à vontade, procurando com os olhos uma poltrona, como se estivesse na sala do seu patrão Morrel.

— Quem é o senhor e como se chama?

— Meu nome é Edmond Dantès — respondeu o jovem com voz vibrante. — Sou imediato a bordo do navio *Faraó*, que pertence à Casa Morrel & Filho.

— Idade?

— Dezenove anos.

— O que fazia no momento em que foi preso?

— Participava, senhor, de um almoço para festejar meu noivado.

Villefort, por mais impassível que normalmente fosse, impressionou-se com a coincidência.

— Continue, por favor.

— O que devo continuar?

— Serviu sob o usurpador?

— Ia ser alistado na marinha de guerra, quando ele caiu.

— Leio no relatório que tem opiniões políticas exageradas — disse Villefort, sem que nada o levasse a tal afirmação, mas orgulhoso de colocar a questão.

— Opiniões políticas, senhor? Lamento confessar, pois é quase vergonhoso, mas minhas opiniões se limitam a três sentimentos: amo meu pai, respeito o sr. Morrel e adoro minha noiva, Mercedes.

"Puxa! É um ótimo rapaz e não será difícil agradar Renée, satisfazendo o primeiro pedido que me fez", pensou o substituto do procurador.

— Acredita ter inimigos? — perguntou Villefort.

— Inimigos? Eu? — espantou-se Dantès. — Tenho a felicidade de ser insignificante demais para isso.

— Talvez não inimigos, mas invejosos. Tem 19 anos e será nomeado capitão de um navio, um posto bastante alto para alguém da sua condição. Além de se casar com uma jovem que o ama. São duas dádivas do destino que podem ter gerado cobiças. Veja o bilhete que o acusa, reconhece a letra?

Villefort tirou do bolso o papel, que Dantès olhou e leu, parecendo ficar mais apreensivo.

— Não, não sei de quem é.

— Agora — disse o substituto —, responda-me com franqueza, não como um acusado diante do seu juiz, mas como um homem conversando com outro: o que há de verdade nessa acusação?

— Bem, ao deixarmos Nápoles, o capitão Leclère ficou muito doente e, logo depois, foi tomado por uma febre cerebral. Pressentindo a morte, me chamou e disse:

"'Querido Dantès, jure cumprir o que vou pedir, altos interesses dependem disso.'

"'Juro, capitão', respondi.

"'Ouça bem! Vou morrer e o comando do navio passará para o senhor, que é o imediato. Rume para a ilha de Elba, desembarque em Portoferraio, peça para falar com o grande marechal e entregue a ele esta carta. Talvez receba outra e seja encarregado de uma missão. Estava reservada para mim essa missão, mas o senhor terá que se incumbir dela no meu lugar, guardando para si todo o mérito.'

"'Farei o que pede, capitão, mas talvez não seja tão fácil o acesso ao grande marechal.'

"'Faça com que chegue a ele este anel e isso derrubará todas as dificuldades.'

"E ele me entregou um anel. Bem a tempo: duas horas depois começou a ter delírios e, no dia seguinte, estava morto."

— E o que fez o senhor?

— O que devia. Os pedidos de um moribundo são sagrados, mas para o marinheiro, sobretudo, os pedidos de um superior são ordens, que devem ser cumpridas.

— Entendo, perfeitamente — murmurou Villefort. — Se houve alguma culpa, foi apenas a de imprudência, mas legitimada pelas ordens do seu capitão. Dê-me a carta que lhe foi entregue na ilha de Elba, também a sua palavra de que se apresentará assim que chamado para novo depoimento, e vá encontrar os seus amigos.

— Quer dizer, senhor, que estou livre? — alegrou-se Dantès.

— Perfeitamente, basta que me dê a carta.

— Deve estar à sua frente, pois foi apreendida com meus documentos e vejo alguns deles nesse amarrado de papéis.

— Espere um pouco — pediu o substituto a Dantès, que já pegava suas luvas e chapéu —, espere. A quem deveria ser entregue a carta?

— Sr. Noirtier, rua Coq-Héron, Paris.

Um raio que caísse em cima de Villefort não o atingiria com maior impacto: ele desabou na poltrona da qual se erguera um pouco para alcançar os papéis confiscados com Dantès e, percorrendo-os com ansiedade, encontrou a carta, olhando-a com inexprimível terror.

— Mostrou esta carta a alguém? — perguntou Villefort, enquanto lia cada vez mais pálido.

— A ninguém, senhor, palavra de honra!

— E confirma não saber o que contém o documento?

— Dou novamente minha palavra, ignoro o conteúdo.

Villefort passou a mão, que estava gelada, pela testa molhada de suor e, pela terceira vez, releu a carta.

"Se ele souber o que diz essa carta e um dia descobrir que Noirtier é meu pai, estou perdido, perdido para sempre!", pensou.

Com um supremo esforço para demonstrar segurança, o substituto do procurador do rei sentenciou:

— Gravíssimas acusações pesam sobre o senhor, como resultado desse interrogatório. Nesse momento, não tenho mais como deixá-lo ir livremente, como havia de início esperado. Precisarei consultar a promotoria. Mas o senhor é testemunha de como agi até aqui.

— Sim, sim, claro! — exclamou Dantès. — E fico muito reconhecido, o senhor foi comigo bem mais um amigo do que um juiz.

— Vou mantê-lo preso então por mais um tempo, o mais curto possível. O que realmente incomoda, no seu caso, é esta carta e, como vê...

O substituto se aproximou da lareira e jogou nas chamas o papel, esperando até vê-lo reduzido a cinzas.

— Como pode ver — continuou ele —, ela não existe mais.

— Céus! — exclamou Dantès. — Não é só a justiça que o senhor encarna, é também a bondade!

— Vou mantê-lo até a noite aqui no Palácio. Talvez outra pessoa venha interrogá-lo, repita tudo que disse, mas sem uma palavra sobre a carta.

— Está prometido, senhor.

Villefort acionou uma campainha e o comissário de polícia entrou. Ele se aproximou do oficial e sussurrou algumas palavras em seu ouvido, obtendo como resposta uma simples confirmação com um movimento de cabeça

— Acompanhe este cavalheiro — disse Villefort a Dantès.

Dantès curvou-se e saiu, com um último olhar de agradecimento.

Assim que a porta foi fechada, Villefort sentiu-se desfalecer e desmoronou na poltrona, quase sem sentidos.

VIII
O castelo de If

Atravessando a antecâmara, o comissário de polícia fez sinal a dois guardas, que se colocaram um à direita e o outro à esquerda de Dantès. Uma porta que liga a residência do procurador do rei ao Palácio da Justiça foi aberta e os quatro homens, por algum tempo, percorreram um desses grandes corredores que arrepiam quem por eles passa, mesmo que, eventualmente, não tenha motivo algum para isso.

Depois de inúmeras curvas, Dantès viu se abrir uma porta com um postigo de ferro. Vendo-o hesitar, os dois guardas rapidamente empurraram Dantès para dentro. Ele atravessou a assustadora soleira, logo em seguida ouviu a porta ser fechada com um ruído.

Era um ar diferente que se respirava ali, um ar desagradável e pesado: Dantès estava preso.

Deixaram-no num quarto bastante limpo, mas gradeado e trancado. O aspecto do local o tranquilizou e, de qualquer forma, as palavras do substituto do procurador do rei, ditas com voz tão amigável, ainda ecoavam em seus ouvidos, como vaga e esperançosa promessa.

Já eram quatro da tarde e, como estavam no dia 1º de março, em pouco tempo a escuridão se tornou total.

Por volta das dez da noite, quando o prisioneiro já perdia a esperança, ouviu alguns passos soarem no corredor e pararem diante da sua porta. Uma chave girou na fechadura, as trancas rangeram e a maciça barreira de carvalho foi aberta, deixando que bruscamente se visse, no quarto escuro, a ofuscante claridade de duas tochas.

À luz das chamas, Dantès pôde distinguir o brilho dos sabres e dos mosquetões de quatro guardas.

— Vieram me buscar? — perguntou ele.

— Exato — respondeu um deles.

— Da parte do sr. substituto do procurador do rei?

— Com certeza.

— Que bom, até que enfim!

Uma carruagem aguardava na rua, bem perto, com o cocheiro a postos e um funcionário administrativo ao lado.

— É para mim? — perguntou Dantès.

— Para o senhor — respondeu um dos guardas. — Suba!

Em pouco tempo, Dantès se viu no fundo do veículo, entre dois guardas, com os outros dois sentados na banqueta à frente dele. Então a pesada aparelhagem pôs-se em marcha, com um barulho sinistro.

Pelas grades, que mal deixavam que se passasse a mão, Dantès percebeu que seguiam a rua Caisserie e, pelas ruas Saint-Laurent e Taramis, tomavam a direção das docas. Logo depois ele viu, através das suas próprias grades e as do monumento diante do qual passavam, brilharem as luzes da Consigne.

A carruagem parou. Os dois guardas à frente do prisioneiro foram os primeiros a descer, depois ele próprio e, em seguida, os dois outros. Foram todos na direção de um bote que um marinheiro guardava junto ao cais, preso por uma corrente. Vagamente curiosos, alguns soldados assistiam ao embarque do prisioneiro, que rapidamente se instalou à popa do bote, sempre cercado pelos quatro guardas, enquanto o funcionário administrativo se colocou à proa. Num violento sacolejar, a pequena embarcação se afastou do cais, com quatro remadores que vigorosamente tomaram a direção do Pillon. Logo após um grito dado a bordo, a corrente que fechava o porto afundou e Dantès se viu na área externa ao porto, chamada Frioul.

— Para onde estão me levando? — perguntou ele a um dos guardas.

— Logo vai saber.

Haviam já deixado, à direita, a ilha Ratonneau, na qual brilhava um farol e, quase costeando, chegaram à altura da angra dos Catalães, para onde os olhares do prisioneiro se dirigiram com redobrada energia: era onde se encontrava Mercedes.

Apesar da pouca vontade que tinha de fazer mais perguntas ao guarda, Dantès se aproximou um pouco e pediu, pegando-lhe a mão:

— Companheiro, em nome da sua consciência e da profissão de soldado, por favor, tenha compaixão e me diga. Sou o capitão Dantès, bom e fiel cidadão francês, apesar de estar sendo acusado de não sei qual traição: para onde estão me levando?

— A menos que esteja com uma venda nos olhos ou que nunca tenha saído do porto de Marselha, deve poder adivinhar para onde.

— Não consigo.

— Então, olhe em volta.

Dantès se ergueu e naturalmente olhou para onde se dirigia o bote, vendo surgir à sua frente a rocha negra e inóspita acima da qual se prolonga, como uma excrescência do sílex, o sombrio castelo de If.

Essa prisão, que gera tão profundo terror, fortaleza que há trezentos anos impõe a Marselha suas lúgubres tradições, só então se tornou real para Dantès. De fato, de forma alguma ele havia pensado nessa hipótese do castelo que, no entanto, causa nos prisioneiros o mesmo efeito que é causado a um condenado à morte quando vê o cadafalso.

Ele apertou a mão do guarda a ponto de quase quebrá-la.

— Isso significa que estou sendo levado como prisioneiro para o castelo de If?

— As formalidades foram preenchidas, a informação transmitida.

— Mas… e a promessa do sr. de Villefort? — perguntou ainda, caindo no fundo do barco com um urro de raiva.

Quase no mesmo instante, um choque violento abalou o bote.

Um dos remadores saltou sobre o rochedo. Em seguida, uma corda rangeu passando pela roldana, então Dantès entendeu que tinham chegado e que a embarcação estava sendo amarrada.

Os guardas, que o seguravam pelos braços e, ao mesmo tempo, pela gola do casaco, fizeram-no desembarcar e o arrastaram na direção de degraus que subiam até o portão da fortaleza, enquanto o suboficial, com mosquetão e baioneta, vinha por trás.

Houve uma pausa, que ele aproveitou para ordenar um pouco as sensações. Olhou em volta: um pátio quadrado, formado por quatro muralhas altas. Podia ouvir os passos lentos e regulares das sentinelas e, toda vez que elas passavam diante de dois ou três reflexos, projetados sobre a muralha por duas ou três luzes que brilhavam no interior do castelo, via-se cintilar o cano dos seus fuzis.

— Onde está o prisioneiro? — perguntou alguém.

— Aqui — responderam os guardas.

— Que ele me siga até o alojamento onde vai ficar.

— Anda — disseram os guardas, empurrando Dantès.

Ele seguiu o homem que os guiava e, como anunciado, foi levado até um cômodo quase subterrâneo, com paredes nuas e úmidas que pareciam impregnadas de um vapor de lágrimas. Uma espécie de lamparina em cima de um banco, com a mecha boiando numa gordura fétida, iluminava os paredões lustrosos daquele horrível lugar e deixava que Dantès finalmente visse quem o havia recebido: um carcereiro subalterno, malvestido e de infame aspecto.

— Por essa noite, este vai ser o seu quarto — explicou ele. — É tarde e o sr. diretor já foi se deitar. Amanhã, depois de acordar e tomar conhecimento das ordens que o concernem, ele talvez o mude de local. Enquanto isso, fique com esse pedaço de pão. Tem água naquela moringa e palha ali num canto. É tudo que um prisioneiro pode querer. Boa noite.

Antes mesmo de pensar em abrir a boca, Dantès se viu sozinho nas trevas e no silêncio, tão mudo e sombrio quanto as abóbodas das quais ele sentia o frio glacial cair no seu rosto em brasa.

Quando os primeiros raios do dia trouxeram alguma claridade àquele antro, o carcereiro voltou e disse ter recebido uma ordem para deixá-lo ali mesmo onde estava. O prisioneiro, aliás, não havia mudado de lugar; ele tinha passado a noite de pé e sem dormir nem um instante.

O homem, então, se aproximou e perguntou:

— Quer alguma coisa?

— Gostaria de ver o diretor.

Ele deu de ombros e virou as costas.

Dantès o acompanhou de onde estava e apenas estendeu a mão na direção da porta entreaberta, mas ela foi fechada.

Uma dor profunda atravessou, então, o seu peito. As lágrimas que se acumulavam em seu interior brotaram como dois riachos. De cara para o chão, ele rezou, por muito tempo, e reviu toda a sua vida pregressa, perguntando-se qual crime poderia ter cometido, ao longo de tão poucos anos, que merecesse uma punição assim tão cruel.

Foi como o dia se passou. Ele mal comeu alguns nacos de pão e bebeu alguns goles de água. Às vezes, ficava sentado, absorto em pensamentos; em outros momentos, caminhava ao redor da cela, como um animal selvagem preso numa jaula com grades de ferro.

No dia seguinte, à mesma hora, o carcereiro voltou.

— E, então? Está um pouco mais sensato?

Dantès não respondeu.

— Vamos, não desanime, quer alguma coisa que esteja dentro do que é possível para mim? Diga.

— Não preciso de livros, não tenho vontade de passear e acho a comida boa. A única coisa que quero é falar com o diretor.

Dizendo isso, ele pegou o banquinho junto à mesa e o girou acima da cabeça.

— Hum, entendi! Bom, já que quer tanto assim, vou dizer a ele.

— Até que enfim! — disse Dantès, colocando o banquinho de volta no chão e sentando nele, de cabeça baixa e olhos perdidos.

O carcereiro saiu. Pouco depois, voltou com quatro soldados e um cabo.

— Por ordem do diretor, levem o prisioneiro para o andar de baixo — disse ele.

— Às masmorras? — perguntou o cabo, para confirmar.

— Às masmorras. Loucos devem ficar com loucos.

Os quatro soldados pegaram Dantès pelo braço; ele, então, caiu numa espécie de inércia e os acompanhou sem resistir.

Desceram 15 degraus, uma cela foi aberta e ele entrou, dizendo para si mesmo:

— O carcereiro está coberto de razão, loucos devem ficar com loucos.

A porta foi fechada e Dantès, no escuro, seguiu em frente, de braços estendidos, até encontrar a parede. Sentou-se então num canto e permaneceu imóvel, enquanto os olhos se habituavam à falta de luz e começavam a distinguir os objetos.

IX
O pequeno gabinete das Tulherias

Acompanhem-me agora até um pequeno gabinete do palácio de Tulherias, com janela em arco, conhecido por ter sido o favorito de Napoleão e de Luís XVIII, e por ser agora o de Luís Filipe.

Nesse gabinete, sentado a uma mesa de nogueira à qual ele era particularmente afeiçoado, o rei Luís XVIII ouvia, sem dar muita atenção e sem deixar de fazer anotações à margem de um volume de Horácio, um homem que parecia ter entre cinquenta e 52 anos, cabelos grisalhos, postura aristocrática e cuidadosamente trajado.

— O que disse, duque? — perguntou o rei.

— Vou chamar essa pessoa, que chega de tão longe e tão ansiosa para dar a Vossa Majestade uma informação importante. Nem que seja só pelo sr. de Salvieux, que o recomendou, recebei-a, suplico.

— O sr. de Salvieux, camareiro-mor do meu irmão?

— Ele mesmo. Recomendou o sr. de Villefort e me encarregou de fazê-lo chegar até Vossa Majestade.

— Sr. de Villefort? — exclamou o rei. — O informante se chama Villefort?

— É este o seu nome, sire.

— E por que não me disse antes?

— Sire, não imaginei que Vossa Majestade o conhecesse.

— Pois conheço, Blacas. É alguém sério, educado e, sobretudo, ambicioso. Além disso, por Deus, sabe o nome do pai dele?

— Do pai?

— Isso mesmo: Noirtier.

— Noirtier, o girondino? O senador?

— Exatamente.

— E Vossa Majestade emprega o filho de um homem assim?

— Blacas, meu amigo, o senhor não enxerga longe. Como eu disse, Villefort é ambicioso e, para ter sucesso, é capaz de sacrificar tudo, inclusive o pai.

— Devo, então, dizer que entre, sire?

— Agora mesmo. Onde ele está?

O duque retirou-se com a desenvoltura de um jovem; a força do seu sincero monarquismo o fazia ter vinte anos.

Villefort entrou.

— Aproxime-se, sr. de Villefort — disse o rei. — Aproxime-se.

Villefort fez uma reverência e deu alguns passos à frente.

— Sr. de Villefort — continuou Luís XVIII —, tenho aqui o duque de Blacas me dizendo que o senhor possui uma informação importante para nós.

— Sire, o sr. duque está certo e creio que Vossa Majestade concordará.

— Fale o quanto for preciso, cavalheiro — tranquilizou o rei —, e comece do início, gosto de ordem em tudo.

— Sire, vim a Paris o mais rapidamente que pude, para contar a Vossa Majestade que descobri, dadas as minhas funções, não um complô comum e sem consequência, como os que diariamente são tramados nas classes mais baixas do povo e do Exército, mas uma verdadeira conspiração, uma tempestade podendo ameaçar nada menos que o trono de Vossa Majestade. Sire, o usurpador arma três naves de guerra e tem em mente algum projeto, que pode até ser insensato, mas, quem sabe, por isso mesmo terrível, sendo insensato o usurpador. Neste momento, ele deve ter deixado a ilha de Elba, mas para ir aonde? Não sei. Certamente tenta um desembarque, talvez em Nápoles, talvez no litoral da Toscana ou até mesmo na França. Vossa Majestade não ignora o fato de o soberano da ilha de Elba manter correspondência tanto com a Itália quanto com a França.

— Tenho conhecimento disso — admitiu o rei, bastante preocupado —, e recentemente, inclusive, fomos informados a respeito de reuniões bonapartistas na rua Saint-Jacques... Mas como obteve todas essas informações?

— Sire, foram resultado de um interrogatório a que submeti um suspeito, em Marselha, que eu há muito tempo observava, e que mandei prender no dia mesmo em que viajei. Ele esteve em segredo na ilha de Elba, encontrou-se com o grande marechal e foi encarregado de uma missão verbal para um bonapartista de Paris, do qual não consegui que me dissesse o nome. A missão, em todo caso, era a de recomendar a esse conspirador que preparasse o ambiente para um próximo retorno.

— E onde está esse agente marselhês? — perguntou Luís XVIII.

— Preso, sire.

— E o que está em andamento lhe pareceu grave?

— Sire, temo que não seja mais um complô, temo que seja algo bem mais amplo.

X
Os Cem Dias

Todos conhecem o retorno da ilha de Elba.

Apenas muito timidamente, Luís XVIII tentou se defender daquele duro golpe. A realeza, ou melhor, a monarquia, que com ele mal se reconstituíra, balançou em sua base insegura. E bastou um simples gesto do imperador para que o edifício inteiro desabasse, combinação informe de velhos preconceitos e ideias novas. Villefort, então, obteve do rei apenas uma gratidão, não só inútil naquele momento, mas também perigosa. Prova disso: ele teve a prudência de não exibir a cruz da Legião de Honra que o duque de Blacas diligentemente, por recomendação real, enviou-lhe como diploma.

Napoleão teria certamente destituído Villefort, não fosse a proteção de Noirtier, que se tornou todo poderoso na corte dos Cem Dias, tendo em vista os perigos enfrentados e os serviços prestados.

Villefort, então, durante toda aquela ressurreição do Império — do qual, aliás, era bem fácil prever a segunda queda —, limitou-se a abafar o segredo que Dantès estivera prestes a divulgar.

O procurador titular do rei, porém, foi destituído, sendo pouco confiável em matéria de bonapartismo.

Villefort permaneceu firme, apesar da queda do superior imediato, mas o casamento, já decidido, foi adiado para tempos mais amenos. Caso o imperador se mantivesse no trono, seria de outra aliança que Gérad de Villefort precisaria, e o seu pai se encarregaria disso. Caso uma segunda Restauração trouxesse Luís XVIII de volta à França, a influência do sr. de Saint-Méran seria ainda maior e a união se mostraria, então, mais interessante do que nunca.

O substituto do procurador do rei já era, então, o primeiro magistrado de Marselha quando, certa manhã, sua porta se abriu e lhe anunciaram o sr. Morrel.

O visitante imaginava que veria Villefort abatido, mas o encontrou calmo, sereno e com fria polidez.

— Sr. Morrel, não é? — perguntou Villefort.

— Eu mesmo — respondeu o armador.

— Aproxime-se, por favor, e diga a que devo a honra dessa visita.

— Não faz ideia?

— Nenhuma.

— Pois bem. O senhor deve lembrar que, poucos dias antes de sabermos do desembarque de Sua Majestade, o imperador, vim pedir a indulgência dessa Procuradoria para um pobre infeliz, um marinheiro, imediato a bordo de um navio meu. O rapaz tinha sido acusado, devo recordar, de ter estabelecido contato com a ilha de Elba. O que era crime, naqueles dias, deixou de ser. O senhor servia a Luís XVIII e foi rigoroso, era o seu dever. Hoje o senhor serve a Napoleão e deve, então, protegê-lo, pois é este, agora, o seu dever. Por isso, venho tentar saber o que aconteceu ao rapaz.

Villefort fez um grande esforço para se controlar e perguntou:

— Qual o nome do acusado?

— Edmond Dantès.

Villefort abriu, então, um volumoso registro, disposto num escaninho perto e, voltando-se para o armador:

— Tem certeza de não estar enganado?

— Absoluta. Não tenho como me enganar, conheço o rapaz há dez anos e há quatro ele trabalha para mim.

— Espere, então, um pouco — retomou Villefort, folheando outro registro. — Pronto: um marinheiro, não é? Casando-se com uma catalã... Hum, estou vendo, a coisa era bem grave.

— Como assim?

— Bom, fiz meu relatório em Paris. Enviei os papéis encontrados com ele. Era o meu dever, fazer o quê? Oito dias depois, o prisioneiro foi levado daqui.

— Levado daqui?! — assustou-se Morrel.

— Ah, nada de mais! Deve ter sido transferido para Fenestrelles, para Pignarol, para as ilhas Sainte-Marguerite, o que, em termos administrativos, chamamos de "mudança de área". A qualquer hora, o senhor o verá chegar para assumir o comando do seu navio.

— Ele pode vir quando quiser, o lugar é dele. Mas como isso pode não ter acontecido até agora? Parece-me que o primeiro interesse da justiça bonapartista seria o de libertar presos da justiça monarquista.

— Não levante acusações temerárias, meu caro sr. Morrel. É preciso, sempre, seguir os trâmites da legalidade. A ordem de encarceramento veio de cima e de cima deve vir, também, a ordem de libertação. Napoleão assumiu há 15 dias apenas, os alvarás de soltura mal tiveram tempo de ser expedidos.

— Resumindo, sr. de Villefort, qual conselho me dá que possa apressar a volta do pobre Dantès?

— Um só: uma petição ao ministro da Justiça.

— E o senhor encaminharia essa petição?

— Com o maior prazer. É dever meu devolver a liberdade a quem foi dever meu prender.

Villefort, então, ditou uma solicitação em que não havia como duvidar das suas excelentes intenções, exagerando o patriotismo de Dantès e os serviços por ele prestados à causa bonapartista. A petição tornava o imediato do *Faraó* um dos mais fervorosos agentes para a volta de Napoleão, sendo evidente que, ao ver semelhante documento, o ministro na mesma hora faria justiça, caso esta porventura já não tivesse sido feita.

Terminado o requerimento, Villefort o releu em voz alta.

— Pronto, já pode ficar descansado — disse ele, para tranquilizar o armador.

— E a petição seguirá logo?

— Hoje mesmo.

Dizendo isso, Villefort colocou, num canto do documento, o seu sinete.

— E agora, Excelência, o que é preciso ser feito? — perguntou Morrel.

— Esperar — disse Villefort. — E pode deixar tudo por minha conta.

Tanta segurança devolveu a esperança a Morrel, que se despediu do substituto do procurador muito bem impressionado e foi direto contar ao velho Dantès que ele não demoraria a rever o filho.

Já Villefort, em vez de enviar a Paris o documento, preciosamente engavetou aquele pedido que salvaria Dantès no presente, mas o comprometia tremendamente no futuro, prevendo algo que a atitude da Europa e o avançar dos acontecimentos já anunciavam, isto é, uma segunda Restauração.

E foi como Dantès, durante os Cem Dias e após Waterloo, continuou preso e esquecido, senão dos homens, pelo menos de Deus.

Vendo Napoleão voltar à França, Danglars percebeu as prováveis consequências do que havia feito a seu colega de bordo: a denúncia havia surtido efeito e, como todos que têm certa tendência para o crime e são dotados de razoável inteligência para a vida ordinária, ele viu nessa estranha coincidência um *decreto da Providência*.

E quando Napoleão chegou a Paris e sua voz voltou a troar, imperiosa e forte, Danglars apavorou-se: a toda hora esperava ver Dantès ressurgir, Dantès sabendo de tudo, Dantès ameaçador, forte e disposto a todo tipo de vingança. Ele, então, procurou o sr. Morrel e falou da sua vontade de deixar o serviço náutico. Conseguiu do armador uma carta de recomendação para um negociante espanhol, com vistas a um emprego de escritório e, dez ou 12 dias depois da chegada de Napoleão ao palácio de Tulherias, ele partiu para Madri e ninguém nunca mais ouviu falar dele.

Fernand, por sua vez, nada entendeu, mas Dantès estava fora do jogo e isso era tudo que ele queria. O que teria acontecido? Ele preferiu não aprofundar. Mas durante todo o adiamento que tal ausência provocava, ele se esforçou, tanto para iludir Mercedes sobre os motivos daquele sumiço, quanto para arquitetar planos de emigração e de rapto.

Nesse ínterim, e no meio de tantas flutuações dolorosas, o Império impôs um último recrutamento de soldados e todos os homens aptos e em estado de carregar armas foram enviados para fora da França, atrás do comando retumbante do imperador.

Com isso, Fernand foi obrigado a partir, deixando seu barraco e Mercedes, devorado pelo sombrio e aterrador pensamento de, nesse meio-tempo, o rival voltar e se casar com a mulher amada.

Mercedes ficou abandonada nessa terra nua, que nunca lhe parecera tão inóspita, e tendo o mar imenso como horizonte. Banhada de lágrimas, era o tempo todo vista a vagar pelo vilarejo dos catalães, às vezes imóvel sob o sol ardente do Sul, de pé, muda como uma estátua e olhando para Marselha, outras vezes sentada à beira d'água, ouvindo o gemido do mar, eterno como a sua dor, perguntando-se se não seria melhor, em vez de sofrer tantas cruéis alternativas da espera sem esperança, debruçar-se mais, deixar que o próprio peso a carregasse, abrir o abismo e nele mergulhar.

Não foi coragem que faltou a Mercedes para realizar esse projeto, foi a religião que veio em socorro e a salvou do suicídio.

Caderousse foi convocado, como Fernand, só que, sendo oito anos mais velho que o catalão e casado, partiu apenas na terceira convocação e foi enviado para uma região litorânea.

O velho Dantès, sustentado apenas pela esperança, perdeu-a em definitivo com a queda do imperador. Exatamente cinco meses depois de ter sido separado do filho e quase na mesma hora da prisão, ele deu seu último suspiro, nos braços de Mercedes.

O sr. Morrel encarregou-se de todas as despesas do enterro e pagou as míseras dívidas que o pobre velho contraíra na doença.

Tal atitude representou mais do que um simples gesto de caridade, foi um ato de coragem. O sul da França estava em chamas; prestar socorro, mesmo que em seu leito de morte, ao pai de um bonapartista perigoso como Dantès era um crime.

XI
O prisioneiro furioso e o prisioneiro louco

Mais ou menos um ano depois da volta de Luís XVIII ao trono, houve uma visita do sr. inspetor-geral das prisões.

Do fundo da sua cela, Dantès ouviu as arrumações, faxinas e todo esse tipo de preparativo que, acima das masmorras, fazia um enorme barulho, mas que, lá embaixo, passaria despercebido para qualquer ouvido que não fosse o de um prisioneiro, acostumado a notar, no silêncio da noite, a aranha que tece a sua teia e a queda periódica da gota d'água que leva uma hora para se formar no teto do calabouço.

Ele pressentiu, então, que algo estranho se passava no mundo dos vivos, pois há tanto tempo habitava uma tumba que podia perfeitamente se ver como morto.

De fato, o inspetor-geral visitava cada um dos quartos, das celas e dos cárceres. Vários prisioneiros foram interrogados, escolhidos entre os que a docilidade ou a imbecilidade se acomodavam bem à magnanimidade da administração do castelo de If. O inspetor perguntava como estavam sendo alimentados e quais reclamações porventura quisessem fazer.

Em unanimidade, todos denunciavam a comida horrível e pediam para ser soltos.

O inspetor comentou com o diretor:

— Não vejo por que nos obrigam a essas visitas inúteis. Um só prisioneiro que se veja já vale por cem, e um só que se ouça já vale por mil. É sempre a mesma ladainha: mal alimentados e inocentes. Tem outros?

— Com certeza. Temos os perigosos ou loucos, que ficam nas masmorras.

— Bom — suspirou o inspetor —, cumpramos nossa tarefa até o fim, desçamos às masmorras.

Com o ranger das pesadas trancas, Dantès, encolhido num canto, ergueu a cabeça.

Vendo um desconhecido, iluminado por dois carcereiros que seguravam tochas, seguido por dois soldados e a quem o diretor falava de chapéu na mão, Dantès achou ser aquela a esperada ocasião para ser ouvido por uma autoridade superior, então saltou de mãos juntas. Exprimindo-se com uma eloquência tão cheia de devoção que espantava os que ouviam, ele tentou comover a alma do visitante.

O inspetor ouviu toda a arenga de Dantès e perguntou:

— Resumindo, o que pede?

— Que me digam qual crime cometi e que meu processo tenha continuidade. Peço que me fuzilem, se eu for culpado, mas, por outro lado, que me soltem, se for inocente.

— Entendo — disse o inspetor. — Veremos o que é possível fazer.

Em seguida, voltando-se para o diretor:

— Esse pobre-diabo de fato me dá pena. Quando subirmos, quero ver o seu registro de prisão.

— Perfeitamente — aquiesceu o outro. — Mas creio que só encontrará comentários bem negativos.

— Por ordem de quem foi preso? — perguntou o inspetor.

— Do sr. de Villefort — respondeu Dantès. — Por favor, procure vê-lo e saber por quê.

— O sr. de Villefort não está mais em Marselha, foi transferido para Toulouse.

— Meu único protetor, então, se encontra longe?

— O sr. de Villefort tinha algum motivo para querer a sua desgraça? — perguntou o inspetor.

— Nenhum, foi muito cordial e amistoso comigo.

— Posso, então, me fiar nas indicações que ele deixou sobre o senhor, ou que ele venha a fornecer?

— Com certeza.

— Farei isso, aguarde.

Dantès caiu de joelhos, levando as mãos ao céu. Murmurou uma prece, implorando a Deus proteção para aquele homem que descera até ali como o Salvador, indo livrar as almas do inferno.

A porta foi trancada, mas a esperança que se infiltrara com o inspetor permaneceu bem presente no cubículo de Dantès.

— Quer ver logo o registro de prisão? — perguntou o diretor.

— Vamos terminar de uma vez a visita aqui embaixo — respondeu o outro. — Se eu voltar à luz do dia, é possível que não tenha mais coragem de continuar essa triste missão.

— Ah! O próximo é bem diferente e a sua loucura é menos depressiva que a lucidez do preso anterior.

— E qual loucura é a dele?

— Uma loucura bem estranha: ele acredita possuir um tesouro imenso. No primeiro ano de prisão, mandou oferecer ao governo um milhão, se lhe devolvessem a liberdade. No segundo, dois milhões, no terceiro, três, e assim em diante. Como está há cinco anos aqui, vai chamá-lo num canto e oferecer cinco milhões.

— Entendo. E como se chama o milionário?

— Padre Faria.

O olhar curioso do inspetor perscrutou a cela do louco.

Bem no centro, num círculo traçado na terra com um pedaço de gesso arrancado da parede, estava deitado um homem quase nu, de tanto que suas roupas tinham se deteriorado. Desenhava no círculo linhas geométricas bem nítidas e parecia tão ocupado em resolver um problema quanto Arquimedes, quando foi morto por um soldado do general Marcelo. Ele, então, nem sequer se moveu, ao ouvir o barulho da porta sendo aberta, e só pareceu despertar daquele transe quando a luz dos archotes iluminou com um brilho inesperado o chão úmido em que trabalhava.

— Qual o seu pedido? — começou o inspetor, sem mudar sua maneira de abordar os presos.

— Meu pedido, cavalheiro? Nenhum — respondeu o padre, espantado. — Nada peço.

— Não deve ter entendido — voltou o inspetor. — Sou funcionário do governo e tenho como missão descer às prisões e ouvir as reclamações dos presos.

— A comida é igual à de todas as prisões — disse o padre. — Ou seja, péssima. Já a cela, como vê, é úmida e insalubre, o que perfeitamente corresponde ao que se espera de uma masmorra. Mas não é isso que interessa, e sim uma revelação da mais alta importância que tenho a fazer ao governo.

— Pronto, eu o preveni — disse baixinho o diretor ao inspetor.

— E por isso fico tão feliz de vê-lo — continuou o padre —, mesmo tendo me interrompido num cálculo importantíssimo. Poderia me conceder uma conversa em particular?

— O que pede é impossível de se satisfazer, senhor.

— E se for para oferecer ao governo — continuou o padre — uma soma de cinco milhões?

— Meu caro senhor — respondeu o inspetor —, o governo é rico e não precisa, felizmente, do seu dinheiro. Guarde-o para o dia em que sair da prisão.

Os visitantes retiraram-se e o carcereiro voltou a trancar a porta.

— Ele pode ter mesmo possuído alguns tesouros — comentou o inspetor, subindo as escadas.

— Ou sonhou possuí-los — respondeu o diretor — e acordou louco.

Quanto a Dantès, o inspetor manteve sua palavra. Chegando ao gabinete do diretor, pediu para ver o registro de prisão. A anotação concernente ao prisioneiro dizia:

> "Bonapartista enfurecido; teve parte ativa no retorno da ilha de Elba. Deve ser mantido em profundo segredo e sob a mais estrita vigilância."

A acusação era categórica demais para que fosse possível derrubar. O inspetor, então, escreveu: "Nada a fazer."

Dias se passaram, depois semanas, depois meses.

No ano seguinte, o diretor do presídio foi transferido, por pedido seu, para a fortaleza de Ham e levou com ele vários subordinados, entre os quais o carcereiro de Dantès. Para o novo diretor, seria demorado demais saber o nome dos prisioneiros, então ele preferiu tratá-los apenas por seus números. Aquela infame pensão tinha cinquenta quartos e os seus hóspedes passaram a ser designados pelo número daquele que ocupavam. Nosso infeliz herói deixou de scr Edmond Dantès e passou a ser o número 34.

XII
O número 34 e o número 27

Dantès passou por todas as etapas por que passam os presos abandonados numa prisão.

A raiva sucedeu ao ascetismo. Edmond blasfemava a ponto de horrorizar o carcereiro, lançava o próprio corpo contra as paredes, tinha ataques de fúria contra tudo que estivesse a seu alcance e, mais ainda, contra si mesmo, pela menor contrariedade que lhe causasse um grão de areia, um fiapo de palha, uma corrente de ar. Voltava à lembrança a carta de denúncia que Villefort havia mostrado e que ele pôde ler. Cada vez mais, estava convencido de ser por maldade dos homens, e não por castigo de Deus, que se via mergulhado naquele abismo. Rogava, então, àqueles desconhecidos as piores pragas, achando serem ainda insuficientes as mais terríveis que pudesse imaginar.

Depois, ele caiu na imobilidade apática das ideias de suicídio. Havia duas maneiras de se matar. Uma era simples: bastava amarrar um pano numa barra da janela e se enforcar. A outra consistia em tentar morrer de fome. A primeira causava certa repugnância ao marinheiro que ele tinha sido, acostumado a odiar os piratas, que eram enforcados nas vigas dos navios. Considerava, por isso, o enforcamento uma espécie de suplício infame. Tendo dado preferência à segunda, colocou-a em imediata execução.

Rigorosa e implacavelmente, ele gastou o pouco de existência que ainda restava e, certo dia, não teve mais força para se levantar e jogar pela abertura da cela a comida que traziam.

No dia seguinte, ele acordou com a visão completamente debilitada. Além disso, mal ouvia, ao que o carcereiro achou ser alguma doença grave. Edmond começou a acreditar que teria uma morte rápida.

Certa noite, porém, ele ouviu um ruído insistente e abafado, do outro lado da parede contra a qual estava deitado.

Era um atrito regular, que parecia causado por uma garra enorme, um dente poderosíssimo ou, em último caso, o trabalho de uma ferramenta qualquer sobre as pedras.

Nada disso! Ele certamente se equivocava, e o mais provável é que se tratasse de um desses sonhos que se tem à beira da morte.

Mas o fenômeno continuou. Por mais três horas, aproximadamente. Depois houve um rolar de pedras e voltou o silêncio.

Horas se passaram e o atrito retomou, mais forte e mais próximo. Ele já começava a se interessar por aquela faina que, de um jeito ou de outro, o distraía, quando o carcereiro entrou, trazendo a refeição.

Dantès se levantou da cama, ergueu a voz e começou a falar das coisas mais estapafúrdias, da má qualidade de comida, do frio que fazia na cela, resmungando e procurando pretexto para falar alto, até que esgotou a paciência do homem. A gamela foi deixada em cima da mesa capenga de sempre e o homem se retirou, achando que o prisioneiro delirava.

Livre, ele voltou a prestar atenção.

O barulho tornara-se tão claro que agora podia ser ouvido sem o menor esforço. Edmond foi até um canto da cela, deslocou uma pedra minada pela umidade e voltou para o ponto em que o som era mais intenso.

Deu três pancadas na parede com a pedra. Logo na primeira, o barulho cessou como que por encanto.

Ele ficou bem atento, mas duas horas depois nenhum barulho tinha voltado. Reinava, do outro lado, o mais absoluto silêncio.

Cheio de esperança, Edmond comeu um pouco de pão e bebeu uns goles d'água.

O dia se passou, e sempre o mesmo silêncio; a noite, também, sem qualquer novidade.

Três dias e nada, 72 horas mortais, contadas minuto a minuto!

Já à noite, depois da última visita do carcereiro e quando, pela centésima vez, ele colou o ouvido à parede, percebeu ecoar uma movimentação praticamente inaudível.

Não teve mais dúvida, algo se passava do outro lado. Quem causava aquele reboliço assustara-se com o perigo e havia mudado de estratégia. Para dar continuidade ao que fazia, sem correr tanto risco, provavelmente havia trocado a alavanca que usava por algum tipo de buril.

Animado com a descoberta, Edmond resolveu ajudar o incansável companheiro. Começou por deslocar a cama, atrás da qual parecia executar-se a operação de salvamento, e procurou algum objeto com que pudesse também escavar.

Nada encontrou. A única solução foi quebrar a moringa e, com um dos cacos mais pontudos, começar o trabalho.

Jogou numa pedra a vasilha, que se espatifou em pedaços. Escolheu dois ou três fragmentos rombudos, escondeu-os na palha em que dormia e deixou o restante no chão. A moringa quebrada seria algo natural e não despertaria suspeitas.

Com precauções imensas, em três dias ele conseguiu retirar todo o cimento e desnudar a rocha: a muralha era feita de pedras de alvenaria, entre as quais, para garantir a solidez, em alguns pontos tinham sido incrustradas outras, mais duras. Foi a uma destas que ele conseguiu abalar um pouco, e só faltava agora escavar em volta. As primeiras tentativas, com as unhas, revelaram-se insuficientes: os cacos de argila da moringa, enfiados nos interstícios, quebravam-se, quando usados como alavanca.

Uma ideia brilhou na sua mente: o carcereiro todo dia trazia a sopa numa panela, que era esvaziada no prato, diariamente lavado pelo próprio prisioneiro, para servir no dia seguinte.

À noite, esse prato foi deixado no chão, no caminho entre a porta e a mesa, para que o carcereiro, ao entrar, pisasse nele. E foi o que de fato aconteceu, de tal modo que o prato quebrou-se em mil pedaços.

Não se podia culpar o preso: tinha cometido o erro de deixar o objeto no chão, é verdade, mas o carcereiro também devia olhar onde pisava.

— Deixe a panela — sugeriu Dantès. — Pode pegá-la amanhã, quando trouxer o almoço.

O homem gostou, pois com isso não precisaria subir e descer com outro prato, para depois ainda voltar a subir. Deixou a panela, e Dantès ficou radiante de alegria.

Tomou sofregamente a sopa. Depois, esperou uma hora, para ter certeza de que o carcereiro não voltaria, afastou a cama, pegou a panela, usou o cabo como alavanca entre a pedra dura, já sem cimento, e as mais macias em volta.

Uma ligeira oscilação comprovou ser o caminho certo.

De fato, uma hora depois, a pedra tinha sido extraída da parede, deixando uma cavidade de mais de meio metro de diâmetro.

Ao amanhecer, ele recolocou a pedra no lugar, levou a cama de volta à parede e se deitou.

A primeira refeição era sempre um naco de pão: o carcereiro entrou e deixou-o em cima da mesa.

— Não trouxe outro prato? — perguntou Dantès.

— Não, já que você quebra tudo. Destruiu a moringa e, por culpa sua, pisei no prato. Se todos os prisioneiros fizerem o mesmo, o governo quebra. Fique com a panela, colocarei a sopa nela, pelo menos assim, espero, não quebrará mais nada.

Dantès olhou na direção do céu e juntou as mãos, por baixo da coberta.

Trabalhou o dia inteiro sem parar e à noite, graças à nova ferramenta, havia retirado da parede mais de dez punhados de lascas de pedra, de gesso e de cimento.

Continuou trabalhando depois da janta, mas com duas ou três horas de esforço, encontrou um obstáculo.

Ele apalpou e viu que se tratava de uma viga de madeira que atravessava ou, melhor dizendo, barrava totalmente o buraco iniciado. Seria preciso escavar acima ou abaixo. O infeliz prisioneiro não havia previsto mais essa dificuldade.

— Meu Deus! Pedi tanto a Sua ajuda, agora me tira assim toda a esperança... — lamentou-se ele.

— Quem fala de Deus e de desespero ao mesmo tempo? — perguntou uma voz que parecia vir das entranhas da terra e chegou a Edmond com um tom sepulcral.

Ele sentiu os cabelos ficarem de pé na cabeça e, de joelhos mesmo, recuou.

— Por tudo que é sagrado! Quem disse isso? Fale de novo, apesar do pavor que me causou. Quem está aí?

— E aí? — perguntou a voz.

— Um infeliz prisioneiro.

— Seu nome?

— Edmond Dantès.

— Há quanto tempo está aqui?

— Desde 28 de fevereiro de 1815.

— Acusado de quê?

— De ter conspirado para o retorno do imperador.

— Como?! Para o retorno do imperador? Ele não está mais no trono?

— Ele abdicou em Fontainebleau, em 1814, e foi mandado para a ilha de Elba. Mas há quanto tempo está aqui, para ignorar tudo isso?

— Desde 1811.

Um calafrio percorreu Dantès, aquele homem tinha quatro anos de prisão a mais que ele.

— Não escave mais — disse a voz, falando rápido —, a que altura se encontra o buraco que abriu?

— Rente ao chão.

— Para onde dá a sua cela?

— Para o corredor.

— E o corredor?

— Leva ao pátio.

— Hum... que má notícia! — lamentou a voz.

— Santo Deus! Por quê? — alarmou-se Dantès.

— Porque me enganei. Achei que essa parede fosse a da fortaleza! Deu tudo errado.

— Tudo?

— Sim. Com todo cuidado, tape o buraco aberto e não continue. Não faça mais nada e espere notícia minha.

— Pelo menos diga quem está falando.

— Sou... sou o número 27. Qual a sua idade? Pela voz parece ser moço.

— Estava prestes a completar 19 anos quando fui preso, em 28 de fevereiro de 1815.

— Nem 26 anos — murmurou a voz. — A essa idade ninguém ainda é traidor. Sua juventude me tranquiliza. Chegarei aí, me aguarde.

Essas poucas palavras foram ditas com um tom que convenceu Dantès, então ele nada mais perguntou. Levantou-se e empurrou a cama contra a parede.

A noite passou sem que ruído algum respondesse ao ardor da sua expectativa. No dia seguinte, porém, depois da visita matinal do carcereiro e tendo já afastado a cama da parede, ele ouviu soarem três pancadas a intervalos regulares. Ajoelhou-se junto ao buraco.

— É o meu vizinho? Estou aqui.

— O seu carcereiro já se foi? — perguntou o desconhecido.

— Já. Só voltará no fim do dia, temos 12 horas de liberdade.

No mesmo instante, o chão sobre o qual Dantès apoiava as duas mãos pareceu ceder. Ele recuou; em seguida, uma massa de terra e de pedras soltas despencou por um buraco que acabava de se abrir abaixo da abertura que ele próprio havia escavado. Do fundo desse buraco, ele viu surgir uma cabeça, ombros e, finalmente, um homem inteiro brotou, com bastante agilidade, da cratera escancarada.

XIII
Um sábio italiano

Era um personagem não muito alto, cabelos embranquecidos mais pelo sofrimento do que pela idade, olhar penetrante disfarçado sob espessas sobrancelhas já grisalhas, mas barba escura e descendo até o peito. Da roupa que usava era impossível imaginar a forma primitiva, pois estava em farrapos.

— Antes de tudo, vejamos se há como não deixar que o carcereiro note a minha vinda.

Ele se debruçou na direção da abertura, pegou a pedra com muita facilidade, apesar do peso, e colocou-a de volta no buraco.

— Essa pedra foi arrancada de forma bem grosseira — observou ele, balançando a cabeça —, não tem ferramentas?

— E o senhor tem? — perguntou, surpreso, Dantès.

— Fabriquei algumas. Com exceção de uma lima, tenho tudo que é necessário: buril, pinça, alavanca — disse, mostrando uma lâmina resistente e afiada, com um cabo de faia.

— Como conseguiu fazer isso? — perguntou Dantès.

— Com uma das pernas da cama. Foi com que escavei todo o caminho que me trouxe até aqui, quase uns vinte metros. Só que calculei mal a curva. Achei estar chegando à parede externa para atravessá-la e me lançar no mar. Passei ao longo do corredor em que está a sua cela, em vez de ir por baixo. Todo esse trabalho foi em vão, já que o corredor desemboca num pátio cheio de guardas.

Uma nuvem de profunda resignação encobriu o rosto do velho.

— E agora, pode me dizer quem é? — perguntou Dantès.

— Padre Faria, prisioneiro no castelo de If desde 1811, mas já estava há três anos preso na fortaleza de Fenestrelle. Em 1811, me transferiram do Piemonte para a França. Foi quando soube que o destino, que parecia também se submeter a Napoleão, tinha dado ao imperador um herdeiro; herdeiro este que, ainda no berço, foi proclamado rei de Roma. Eu estava longe de imaginar o que me contou ainda há pouco, ou seja, que, quatro anos depois, o colosso seria derrubado. Quem reina na França? Napoleão II?

— Não. Luís XVIII.

— Luís XVIII, irmão de Luís XVI! Os decretos do céu são estranhos e misteriosos.

— Mas por que, afinal, foi preso?

— Por ter sonhado, em 1807, o projeto que Napoleão achou estar começando a realizar em 1811. Por ter sonhado, como Maquiavel no meio de todos aqueles principados minúsculos que tornavam a Itália um ninho de pequenos centros tirânicos e fracos, um grande e único império. Por ter acreditado que tinha comigo um César Bórgia e se tratava apenas de um bobalhão coroado que fingiu me apoiar e me traiu. Era o projeto de Alexandre VI e de Clemente VII, que fracassará sempre, pois muitas vezes inutilmente tentaram, mas que Napoleão concretizou. Realmente, a Itália foi amaldiçoada!

O velho abaixou a cabeça.

— Não seria o senhor — perguntou Dantès, começando a concordar com o carcereiro, que lhe repassara a opinião geral do castelo de If — o padre que dizem estar… doente?

— Eu mesmo — continuou Faria, com um sorriso amargo. — Sei que passo por louco.

Dantès permaneceu imóvel e mudo por um instante.

— Desiste, então, da fuga?

— Vejo que é impossível. Estaria me revoltando contra Deus, se continuasse, tentando o que Ele não quer que aconteça.

O jovem pensou um pouco e disse:

— Encontrei o que procura.

O velho estremeceu.

— O corredor que escavou da sua cela até a minha segue paralelo à galeria externa, não é? Podemos, no meio do percurso, abrir um corredor perpendicular. Se fizer cálculos melhores, sairemos na galeria externa. Uma vez lá, eliminamos a sentinela e fugimos. Para que o plano dê certo, precisamos de coragem, que o senhor tem, e vigor físico, que não me falta. Sem falar da paciência, que já demonstrou e que demonstrarei também.

— Um instante — disse o padre. — Até aqui achei que precisava lidar apenas com obstáculos materiais, então você me fala de lidar com obstáculos humanos. Pude furar uma parede e destruir estruturas de pedra, mas não farei o mesmo contra o peito de um homem.

— O senhor pôde esperar — disse Dantès, com um suspiro. — Esse longo trabalho a que se dedicou serviu de ocupação. E quando não estava trabalhando, tinha suas esperanças para consolá-lo.

— E não foi só isso que preencheu meus dias — acrescentou o padre.

— Tem outras atividades ainda?

— Escrevi e estudei.

— Deram-lhe papel, penas e tinta?

— Não, mas fabriquei. Quando for à minha cela, mostrarei um livro inteiro, resultado de pensamentos, pesquisas e reflexões de toda uma vida, que comecei à sombra do Coliseu, em Roma, e não imaginei que, um dia, meus carcereiros fossem me dar a oportunidade de terminar, entre quatro paredes do castelo de If. Chama-se *Tratado sobre a possibilidade de uma monarquia geral na Itália*.

— No que o senhor escreveu?

— Em duas camisas. Inventei um preparado que alisa e une o tecido, deixando-o como um pergaminho.

— É químico?

— Um pouco. Conheci Lavoisier e fui ligado a Cabanis.

— Para uma obra assim, precisaria de toda uma pesquisa histórica. Tinha livros?

— Em Roma, cheguei a ter uma biblioteca de mais ou menos cinco mil volumes. De tanto ler e reler, percebi que, com 150 títulos bem escolhidos, pode-se ter, senão o resumo completo dos conhecimentos humanos, pelo menos tudo que é útil saber. Dediquei três anos a ler e reler esses 150 volumes, de forma que já os sabia de cor, quando fui preso.

— Sabe, então, muitas línguas?

— Falo cinco línguas vivas: alemão, francês, italiano, inglês e espanhol. Graças ao grego antigo, compreendo o grego moderno, mas falo mal e é o que agora estudo.

Cada vez mais impressionado, Edmond começava a considerar quase sobrenaturais as faculdades daquele estranho personagem e quis encontrar algum defeito, num ponto qualquer:

— Se não lhe deram pena para escrever, como pôde dar conta de um tratado tão ambicioso?

— Fabriquei algumas penas excelentes, com as cartilagens da cabeça das enormes pescadas que às vezes nos servem nos dias santos.

— E a tinta? — insistiu Dantès. — Como fez a tinta?

— Na minha cela houve uma lareira, que provavelmente foi vedada pouco antes da minha chegada, mas que funcionou por muitos anos, de forma que todo o interior está coberto de fuligem. Dissolvi essa fuligem num pouco de vinho que me servem aos domingos e isso deu uma excelente tinta. Para as notas particulares, que precisam chamar a atenção, eu furo um dedo e escrevo com sangue.

— Quando poderei ver tudo isso? — perguntou Dantès.

— Assim que quiser — respondeu Faria.

— Agora mesmo, se for possível! — exclamou o rapaz.

— Então, venha comigo — convidou o padre, entrando no corredor subterrâneo e nele desaparecendo.

Dantès o seguiu.

XIV
A cela do padre

Depois de atravessar curvado, mas com muita facilidade, a passagem subterrânea, Dantès chegou ao extremo oposto do corredor que dava para a cela do padre. Nesse ponto, a passagem se estreitava, mal oferecendo espaço para que um adulto pudesse avançar se arrastando. A cela tinha um piso de lajotas, e foi erguendo uma delas, no canto mais sombrio, que o padre havia começado a laboriosa operação da qual Dantès testemunhara o final.

Assim que entrou e se pôs de pé, ele examinou bem a cela e percebeu que nada, à primeira vista, chamava a atenção.

— Por favor — pediu ele —, gostaria muito de ver os tesouros de que falou.

O padre foi até a lareira e, com o buril do qual parecia nunca se separar, deslocou a pedra que anteriormente formava o vão e escondia uma cavidade, na qual estavam guardados todos os objetos descritos.

Foi mostrada a Dantès uma vareta com cerca de 15 centímetros e da grossura de um cabo de pincel, na ponta da qual estava, amarrada com uma linha, uma das tais cartilagens, ainda manchada de tinta, a qual o padre havia anteriormente se referido. A ponta tinha sido afinada em forma de bico e talhada como uma pena comum.

Dantès examinou-a, procurando identificar o instrumento que poderia ter efetuado tão corretamente aquele trabalho.

— Ah, a lâmina, não é isso? — adiantou-se Faria. — É a minha obra-prima. Fabriquei-a, assim como esta faca, com um velho castiçal de ferro.

A lâmina tinha o corte de uma navalha. Já a faca, podia servir como tal, mas também para perfurar.

— E isso não é tudo — continuou ele. — Pois não devemos guardar os tesouros num só esconderijo. Vamos fechar logo este.

A pedra foi colocada de volta em seu lugar de origem. Depois, o padre espalhou um pouco de poeira por cima, passando o pé, para disfarçar bem. Foi, em seguida, até a cama e a deslocou.

Atrás da cabeceira, oculto por uma lajota do piso, havia um buraco e nele uma escada de corda, com mais de sete metros de comprimento.

— Quem forneceu o material necessário para tal maravilha? — perguntou Dantès.

— Primeiro, umas camisas que eu tinha. Depois, lençóis da cama que, nos três anos de prisão em Fenestrelle, eu desfiei. Quando me trouxeram para o castelo de If, consegui trazer comigo o rolo de fio.

Parecendo apenas examinar a escada, Dantès pensava em outra coisa, uma ideia que havia passado por sua mente: aquele homem tão inteligente, talentoso e profundo talvez analisasse com mais clareza a sua desgraça, vendo coisas que ele próprio nunca havia conseguido discernir.

— Em que está pensando? — perguntou o padre com um sorriso e achando que a atitude de Dantès fosse causada pela admiração.

— O senhor me falou da sua vida e nada sabe da minha.

— Sua vida, meu amigo, é ainda curta demais para ter acontecimentos de alguma relevância.

— Mas longa o suficiente para ter gerado uma enorme desventura.

— Então, vamos lá, conte a sua história — disse o padre, fechando o esconderijo e colocando a cama em seu lugar.

Terminada a narrativa de Dantès, o padre pareceu refletir profundamente e depois disse:

— Há, no Direito, um axioma muito verdadeiro: se quiser descobrir o culpado, procure, antes de tudo, a quem o crime favoreceu! Quem pôde tirar vantagem do seu desaparecimento?

— Ninguém, por Deus! Eu era muito pouca coisa.

— A resposta não é boa, carece de lógica e de filosofia. Não ia ser nomeado capitão do *Faraó*?

— Exato.

— Não ia se casar com uma bonita jovem?

— Também.

— Alguém tinha o interesse de que você não assumisse o comando do navio?

— Não. Todos gostavam muito de mim. A bordo, somente um colega poderia ter algum motivo contrário. Pouco tempo antes tivemos uma briga e cheguei a propor duelo, mas ele recusou.

— Já é alguma coisa! Como se chamava?

— Danglars.

— Bom. Alguém assistiu à sua última conversa com o capitão Leclère?

— Não. Estávamos só os dois.

— Alguém pode ter ouvido a conversa?

— Sim, pois a porta estava aberta. Inclusive, espere um pouco… isso mesmo, Danglars passou no exato momento em que o capitão me entregou a encomenda para o grande marechal.

— Ótimo — animou-se o padre. — Estamos no caminho certo. Alguém o acompanhou ao desembarcar na ilha de Elba?

— Ninguém.

— Entregaram-lhe uma carta?

— Sim, o grande marechal.

— De Portoferraio até o navio, onde guardou a carta?

— Estava na minha mão.

— Voltando ao *Faraó*, todos puderam ver que lhe haviam entregado uma carta?

— Provavelmente.

— Danglars também?

— Também, como todo mundo.

— Agora, preste atenção. Procure juntar as imagens: lembra-se da redação da denúncia, em que termos fora redigida?

— Facilmente! Reli três vezes e tenho na memória cada palavra.

— Repita-as para mim.

Dantès se recolheu por um momento e afinal recitou:

— Textualmente: "Que o sr. procurador do rei saiba, da parte de um amigo do trono, que o assim denominado Edmond Dantès, imediato do navio *Faraó*, que chegou esta manhã de Esmirna, foi encarregado por Murat de uma carta para o usurpador e, deste último, de outra missiva para o comitê bonapartista de Paris. A prova do seu crime se revelará com a sua prisão, pois a carta estará com ele ou na casa do seu pai ou, quando não, na sua cabine, a bordo do *Faraó*."

O padre se deu por satisfeito:

— É bastante óbvio. Passemos à pergunta seguinte. Alguém tinha o interesse de que você não se casasse com Mercedes?

— Um rapaz, Fernand, que a amava.

— Acha que ele seria capaz de escrever a tal carta?

— Não! O mais provável é que simplesmente me enfiasse um punhal.

— Entendo, está mais de acordo com o estilo espanhol: um assassinato, sim, mas não uma covardia.

— Além disso — continuou Dantès —, ele não tinha conhecimento dos detalhes descritos na carta.

— Espere aí... Danglars conhecia Fernand?

— Não... aliás, sim... Lembro que...

— Diga.

— Dois dias antes do casamento, estavam juntos à mesa, no caramanchão do velho Pamphile. Danglars cordial e irônico, Fernand pálido e perturbado.

— Estavam sozinhos?

— Não, havia uma terceira pessoa, que conheço bem, um alfaiate chamado Caderousse, que, aliás, já estava bem embriagado. Um momento... espere... Como não me lembrei antes? Na mesa em que bebiam havia um tinteiro, papel e penas.

Dantès levou as mãos à cabeça e continuou:

— Ah! Patifes! Patifes!

— E quer saber de mais uma coisa? — acrescentou o padre, rindo.

— Por favor, sim; já que está aprofundando tudo e vê mais claro nesse tipo de coisa. Por que só fui interrogado uma vez, por que não tive juízes que me julgassem e por que fui expeditamente condenado?

— Quem o interrogou? O procurador do rei, o substituto, o promotor?

— O substituto.

— Contou tudo para ele?

— Tudo.

— E suas reações mudaram no decorrer do interrogatório?

— Ele foi muito simpático.

— Como?

— Queimou a única prova que podia me comprometer.

— Qual? A denúncia?

— Não, a carta. Ele me disse: "Está vendo, contra o senhor há apenas essa carta." Logo em seguida destruiu-a.

— É um comportamento sublime demais para ser normal. A quem se endereçava a carta?

— Ao sr. Noirtier, rua Coq-Héron, nº 13, em Paris.

— Noirtier? — repetiu o padre. — Noirtier? Conheci um Noirtier na corte da ex-rainha da Etrúria. Um Noirtier que tinha sido girondino na Revolução. Como se chamava o substituto que tratou do seu caso?

— De Villefort.

O padre soltou uma gargalhada.

— Esse Noirtier, pobre cego que você é, sabe quem é esse Noirtier? É o pai dele!

Se um raio caísse aos pés de Dantès, não lhe causaria efeito mais fulminante, mais devastador que aquelas palavras inesperadas.

— Pai dele?! Pai dele?!

— Isso mesmo, o pai dele, que se chama Noirtier de Villefort.

Um clarão fulgurante atravessou o cérebro do prisioneiro e tudo que até então parecia obscuro claramente se iluminou. As tergiversações de Villefort durante o interrogatório, a destruição da carta, o juramento que o forçou a prestar, tudo voltou à memória. Ele deu um grito e cambaleou por um instante como se estivesse bêbado. O padre observava a cena com atenção:

— Sinto muito por tê-lo ajudado a descobrir e por ter dito tudo o que disse.

— Por quê? — perguntou Dantès.

— Fiz entrar um sentimento novo no seu coração: a vingança.

Edmond sorriu.

— Falemos de outra coisa. Você deveria me ensinar um pouco do que sabe, nem que seja só para não se entediar comigo. E me parece também que você deve estar preferindo de novo a solidão, ao invés de ficar em companhia de alguém sem instrução e sem grandes aptidões como eu. Se aceitar o meu pedido, prometo não falar mais em fuga.

Quem sorriu, dessa vez, foi o padre:

— Infelizmente, meu filho, a ciência humana é bem limitada. Quando eu tiver lhe ensinado matemática, física, história e as poucas línguas vivas que conheço, você já estará sabendo tudo que sei. Em dois anos, já não terei mais o que transmitir a você.

— Mesmo assim! — animou-se Dantès. — O que me ensinará primeiro? Quero muito começar. Tenho sede de ciência.

— Tudo! — resumiu o padre.

De fato, já no primeiro fim de tarde, os dois prisioneiros traçaram um plano pedagógico que começou a ser posto em prática no dia seguinte. Dantès era dono de prodigiosa memória e tinha extrema facilidade de concepção: a disposição lógica do seu entendimento o tornava apto à compreensão pelo cálculo, enquanto a sensibilidade poética do marinheiro corrigia tudo que pode haver de exageradamente material na demonstração que se reduz à secura dos números ou à retidão das linhas. Aliás, ele já sabia italiano e um pouco de grego moderno, aprendido em viagens ao Oriente. Com essas duas línguas, ele rapidamente entendeu o mecanismo de todas e, em menos de seis meses, começava a falar espanhol, inglês e alemão. Em um ano, era outro homem.

Já o padre Faria, Dantès notava que, apesar da distração que sua presença havia criado, a cada dia parecia se afligir um pouco mais, como se um pensamento incessante e constante dominasse sua mente. Caía em devaneios profundos; soltava suspiros involuntários; bruscamente se punha de pé e caminhava, tenso, de um lado para o outro da cela.

Um dia, ele de repente parou, no meio de um desses movimentos cem vezes repetidos que ele descrevia em torno de sua cela.

— Deus do céu! — assustou-se Dantès. — O que o senhor tem, o que está acontecendo?

— Rápido, rápido! — disse o outro. — Ouça com atenção.

Dantès percebeu o rosto lívido de Faria, os olhos mergulhados em olheiras escuras, lábios descorados, cabelos eriçados.

— O que houve?

— Vai acontecer! — disse o padre. — Você precisa ouvir. Um mal terrível, possivelmente fatal, vai tomar conta de mim, estou sentindo. Já tive uma crise, um ano antes de ser preso. Só há um remédio, vou dizer: corra até a minha cela e erga o pé da cama; ele é oco, vai encontrar uma garrafinha de cristal com um líquido vermelho, pela metade, traga-a para mim. Não, eu poderia ser surpreendido aqui. É melhor que me ajude a voltar à minha cela, enquanto posso. Quem sabe o que vai acontecer e quanto tempo vai durar a crise.

Sem perder a cabeça, apesar de sentir que aquela desgraça era, para ele próprio, imensa, Dantès desceu ao corredor arrastando o infeliz companheiro e, com infinita dificuldade, levou-o até a extremidade oposta. Chegando à cela do padre, deitou-o na cama.

— Obrigado — disse o doente, estremecendo da cabeça aos pés. — É um acesso de catalepsia. Eu talvez não faça mais movimento algum, talvez não dê um gemido, mas pode ser também que espume, enrijeça o corpo e grite. Não deixe que ouçam, é importante, pois podem me mudar de cela e isso nos separaria. Quando me vir imóvel, frio e morto, digamos assim, só então destrave com a faca os meus dentes e deixe cair em minha boca oito ou dez gotas desse líquido. Talvez eu recobre a consciência.

— Talvez? — apavorou-se o companheiro.

— Ajude! Ajude! — exclamou ainda o padre. — Estou... estou...

O ataque foi tão súbito e violento que o infeliz nem pôde terminar o que dizia. Os olhos se dilataram, a boca se contorceu, as bochechas ficaram rubras. Ele se sacudiu, espumou, rugiu. Dantès abafou os gritos com o cobertor. A crise durou duas horas até que, como uma massa inerte, mais pálido e frio que o mármore, Faria caiu, se enrijeceu de novo numa última convulsão e ficou totalmente sem cor.

Edmond esperou que essa morte aparente invadisse e gelasse o corpo inteiro, até chegar ao coração. Somente aí pegou a faca, aplicou-a entre os dentes do padre, contou as gotas que derramava do líquido vermelho e esperou.

Uma hora se passou sem que o velho fizesse o menor movimento. Dantès temia ter esperado demais e apenas olhava, com as duas mãos enfiadas nos cabelos. Então, uma ligeira coloração finalmente levou alguma vida às faces do padre. Os olhos, que tinham permanecido abertos e átonos, retomaram um foco; um leve suspiro escapou da boca e um movimento foi esboçado.

— Vamos, suas forças estão voltando — animou-o Dantès, sentando-se à beira da cama e pegando as mãos do amigo.

— Não vou mais poder nadar — sorriu Faria. — Um braço ficou paralisado. Erga-o e veja como está pesado.

O braço foi levantado e voltou a cair, insensível.

— Convenceu-se, Edmond? Acredite, sei o que estou dizendo. Desde o primeiro ataque, não parei de procurar entender esse mal. Não fui pego de surpresa, é uma herança de família: meu pai morreu em sua terceira crise e meu avô também. O médico que fabricou esse remédio, o famoso Cabanis, previu para mim o mesmo fim.

— Pelo sangue de Cristo, juro não deixá-lo enquanto estiver vivo!

Não teve a menor dúvida, Faria, do quanto era verdadeira a promessa daquele jovem de tão nobre coração, simples e educado.

— Talvez seja recompensado por lealdade tão desinteressada — disse ele, então, ao discípulo.

XV
O tesouro

No dia seguinte, ao entrar na cela do companheiro de cativeiro, Dantès o encontrou sentado, de rosto sereno e segurando, na mão esquerda, um pedaço de papel meio chamuscado pelo fogo, no qual se viam letras góticas, escritas com uma tinta diferente.

— Este papel — começou Faria — é o meu tesouro. A partir de hoje, a metade dele é sua. Você sabe que fui secretário e amigo muito próximo do cardeal Spada, o último príncipe dessa linhagem. Devo a ele tudo que pude ter de felicidade na vida. Eram proverbiais as riquezas da sua família e, no entanto, ele não era rico. Frequentemente as pessoas diziam: rico como um Spada. Como muitas vezes o ouvi queixar-se da desproporção entre a sua fortuna e o seu status social, aconselhei a ele que investisse os bens de que ainda dispunha em títulos de renda vitalícia. Ele seguiu meu conselho, e isso dobrou os seus recursos. Daqueles títulos, ele excluiu o que era de família e, ao morrer, deixou o restante para mim, junto com uma biblioteca de cinco mil volumes, além de seu breviário e uma quantia de mil escudos romanos. Em 1807, um mês antes da minha prisão e 15 dias após a morte do conde de Spada, no dia 25 de dezembro, eu revia pela milésima vez a documentação herdada, mas, cansado daquele trabalho e sentindo o peso de uma refeição que havia feito, encostei a cabeça nas duas mãos e acabei pegando no sono. Eram três horas da tarde. Acordei quando o relógio batia as seis. Ergui a cabeça, mas a escuridão em volta era total. Com uma das mãos, peguei uma vela que já estava preparada e com a outra procurei, à falta de fósforos, que tinham acabado, um papel, para acendê-lo num resquício de chama que ainda dançava na lareira. Lembrei-me de ter visto no breviário, em cima da mesa e bem a meu lado, um papel antigo e esmaecido que parecia servir de marcador e havia atravessado séculos, protegido pela devoção dos seus donos. Procurei tateando essa folha de pouca importância, encontrei, amassei e me aproximei da chama quase extinta. Ao acender a ponta, entre os meus dedos, como por um passe de mágica, vi surgirem no papel branco letras amareladas, à medida que o fogo se firmava. Apaguei a chama, acendi diretamente na lareira a vela, desdobrei emocionado o documento amassado e percebi que uma tinta misteriosa e particular havia traçado aquelas letras que se revelavam apenas em contato com uma viva fonte de calor. Um pouco mais da terça parte do papel tinha sido consumida, mas leia o que sobrou. Completarei as frases interrompidas e o sentido que falta.

Satisfeito, Faria passou o papel para Dantès:

"No dia de hoje, 25 de abril de 1498, ten
Alexandre VI e temendo que, não
queira herdar de mim e me re
e Bentivoglio, mortos envenenados,
e legatário universal, Guido Spada, que es
por ter ido lá comigo, isto é, nas
de Monte Cristo tudo que pos
dras preciosas, diamantes, joias.
se pode avaliar em perto de dois mi
descobrirá erguendo o vigésimo roche
angra do leste em linha reta. Duas abertu
nessas grutas: o tesouro encontra-se na quina mais a
tesouro que a ele lego e cedo a intei
único herdeiro.

25 de abril de 1498.

CÉS

— E agora — retomou o padre, entregando a Dantès uma segunda folha, com outros fragmentos de linhas —, leia esse outro papel.

Dantès, então, leu:

do sido convidado a jantar por Sua Santidade
contente de me ter feito pagar pelo gorro arcebispal,
serve o destino dos cardeais Caprara
declaro a meu sobrinho
condi num lugar que ele conhece
grutas da ilhota
suo de ouro em lingotes e moedas, pe-
Sou o único a saber da existência desse tesouro, que
lhões de escudos romanos e que ele
do, a partir da pequena
ras foram feitas
fastada da segunda,
ra propriedade, sendo meu
AR † SPADA."

Faria acompanhava a leitura com olhar ardente e, vendo que Dantès havia chegado à última linha, disse:

— Para terminar, aproxime os dois fragmentos e veja o que obtém.

Dantès obedeceu e os dois papéis, juntos, davam no seguinte:

"No dia de hoje, 25 de abril de 1498, ten...do sido convidado a jantar por Sua Santidade... Alexandre VI e temendo que, não... contente de me ter feito pagar pelo gorro arcebispal,... queira herdar de mim e me re...serve o destino dos cardeais Caprara... e Bentivoglio, mortos envenenados,... declaro a meu sobrinho e legatário universal, Guido Spada, que es...condi num lugar que ele conhece... por ter ido lá comigo, isto é, nas... grutas da ilhota de Monte Cristo tudo que pos...suo de ouro em lingotes e moedas, pe...dras preciosas, diamantes, joias.... Sou o único a saber da existência desse tesouro, que... se pode avaliar em perto de dois mi...lhões de escudos romanos e que ele... descobrirá erguendo o vigésimo roche...do a partir da pequena... angra do leste em linha reta. Duas abertu...ras foram feitas nessas grutas: o tesouro se encontra na quina mais a...fastada da segunda,... tesouro que a ele lego e cedo a intei...ra propriedade, sendo meu único herdeiro.

25 de abril de 1498.

CÉS...AR † SPADA."

Olhando para Dantès com uma expressão quase paterna, Faria continuou:

— E agora, meu amigo, você sabe tanto quanto eu: se conseguirmos fugir juntos, a metade do meu tesouro é sua; se eu morrer aqui e você fugir sozinho, ele é todo seu.

XVI
A terceira crise

Se não rápidas, as horas pelo menos passaram de forma suportável.

Sob a aparente calma, porém, reinavam nos corações do jovem e do velho muitos impulsos contidos, muitos suspiros abafados que vinham à tona quando Faria ficava só e quando Edmond voltava à sua cela.

Certa noite, Edmond acordou assustado, achando que o tinham chamado. Abriu os olhos e se concentrou, procurando ouvir, dentro da densa escuridão que o cercava. Seu nome, ou melhor, o gemido que tentava articular o seu nome chegou até os seus ouvidos.

Com um suor de aflição na testa, ele se ergueu na cama e prestou atenção. O gemido vinha da cela de Faria.

— Por Deus! — murmurou ele. — Será...?

Deslocou a cama, retirou a pedra, percorreu todo o corredor e chegou à outra extremidade. A lajota já havia sido retirada.

Edmond viu o velho pálido, ainda de pé, agarrado à madeira da cama. A expressão do rosto já estava desfigurada pelos terríveis sintomas que ele já conhecia e que tanto o assustavam.

— Pois é, meu amigo — disse Faria, resignado —, você já sabe, não é? Não preciso acrescentar mais nada.

Edmond só pôde juntar as mãos e dizer:

— Salvei-o uma vez e farei isso outra vez!

— Podemos tentar! O frio já me invade, sinto o sangue fluir para o cérebro. Começa a me sacudir o enorme tremor que me faz bater os dentes e que me dá a impressão de que meus ossos estão se desconjuntando. Em cinco minutos a doença vai ganhar terreno; em 15, serei apenas um cadáver.

— Não! — desesperou-se Dantès, com a alma tomada de dor.

— Faça como da primeira vez, só que não espere tanto tempo. Todas as defesas da vida já estão bem desgastadas e a morte não terá muito trabalho. Em vez de dez, me dê 12 gotas e, se eu não começar a me recuperar, esvazie na minha boca todo o conteúdo da garrafinha. Mas me leve depressa para a cama; não estou mais aguentando ficar de pé.

Edmond segurou o doente nos braços e o deitou.

— E agora, amigo, meu único consolo nessa vida miserável. O céu demorou muito a ser generoso comigo, mas não posso reclamar. Ao contrário, no momento de me separar de você para sempre, agradeço à Providência por esse presente inapreciável. Desejo a você toda a felicidade que bem merece. Eu o abençoo!

O rapaz se ajoelhou, com a cabeça apoiada na cama.

— Mas acredite no que digo nesse momento supremo: o tesouro dos Spada existe. Deus permite não haver mais distâncias nem obstáculos para mim. Vejo-o no fundo da segunda gruta. Meus olhos atravessam as profundezas da terra e se maravilham com as riquezas. Se conseguir fugir, lembre-se de que era lúcido o pobre padre que todos diziam louco. Vá imediatamente a Monte Cristo e se sirva da nossa fortuna. Aproveite-a bem, você já sofreu muito.

Um violento tremor sacudiu o ancião. Dantès ergueu a cabeça e viu que os seus olhos tinham se injetado de sangue.

— Adeus! Adeus! — disse ainda o padre, mas num último esforço, ele se ergueu um pouco e acrescentou: — Monte Cristo, não se esqueça de Monte Cristo!

E voltou a cair na cama.

Dantès pegou a lamparina, colocou-a em cima de uma pedra saliente junto à cabeceira da cama e a claridade incerta iluminou o rosto do enfermo com estranha e fantástica claridade.

Ele, então, aproximou a garrafinha dos lábios arroxeados de Faria e despejou todo o conteúdo.

O remédio produziu um efeito galvânico, uma forte tremedeira agitou os membros do velho, os olhos voltaram a se abrir, mas eram terríveis. Ele soltou um suspiro e o corpo inteiro foi se acalmando, até, pouco a pouco, parar por completo. Os olhos mantiveram-se abertos.

Eram seis horas, começava a amanhecer e a luz sem brilho dos primeiros raios, invadindo a masmorra, ofuscava já o chamejar morrediço da lamparina. Enquanto durou essa luta entre o dia e a noite, Dantès pôde manter a dúvida, mas assim que a claridade se impôs ele compreendeu estar sozinho com um cadáver.

Um profundo e incontrolável terror se apoderou dele, que, então, apagou a lamparina, escondeu-a com cuidado e saiu dali, recolocando da melhor maneira que pôde a lajota por cima da cabeça.

Já não era sem tempo, o carcereiro não demoraria. E ele começou por sua cela a visita matinal, para somente depois ir à do padre Faria.

Sem conseguir se controlar, impaciente para saber o que se passaria no quarto do infeliz companheiro, Dantès voltou à galeria subterrânea e chegou a tempo de ouvir os gritos de socorro.

Em pouco tempo chegou ajuda. Logo depois, soaram os passos pesados e regulares que caracterizam os soldados, mesmo quando não estão em serviço.

Edmond ouviu o barulho da cama em que agitavam o cadáver, ouviu o diretor do presídio mandar que jogassem água no corpo inanimado. Constatando-se que nem assim se obtinha qualquer resultado, o médico foi chamado. Uma hora depois, mais ou menos, o silêncio voltou a ser quebrado por um barulhinho leve, que foi crescendo.

Era o diretor que voltava, acompanhado do médico e de vários oficiais.

Houve um novo silêncio: era evidente que o cadáver estava sendo examinado.

Mais idas e vindas foram ouvidas e, pouco depois, um som de lona sendo desdobrada chegou até Dantès. As molas da cama rangeram, algumas passadas duras pesaram sobre o piso e a cama de novo foi abalada.

— Até a noite! — disse o diretor.

— Qual horário? — perguntou o carcereiro.

— Por volta das dez ou das 11 horas.

— Fica alguém com o morto?

— Para quê? Tranque a cela como se ele estivesse vivo, só isso.

Os passos então se afastaram, as vozes foram se distanciando e um silêncio mais triste que o da solidão invadiu tudo, inclusive a alma gelada de Edmond.

Ele, então, ergueu lentamente a lajota e saiu da galeria.

XVII
O cemitério do castelo de If

Esticado em cima da cama e mal iluminado, via-se um saco de lona grosseira, sob cujas dobras confusamente esboçava-se uma forma comprida e dura: era a última mortalha de Faria. Tudo tinha chegado ao fim. Uma divisória material se impusera entre Dantès e o velho amigo; ele não podia mais ver aqueles olhos que tinham permanecido abertos como para enxergar além da morte, não podia mais apertar aquela mão habilidosa que havia afastado o véu que encobria coisas ocultas. Faria, seu bom companheiro e mestre, ao qual ele tinha se habituado, não existia mais, ou existia apenas na lembrança.

Só! Edmond voltava a estar só, caído no silêncio diante do nada! A ideia de suicídio, criticada pelo amigo e afastada pela sua presença, reergueu-se como um fantasma, junto do cadáver.

— Se eu pudesse morrer, iria para o mesmo lugar que ele e certamente o encontraria.

Depois dessas palavras, Edmond ficou parado, com os olhos fixos como os de quem é tomado por uma ideia súbita... e assustadora.

— Ah, ah! — murmurou ele. — Quem, exatamente, está dizendo isso? Será você? Por Deus! Já que só os mortos saem livremente daqui, podemos tomar o lugar dos mortos.

Sem perder tempo, ele se debruçou e abriu o saco funerário com a faca que o amigo havia fabricado. Retirou o cadáver, levou-o até a sua cela e deitou-o na cama, escondendo a cabeça com uma tira de pano, como sempre fazia. Depois cobriu o resto do corpo com o cobertor. Beijou pela última vez a testa gelada do amigo, tentando fechar aqueles olhos que teimavam em se manter abertos. O morto ficou voltado para a parede e com isso o carcereiro, ao trazer a refeição da noite, acharia que estava apenas deitado, como frequentemente era o caso. Em seguida, voltou à galeria, puxou a cama contra a parede e foi para a cela de Faria. Pegou no armário agulha e linha, despiu-se dos seus andrajos para que sentissem sob a lona o corpo nu, entrou no saco aberto, colocou-se na posição em que estava o cadáver e costurou, a partir de dentro, a abertura.

Somente por volta das sete da noite, Dantès realmente começou a se sentir ansioso. Com a mão, ele tentava comprimir as batidas fortes do coração, enquanto a outra enxugava o suor da testa, que escorria pelas têmporas. De vez em quando, calafrios percorriam o seu corpo e apertavam o peito como se ele estivesse esmagado num caixão gelado. Achou que ia morrer. O tempo passava sem que se percebesse qualquer movimentação no castelo, até que, enfim, no horário estipulado pelo diretor, passos ecoaram na escada. Edmond entendeu ser o momento, apelou para toda a coragem que tinha e controlou a respiração.

A porta foi aberta e uma claridade filtrada chegou a seus olhos. Através da lona, ele viu duas sombras se aproximarem da cama. Uma terceira permanecia à entrada, segurando um lampião. Os dois homens ergueram o saco, cada um numa ponta.

O falso morto foi transferido da cama para uma padiola, com Edmond mantendo-se bem rijo para melhor representar o seu papel de defunto. O cortejo que carregava essa maca, iluminado pelo homem que segurava o lampião e caminhava à frente, subiu a escada.

O ar frio e vívido da noite tirou-o do torpor. Foi uma sensação súbita, repleta de maravilhas e, ao mesmo tempo, de angústia.

Os carregadores avançaram uns vinte passos, pararam e arriaram a padiola. Um deles se afastou, e Dantès ouviu-o caminhar no chão pavimentado.

— Ilumine aqui, animal — reclamou o carregador que se afastara —, ou nunca vou encontrar o que procuro.

"O que será que ele procura?", perguntou-se Dantès. "Provavelmente uma enxada."

Uma exclamação satisfeita indicou que o coveiro tinha achado o que buscava.

— Até que enfim, que dificuldade! — disse o outro.

— Pois é, mas agora ele vai estar é bem.

Dito isso, ele se aproximou de Edmond, que ouviu bater a seu lado algo pesado e ruidoso. Ao mesmo tempo, uma corda amarrou os seus pés com forte pressão, causando dor.

— E, então, deu o nó? — perguntou o coveiro que tinha permanecido inativo.

— Tempo ruim! — observou o outro. — Nada bom ir ao mar em noite assim.

— É verdade. O padre corre forte risco de se molhar — disse o parceiro, então os dois caíram na gargalhada.

Mais quatro ou cinco passos foram dados. Dantès sentiu que o pegavam pela cabeça e pelos pés e o balançavam.

— É um — disseram juntos os coveiros.

— É dois.

— É três!

E Dantès se sentiu lançado no enorme vazio, atravessando os ares como um pássaro ferido que cai, mas caindo com um pavor de gelar o coração. Mesmo que jogado com algum peso suplementar, que o puxava ainda mais para baixo, a queda pareceu demorar um século. Finalmente, com um barulho assustador, ele entrou como uma flecha na água gelada, que o fez dar um grito, imediatamente abafado pela imersão.

Dantès tinha sido lançado ao mar com uma bola de canhão de 36 libras amarrada nos pés e que o arrastava para o fundo.

O mar é o cemitério do castelo de If.

XVIII
A ilha de Tiboulen

Mesmo aturdido e já quase sem ar, ele conseguiu ter a calma e a esperteza de conter a respiração. Então, como na mão direita já se encontrava a faca preparada, ele rapidamente rasgou o saco, passou o braço para fora, depois a cabeça. Em seguida, porém, apesar dos esforços para se livrar da bola de pedra, ele continuava a afundar. Contorceu-se todo e conseguiu, afinal, já se sentindo asfixiar, cortar a corda amarrada a seus pés. Com um vigoroso movimento das pernas, subiu livremente à superfície, enquanto a pesada bola carregava às profundezas desconhecidas a lona grosseira que por pouco não se tornara a sua mortalha.

Mal respirou e novamente mergulhou, pois a primeira preocupação era a de evitar que o vissem.

Quando voltou à tona pela segunda vez, estava a cinquenta metros do ponto em que havia sido jogado. Acima da sua cabeça, um céu escuro e tempestuoso. Precisava estabelecer uma orientação: de todas as ilhas ao redor do castelo de If, Ratonneau e Pomègue são as mais próximas, mas são habitadas, assim como a ilhota de Daume. Ou seja, a ilha mais segura seria a de Tiboulen ou a de Lemaire, mas as duas ficam a uma légua do castelo.

Uma hora se passou, durante a qual Dantès, empolgado com a sensação de liberdade que o invadira, continuou a nadar no rumo que havia escolhido.

De repente, teve a impressão de que o céu, já tão escuro, havia ficado ainda mais escurecido, com uma nuvem pesada e compacta descendo na sua direção.

Vinte metros adiante, ergueu-se uma massa de rochedos estranhos, parecendo uma fogueira imensa que tinha sido petrificada no momento da mais ardente combustão: era a ilha de Tiboulen.

— Meu Deus, meu Deus! Veja se já não sofri o bastante e se pode fazer por mim o que eu próprio não posso mais.

No momento em que, ansiosamente voltado na direção do castelo de If, numa espécie de delírio provocado pelo esgotamento físico e o vazio mental, Edmond pronunciou aquele ardente pedido, ao mesmo tempo viu surgir, na ponta da ilha de Pomègue, um pequeno navio que somente o olho de um marinheiro poderia identificar como sendo uma tartana genovesa. Vinha do porto de Marselha e ganhava o largo, deixando para trás uma espuma brilhante.

Ele, então, avançou na sua direção, mas, antes de estarem suficientemente próximos, o veleiro começou a virar de bordo.

Ao se dar conta, Dantès fez um supremo esforço para ficar quase de pé acima das ondas, lançando um desses gritos desesperados que só os marinheiros náufragos conseguem e que se parecem com o clamor de algum espírito do mar.

Ele foi visto e ouvido. A tartana interrompeu a manobra que fazia e apontou a proa em sua direção. Ao mesmo tempo, iniciavam-se a bordo os preparativos para lançar um bote ao mar.

Pouco depois, esse bote, com dois homens, começou a se aproximar, batendo as vagas com seu par de remos.

Dantès nadou vigorosamente, encarregando-se da metade do caminho a ser feito.

Deu um segundo grito, os dois remadores redobraram a energia e um deles gritou em italiano:

— Coragem!

O incentivo veio no momento em que uma onda, que Edmond não tinha mais força para vencer, passou por cima da sua cabeça e o cobriu de espuma.

Teve a impressão de ser agarrado pelos cabelos e não viu nem ouviu mais nada: tinha desmaiado.

Quando abriu os olhos, Dantès estava no convés da tartana, que retomara o seu rumo. Sua primeira preocupação foi a de procurar ver que rumo era este: continuava a se afastar do castelo de If.

XIX
Os contrabandistas

Antes mesmo de completar um dia a bordo, Dantès percebeu com quem estava lidando. Sem ser da mesma escola que o padre Faria, o capitão do *Jovem Amélia* — esse era o nome da tartana genovesa — sabia praticamente todas as línguas faladas ao redor desse grande lago chamado Mediterrâneo, desde o árabe até o provençal. Isso lhe garantia, evitando passar por intérpretes, que são sempre irritantes e também, às vezes, indiscretos, grandes facilidades de comunicação, tanto com navios encontrados no mar, quanto com pequenas embarcações contatadas ao longo dos litorais, quando não com os apátridas sem nome nem ocupação aparente, frequentes nas docas ao redor dos portos. É claro, Dantès estava a bordo de um navio contrabandista.

Por isso ele, de início, foi recebido com certa desconfiança por parte do capitão. Este último era bem conhecido de todos os guardas de alfândega da costa e havia, entre esses senhores e ele, uma constante troca de mútuas espertezas, cada qual mais engenhosa que a outra. O contrabandista, então, achou que Dantès podia, muito simplesmente, ser um representante de d. Gabela, empregando aquela requintada maneira de desvendar alguns segredos da profissão alheia.

Era essa a situação até chegarem a Livorno.

Edmond ali resolveu passar por um teste, o de saber se reconheceria a si mesmo, depois de 14 anos sem realmente se ver.

Tinha guardado uma ideia bastante precisa do rapaz que ele havia sido; tratava-se, agora, de ver que homem ele havia se tornado. Vinte vezes já estivera antes em Livorno, sabia, então, de um barbeiro, na rua Saint-Ferdinand, e para lá se dirigiu, com o intuito de cortar a barba e o cabelo.

Terminada a operação, sentindo o queixo bem raspado, o cabelo reduzido ao comprimento normal, ele pediu um espelho.

Estava com 33 anos e aqueles 14 como prisioneiro tinham, por assim dizer, causado uma grande mudança moral na sua imagem.

Dantès dera entrada no castelo de If com o rosto redondo, risonho e satisfeito de um rapaz feliz e que deu seus primeiros passos na vida sem dificuldade, mas seria impossível que o seu melhor amigo, caso houvesse ainda algum amigo, o reconhecesse: ele próprio não se reconhecia.

Edmond voltou ao *Jovem Amélia*. Vendo aquele marinheiro arrumadinho e elegante subir a bordo, o capitão estava longe de imaginar que pudesse ser o infeliz de barba desgrenhada que ele havia recebido nu e quase morto no seu convés.

No mais, era uma tripulação bem ativa a do *Jovem Amélia*, seguindo à risca as ordens de um capitão que tinha como hábito não perder tempo. Mal passaram oito dias em Livorno e os porões abaulados do navio estavam cheios de pólvora inglesa e de tabaco sobre os quais a alfândega tinha esquecido de aplicar o selo de liberação. Tratava-se de tirar tudo isso de Livorno, que era um porto livre, e desembarcar no litoral da Córsega, onde certos especuladores assumiriam a tarefa de atravessar a mercadoria para a França.

Dois meses e meio se passaram. Assim como antes havia sido intrépido marinheiro, Edmond logo se aperfeiçoou na cabotagem. O capitão, que já plenamente confiava nele, certa noite pegou-o pelo braço para que o acompanhasse a uma taverna da via del Oglio, onde estava acostumado a encontrar a nata do contrabando de Livorno.

O assunto era um navio carregado de tapetes turcos, tecidos do Levante e caxemiras. Era preciso encontrar um terreno neutro em que se pudesse fazer a troca e depois tentar desembarcar tudo isso no litoral francês. O pagamento era enorme, em caso de sucesso: sessenta piastras para cada homem.

O capitão do *Jovem Amélia* propôs como local de desembarque a ilha de Monte Cristo, completamente deserta, sem soldados nem alfândega.

Ouvindo esse nome, Monte Cristo, Dantès teve um ímpeto de alegria. Precisou levantar-se para esconder a emoção e foi dar uma volta na taberna esfumaçada, onde todos os idiomas do mundo misturavam-se numa só língua comum.

XX
A ilha de Monte Cristo

Às sete da noite, tudo estava pronto. Dantès disse que se encarregaria do leme. Quando Maltês (como o chamavam) se oferecia na direção, isso bastava; todos podiam ir se deitar tranquilos.

Quando o capitão acordou, o navio seguia a toda velocidade e não havia trapo de vela que não estivesse inflado de vento, num ritmo de mais de duas léguas e meia por hora. A ilha de Monte Cristo crescia no horizonte.

Já noite fechada, às dez horas, o *Jovem Amélia* atracou: foi o primeiro a chegar ao encontro marcado.

Mas logo a outra embarcação chegou, branca e silenciosa como um fantasma, lançando âncora a cerca de duzentos metros da costa.

Imediatamente se iniciou a transferência de carga.

No dia seguinte, armando-se com um fuzil, chumbo e pólvora, Dantès disse que iria matar uma cabra selvagem, já que muitas eram vistas saltando de um rochedo para o outro. Imaginou-se que ele gostava de caçar ou que simplesmente queria estar um pouco só.

Enquanto isso, os companheiros preparariam a refeição, buscando água na fonte, descendo pão e frutas de bordo e cozinhando na brasa um cabrito. No momento em que o giravam no espeto improvisado, viram Edmond. Só que, enquanto o olhavam de longe, ele tropeçou, perdeu o equilíbrio em cima de um rochedo, deu um grito e sumiu.

Todos correram ao mesmo tempo, pois gostavam muito do Maltês, apesar da sua visível superioridade. Ele estava estendido no chão e banhado de sangue, quase sem sentidos, pois havia caído de uma altura de três ou quatro metros. Molharam os seus lábios com rum, ele abriu os olhos e reclamou de uma forte dor num joelho, um peso grande na cabeça e pontadas insuportáveis na altura dos rins. Quiseram transportá-lo até a beira-mar, mas assim que tocaram no seu corpo, ele gemeu e disse não ter forças suficientes para qualquer movimento.

Uma hora depois, ao invés de diminuírem, as dores de Dantès pareciam ter aumentado. O velho capitão do navio, obrigado a zarpar ainda naquela manhã para entregar a carga na fronteira do Piemonte com a França, entre Nice e Fréjus, insistiu para que o ferido tentasse se levantar. E ele fez esforços tremendos para isso, mas a cada vez voltava a cair, gemendo e descorado.

— É algum problema sério nas costas — disse baixinho o capitão. — Mas não podemos deixar para trás um bom companheiro como ele: vamos tentar, de um jeito ou de outro, transportá-lo para a tartana.

Dantès, no entanto, declarou preferir morrer ali mesmo do que suportar as dores terríveis que qualquer movimento, por menor que fosse, provocava.

O capitão olhou para o navio, que balançava no mar e começava a ser aparelhado no pequeno porto.

— O que quer que a gente faça, Maltês? — perguntou ele. — Não podemos abandoná-lo aqui, mas também não podemos ficar.

— Podem ir, partam! — respondeu Dantès.

— Estaremos longe por pelo menos oito dias — lembrou o capitão —, mas faremos um desvio de rota para vir buscá-lo.

Os contrabandistas afastaram-se, não sem antes se virar várias vezes, com calorosos adeuses, aos quais Edmond respondia com a mão.

Depois que eles se foram, Dantès murmurou sorrindo:

— É estranho que seja com homens desse tipo que tenhamos provas de amizade e gestos de lealdade.

Dizendo isso, ele se levantou, pegou o fuzil com a mão direita, um enxadão com a esquerda e correu até o rochedo para o qual apontavam marcas entalhadas que ele havia notado.

XXI
Deslumbramento

Com o enxadão, Dantès abriu uma mina e depois socou pólvora no seu interior. Em seguida, desfiou um lenço, passou-o no salitre. Com isso, tinha um pavio.

Ateou fogo e se afastou.

A explosão não demorou; abriu uma área circular e trouxe à luz uma argola de ferro encravada no meio de uma laje de forma quadrada.

Passando uma alavanca por esse aro, Dantès fez força, a laje se soltou e foi aberta, deixando à mostra uma espécie de escada que descia por uma gruta.

Depois de alguns segundos, a vista se habituou ao ambiente, então ele pôde sondar os pontos mais recuados da caverna, que era de granito, com irregularidades que produziam brilhos como se fossem diamantes.

Edmond sorriu enquanto pensava: "Que pena! Foi sem dúvida esse o tesouro deixado pelo cardeal e o meu bom amigo, vendo em sonho essas paredes salpicadas de brilho, alimentou ricas esperanças."

Procurando reconhecer o local, ele examinou as camadas de rocha e deu algumas pancadas numa das paredes.

Percebeu, então, uma coisa singular: com os golpes, uma espécie de reboco se desmanchou e caiu, deixando que se visse uma pedra esbranquiçada e mais macia. Algumas batidas mais e ficou claro que as pedras não eram cimentadas, mas somente superpostas umas nas outras e cobertas com a tal massa que revestia a parede. Enfiou, então, numa das rachaduras a ponta do enxadão, fez peso no cabo e, com alegria, viu a pedra facilmente rolar e cair a seus pés.

Depois, bastou puxar cada pedra com o enxadão, para ver cada uma rolar com a mesma facilidade.

Desde a primeira abertura, Dantès já poderia atravessar para o outro lado, mas aquela perda de tempo atrasava a certeza e tornava mais duradoura a esperança.

Mas finalmente após alguma hesitação, ele passou da primeira gruta para a segunda.

Esta última era mais baixa, mais sombria e de aspecto mais assustador que a anterior.

À esquerda da abertura havia uma quina profunda e escura.

O tesouro, caso realmente existisse, estaria enterrado ali.

Ele foi até lá e, tomado por súbita decisão, atacou com vontade o piso. Na quinta ou sexta investida do enxadão, houve um barulho de ferro contra ferro.

Num instante, uma área de um metro de comprimento e um pouco menos de largura foi limpa, então Dantès viu que se tratava de um baú em madeira de carvalho, reforçado com aros de ferro trabalhado. No centro da tampa brilhava, numa placa de prata que a terra não havia afetado, as armas da família Spada.

O lado cortante do enxadão foi enfiado entre o baú propriamente e a tampa, que, alavancada, acabou cedendo, depois de ranger.

Três compartimentos dividiam a arca.

No primeiro, brilhavam resplandecentes escudos de ouro de ruivos reflexos.

No segundo, lingotes mal polidos, mas bem organizados, que guardavam, no entanto, o peso e o valor do ouro.

No terceiro, coberto até a metade, Edmond pôde enfiar a mão entre punhados de diamantes, pérolas e rubis que, em cascata lampejante, caíam uns sobre os outros e faziam um barulho de granizo batendo na vidraça das janelas.

A noite foi maravilhosa, terrível e com fulminantes emoções, como Dantès apenas duas ou três vezes na vida já havia experimentado.

XXII
O desconhecido

O dia amanheceu, e Dantès há muito já o esperava, de olhos bem abertos. À primeira claridade, ele se levantou, subiu no rochedo mais alto da ilha e explorou os arredores: a ilha estava completamente deserta.

Ele desceu, ergueu a laje, encheu os bolsos de pedras preciosas e restaurou as tábuas e os fechos da arca da melhor maneira que pôde. Recobriu tudo de terra, pisoteou-a e jogou areia por cima, para tornar a área recentemente revolvida, como todo o entorno. Depois saiu da gruta, recolocou o tampo, juntou em cima pedras de diferentes tamanhos, enfiando terra entre elas, e transplantou para ali pés de mirto e de urze. Regou-os bem e apagou as marcas dos seus pés. Assim, estava pronto para esperar pelos companheiros contrabandistas.

Eles voltaram no sexto dia. Edmond não falou muito e, como o *Jovem Amélia* tinha vindo a Monte Cristo só para buscá-lo, à noite ele já estava a bordo, para seguir o capitão até Livorno.

Na cidade, ele procurou um negociante de pedras preciosas e vendeu quatro diamantes, escolhidos entre os menores, por cinco mil francos cada.

No mesmo dia, sem maiores explicações, Dantès distribuiu à tripulação da tartana uma esplêndida gratificação de despedida, prometeu ao capitão que um dia ou outro mandaria notícia e se foi.

Foi para Gênova.

No momento em que chegou ao porto, viu que estava sendo testado um pequeno iate encomendado por um inglês que queria um veleiro genovês, por ter ouvido dizer que ali estavam sediados os melhores construtores navais do Mediterrâneo. O inglês pagaria quarenta mil francos: Dantès ofereceu sessenta para que lhe entregassem o veleiro naquele dia mesmo.

O fabricante se ofereceu para ajudar o cliente a montar uma tripulação, mas Dantès agradeceu, dizendo estar acostumado a navegar sozinho. Além disso, seu único pedido foi o de que montassem na cabine, à cabeceira da cama, um armário secreto, com três compartimentos internos, cada um com segredo próprio.

Duas horas depois, ele deixava o porto de Gênova, tomando o rumo de Monte Cristo. Chegou no fim do segundo dia. A ilha estava deserta. Dantès foi ao tesouro e tudo estava no mesmo estado em que havia sido deixado. No dia seguinte, a imensa fortuna foi transportada para o iate e trancada nos três compartimentos do armário com segredos.

Certa manhã, o iate galhardamente deu entrada no porto de Marselha e parou bem diante do local onde, naquela fatídica noite viva em sua memória, o haviam embarcado rumo ao castelo de If.

Com certa apreensão, ele viu se aproximar, no bote da fiscalização, um agente portuário. Entretanto, com a perfeita segurança que adquirira, Dantès apresentou um passaporte inglês comprado em Livorno e, sem maiores dificuldades, pôde descer à terra.

A primeira pessoa a chamar a sua atenção, ao tomar a avenida da Canebière, foi um marinheiro do *Faraó*. Ele se dirigiu diretamente ao ex-companheiro e fez diversas perguntas, que foram respondidas sem que se demonstrasse qualquer suspeita, quanto à voz ou quanto à fisionomia. O homem de forma alguma se lembrava de alguma vez já ter visto o estrangeiro à sua frente.

Dantès continuou seu caminho. Cada passo trazia ao peito uma nova emoção: tantas lembranças da infância, lembranças indeléveis, eternamente presentes no pensamento e que se apresentavam a cada canto da rua, a cada esquina. Chegando ao fim da rua de Noailles e vendo as alamedas de Meilhan, suas pernas bambearam e ele quase caiu sob as rodas de um veículo. Alcançou, enfim, a casa na qual havia morado seu pai. A pequena habitação abrigava agora um rapaz e uma moça casados há apenas oito dias. Vendo os dois jovens, Dantès deixou escapar um profundo suspiro.

No andar de baixo, Edmond parou diante de uma porta e perguntou se o alfaiate Caderousse ainda morava ali. O zelador respondeu que a pessoa procurada havia feito alguns maus negócios e agora vivia de um albergue, na estrada que liga Bellegarde a Beaucaire.

XXIII
A estalagem da ponte do Gard

Caderousse tinha, como de hábito, passado parte da manhã diante da porta, deixando que o seu olhar melancólico vagasse por um pequeno gramado ralo em que ciscavam algumas galinhas, entre as duas pontas da estrada deserta — uma indo para o sul e a outra, para o norte —, quando bruscamente a voz áspera da sua mulher o fez sair daquela inércia. Ele entrou resmungando e subiu ao primeiro andar, mas deixando bem aberta e convidativa a porta, para que os viajantes ao passarem não o ignorassem.

Tivesse permanecido em seu posto, Caderousse teria visto surgir, das bandas de Bellegarde, um cavaleiro e sua montaria que se aproximavam, no ritmo correto e fraternal, característico das boas relações entre o cavalo e o homem. O cavalo era um capão, com agradável marcha de passadas curtas, e o cavaleiro um padre vestido de negro, com um chapéu de três pontas na cabeça.

Chegando diante da porta, a dupla cavalo-cavaleiro parou. O padre desmontou e, puxando o animal pela rédea, foi amarrá-lo a um pau do contravento. Na mesma hora, passos pesados sacudiram a escada de madeira colada à parede externa, pela qual descia, curvando-se com humildade, o dono da pobre estalagem.

— A seu serviço! — disse logo Caderousse, muito surpreso. — Estou aqui! Um pouco de vinho, não é? Pois está um calor dos diabos... Ah! Me desculpe — corrigiu-se Caderousse, vendo de que tipo de viajante se tratava. — Queira me desculpar, senhor padre, não vi a quem tenho a honra de receber. O que vai querer? Estou ao seu inteiro dispor.

— Não é o sr. Caderousse?

— Perfeitamente! Eu mesmo, Gaspard Caderousse, para servi-lo.

— Morou anteriormente nas alamedas de Meilhan, certo? No quarto andar?

— Exato.

— E tinha a profissão de alfaiate?

— Correto, mas as coisas andavam mal: faz tanto calor naquela miserável Marselha que os moradores vão acabar, tenho a impressão, deixando de usar qualquer roupa. Mas por falar em calor, sr. padre, não gostaria de algo que o refresque?

— Sim, por favor, traga uma garrafa do seu melhor vinho.

— Agora mesmo, sr. padre — animou-se Caderousse.

Ao voltar, cinco minutos depois, ele encontrou o padre já sentado num banquinho e com um cotovelo apoiado numa mesa comprida.

— Está sozinho? — perguntou ele ao estalajadeiro, que colocava à sua frente a garrafa e um copo.

— Ah, por Deus! Isso, sozinho! Ou quase, sr. padre, pois minha mulher não pode me ajudar muito; está sempre doente. Mas, fazer o quê? Não basta ser honesto para prosperar nesse mundo.

O padre olhou fixamente para ele:

— Conheceu, em 1814 ou 1815, um marinheiro chamado Dantès?

— Dantès! Sim, conheci, sim. Pobre Edmond! Com certeza! Era inclusive um dos meus melhores amigos.

— Ele morreu na prisão, mais desesperado e mais miserável que os condenados a trabalhos forçados em Toulon.

A mortal palidez substituiu, nas faces de Caderousse, o rubor que antes as colorira.

— Pobre rapaz!

— O senhor parece realmente ter gostado dele, não é?

— Com certeza, muito — disse Caderousse. — Tenho que me censurar por ter, em certo momento, invejado a felicidade dele. Mas depois disso, juro, dou minha palavra, lamentei muito o seu destino infeliz. O senhor conheceu o pobre amigo?

— Fui chamado a seu leito de morte, para os últimos reconfortos da religião — respondeu o padre.

— E de que ele morreu?

— Que tipo de morte pode ter quem morre na prisão aos trinta anos de idade? Da própria prisão!

O olhar do padre, cada vez mais fixo, observava atentamente a expressão quase sombria que tomou conta do rosto de Caderousse.

— Um inglês muito rico — continuou o padre —, companheiro de infortúnio e que deixou a prisão na segunda Restauração, guardava com ele um diamante de grande valor. Ao ser posto em liberdade, esse inglês quis demonstrar sua gratidão por Dantès, que havia cuidado dele como um irmão, durante uma enfermidade, e o presenteou com o tal diamante. Dantès o conservou preciosamente, para o dia em que porventura deixasse a prisão. Sua fortuna estaria assegurada com a simples venda dessa pedra.

O padre tirou do bolso uma caixinha preta de couro, abriu-a e deixou que brilhasse aos olhos de Caderousse uma cintilante maravilha, montada num anel admiravelmente lavrado.

— Isso vale cinquenta mil francos.

— Mas como foi que ficou com o diamante, sr. padre? Edmond o tornou seu herdeiro?

— Não, apenas seu executor testamentário. "Eu tinha três bons amigos e uma noiva", ele me disse. "Os quatro amargamente sofreram com o meu desaparecimento, tenho certeza. Um desses bons amigos se chamava Caderousse."

Caderousse estremeceu.

— "O outro" — continuou o padre, sem parecer notar a emoção do seu ouvinte — "chamava-se Danglars, e o terceiro, apesar de ser meu rival, gostava de mim também, Fernand. Já minha noiva, o seu nome era..."

— Mercedes — completou Caderousse.

— Isso, isso mesmo. "Vá a Marselha..." É ainda Dantès que fala, entende?

— Perfeitamente.

— "Venda esse diamante e divida a soma em cinco partes, a serem distribuídas entre aqueles bons amigos, as únicas pessoas que gostaram de mim na vida!"

— Por que cinco partes? — estranhou Caderousse. — O senhor me falou de quatro pessoas.

— Porque a quinta morreu, segundo me disseram... A quinta era o pai de Dantès...

— É verdade, infelizmente — concordou Caderousse, agitado pelas sensações que se debatiam em seu interior. — Infelizmente! Sem ter notícia do filho, em apenas um ano o pobre velho morreu.

— E de que ele morreu?

— Vou dizer: de fome!

— De fome? — exclamou o padre, dando um pulo assustado em seu banquinho. — De fome? Como pode? É impossível!

— Mas foi o que eu disse, e repito — insistiu Caderousse.

— E comete um erro — ouviu-se outra voz, no alto da escada. — Por que se mete nisso?

Os dois homens viraram-se. Por entre as barras do corrimão, percebia-se o rosto doente da albergueira, que tinha se arrastado até ali e ouvia a conversa, sentada no último degrau, com a cabeça apoiada nos joelhos.

O padre aproveitou para tomar uns goles de água e, com isso, se recuperou do choque. Então pôde continuar:

— Mas o pobre ancião foi tão esquecido por todo mundo a ponto de morrer de tal maneira?

— Ah! Não que a catalã Mercedes ou o sr. Morrel o tenham abandonado, mas o velho Dantès se tomou de profunda antipatia por Fernand, aquele mesmo — continuou Caderousse, com um sorriso irônico — que o filho citou como um dos seus amigos.

— E não era? — perguntou o padre.

— Gaspard! Gaspard! — disse a mulher do alto da escada, com ar de preocupação. — Cuidado com o que vai dizer.

Caderousse fez um gesto de irritação e, sem responder à interrupção, continuou:

— É possível ser amigo de quem cobiça a sua mulher? — perguntou ao padre. — Dantès tinha um coração de ouro e achava que todos eram seus amigos... Pobre Dantès!

— Sabe, então, o que esse Fernand fez contra Dantès?

— Gaspard, faça o que quiser, é dono do seu nariz — disse a mulher —, mas aconselho a não continuar.

— Dessa vez, acho que tem razão, mulher — concordou Caderousse.

— Não vai contar? — perguntou o padre.

— Para quê? — disse Caderousse.

— Vai deixar que eu dê uma recompensa à lealdade a pessoas que o senhor considera indignas e amigos falsos?

— É verdade, tem razão — repensou Caderousse. — Aliás, o que seria agora para eles o presente do pobre Edmond? Uma gota de água no mar!

O casal de albergueiros trocou um olhar que perfeitamente expressava tudo o que cada um sentia.

— Faça como quiser — disse a mulher. — Não digo mais nada — lastimou-se ela, retomando na escada o caminho de volta.

Na última hora, antes de entrar, ela ainda disse:

— Gaspard, pense bem!

— Já me decidi — respondeu o marido.

— E o que decidiu? — perguntou o padre.

— Vou contar tudo.

— Estou ouvindo.

XXIV
A narrativa

— Vou contar — prosseguiu Caderousse — e, mais que isso, vou desmentir aquelas amizades que o pobre Edmond acreditava que eram sinceras e leais.

— Falemos, então, desses homens — sugeriu o padre, que emendou, quase ameaçador —, mas lembre-se de que se compromete a contar tudo. Para começar: que pessoas são essas que deixam o filho morrer de desespero e o pai de fome?

— Dois invejosos, senhor, um por amor e o outro por ambição: Fernand e Danglars. Os dois denunciaram Edmond como agente bonapartista.

— Mas qual dos dois fez a denúncia, qual dos dois foi o verdadeiro culpado?

— Ambos, padre. Um escreveu a carta que o outro enviou.

— E onde foi escrita essa carta?

— Na Reserva, um dia antes do casamento. Danglars escreveu com a mão esquerda, para que não se reconhecesse a letra, e Fernand a encaminhou.

— Isso quer dizer que o senhor também estava presente! — exclamou bruscamente o padre.

— É verdade — concordou Caderousse, com voz abafada. — Eu estava lá.

— E não se opôs a tamanha covardia?

— Os dois me fizeram beber a ponto de ficar totalmente fora de mim.

— O que aconteceu a Danglars? Foi o principal culpado, não foi? O instigador.

— Ele deixou Marselha. Com uma carta de recomendação do sr. Morrel, que não sabia do crime, conseguiu trabalho com um banqueiro em Madri. Na época da guerra com a Espanha, ele ficou encarregado de parte do abastecimento militar francês e fez fortuna. Em seguida, aplicou esse capital inicial e triplicou, depois quadriplicou suas rendas. Ficando viúvo da filha do banqueiro para o qual trabalhava, casou-se com outra viúva, a sra. de Nargonne, filha do sr. de Servieux, camareiro-mor do rei atual, que goza de muito prestígio. Está milionário e ganhou o título de barão. Ou seja, agora é o barão Danglars, dono de um palacete na rua do Mont-Blanc. Tem dez cavalos no estábulo, seis criados na entrada da casa e não sei quantos milhões em caixa.

— E Fernand?

— É outro caso! Poucos dias antes do retorno de Napoleão, ele tinha sido chamado para o serviço militar. Os Bourbon, no entanto, o deixaram tranquilo no vilarejo dos catalães. Só que o imperador voltou, uma convocação extraordinária foi decretada e Fernand foi obrigado a partir. Eu também, mas sendo mais velho, e como tinha acabado de casar com minha pobre mulher, mantiveram-me no serviço costeiro. Fernand, por sua vez, foi incorporado às tropas ativas, atravessou a fronteira com seu regimento, participou da batalha de Ligny. No dia seguinte, ele estava de sentinela à porta de um general francês que tinha relações secretas com o inimigo e, na mesma noite, passou para o lado dos ingleses, chamando Fernand a fazer o mesmo. Ele aceitou, abandonou seu posto e seguiu o general. Isso o teria levado à corte marcial se Napoleão ficasse no trono, mas, pelo contrário, serviu como recomendação para os Bourbon. Quando voltou à França, foi com galões de subtenente. Continuou a contar com a proteção do tal general, que se tornou muito bem-visto pelo novo governo, e Fernand já era capitão em

1823, quando teve início a guerra da Espanha, ou seja, no momento em que Danglars começava suas primeiras especulações. Sendo de origem espanhola, Fernand foi enviado a Madri para observar de perto seus compatriotas. Lá ele reencontrou Danglars, os dois se entenderam bem e ele pôde prometer a seu general o apoio de alguns monarquistas da capital e do interior. Obteve algumas promessas, fez outras, guiou seu regimento por caminhos que só ele conhecia, por desfiladeiros guardados por monarquistas e, no final, prestou a toda aquela campanha tamanhos serviços que, após a tomada de Trocadéro, foi nomeado coronel e recebeu a cruz da Legião de Honra, com o título de conde.

— O destino! O destino! — murmurou o padre.

— Concordo, mas não é tudo. Terminada a guerra da Espanha, parecia que a paz ia reinar na Europa, mas isso não era bom para a carreira de Fernand. Foi quando a Grécia se rebelou contra a Turquia e deu início à sua guerra de independência. Todas as atenções se voltavam para Atenas. Além disso, virou moda lamentar os gregos e apoiá-los. Fernand pediu e obteve permissão para ir lutar na Grécia, mantendo-se, porém, militar francês. Pouco depois, soubemos que o conde de Morcerf, nome que Fernand passara a usar, havia entrado para o serviço de Ali Paxá, com o posto de general instrutor. Ali Paxá foi morto, como se sabe, mas, antes disso, recompensou os serviços de Fernand com uma soma considerável, com a qual ele voltou à França, onde teve o posto de tenente-coronel confirmado.

— Isso quer dizer que ele, hoje...

— Ele hoje — continuou Caderousse — tem um palacete magnífico em Paris, na rua do Helder, nº 27.

O padre ficou boquiaberto, permaneceu um momento como alguém que hesita, mas acabou se decidindo e perguntou:

— E Mercedes? Disseram-me que desapareceu.

— Hoje em dia, é uma das grandes damas de Paris. De início, desesperou-se contra a fatalidade que havia afastado Edmond. Logo em seguida, foi abalada por outra desgraça: a partida de Fernand, de quem ela não sabia o crime e considerava um irmão. Fernand partiu e Mercedes ficou sozinha. Foram três meses de lágrimas, sem notícias de Edmond, sem notícias de Fernand. Passava os dias sentada no cruzamento das estradas de Marselha e do vilarejo dos catalães. Certa noite, chegou em casa mais abatida do que nunca: nem o noivo nem o amigo voltavam por nenhum daqueles dois caminhos, e ela continuava sem notícias. De repente, teve a impressão de ouvir passadas familiares. Virou-se, a porta se abriu e, agitada, ela viu surgir Fernand, com seu uniforme de subtenente. Não que isso compensasse a metade de tudo que havia chorado, mas era uma porção da vida antiga que voltava. Mercedes agarrou as mãos de Fernand com uma intensidade que ele achou ser amor, mas traduzia apenas a alegria de não estar mais só no mundo. Mercedes pediu mais seis meses para esperar e chorar por Edmond. Passado esse prazo, os dois se casaram na igreja dos Accoules.

— Voltou a ver Mercedes? — perguntou o padre.

— Sim, à época da guerra da Espanha, em Perpignan, onde ela morou, enquanto o marido estava em missão. Dedicava-se sobretudo à educação do filho.

O padre conseguiu controlar o choque.

— Filho?

— Um menino — respondeu Caderousse —, Albert.

— E o sr. de Villefort? — continuou o padre.

— Não o conheci; não era das nossas relações.

— Mas sabe o que aconteceu com ele?

— Não. Sei apenas que, algum tempo depois, ele se casou com a srta. de Saint-Méran e logo deixou Marselha. Provavelmente foi brindado pela felicidade, como os outros. Provavelmente está rico como Danglars e respeitado como Fernand. Fui o único, como vê, a permanecer pobre, miserável e esquecido por Deus.

— Está enganado, meu amigo. Deus pode às vezes parecer se omitir, enquanto sua justiça repousa, mas vem sempre o momento em que Ele mostra que se lembra de tudo e de todos. Aqui tem a prova.

Com essas palavras, o padre voltou a tirar o diamante do bolso, dizendo:

— Aceite esta joia, meu amigo, é toda sua.

XXV
Itália — Simbad, o Marujo

No início do ano de 1838, encontravam-se em Florença dois jovens da mais elegante sociedade de Paris. Um era o visconde Albert de Morcerf e o outro, o barão Franz d'Épinay. Os dois tinham combinado de passar o Carnaval em Roma, onde Franz, que havia quase quatro anos morava na Itália, serviria de cicerone a Albert.

Eles escreveram, então, a mestre Pastrini, dono do renomado hotel de Londres, na praça da Espanha, pedindo que lhes reservasse um apartamento confortável.

Mestre Pastrini respondeu que, no momento, dispunha de apenas dois quartos e um pequeno gabinete, situados *al secondo piano*. Os jovens poderiam dispor desses aposentos pela módica quantia de um luís a diária. Os rapazes aceitaram e, em seguida, querendo aproveitar o tempo que restava, Albert viajou para Nápoles, enquanto Franz teve a fantasia de ir visitar a ilha de Elba, que fora o grande retiro de Napoleão.

Franz atravessou a ilha imperial, depois de seguir todos os traços deixados pelos passos do gigante e foi tomar o navio em Marciana.

Duas horas depois de deixar a terra firme, ele voltou a desembarcar em Pianosa, onde o esperavam, pelo que haviam propagandeado, voos infinitos de perdizes vermelhas.

A caçada não foi boa. Com muita dificuldade, o rapaz matou algumas escassas aves magras e voltou à embarcação muito mal-humorado.

— Ah! Se Vossa Excelência quiser — disse para ele o capitão do barco —, sei de um ótimo lugar para uma bela caçada.

— Onde?

— Vê aquela ilha? — continuou o homem, apontando para o sul e mostrando a massa cônica que emergia do mar, com uma coloração do mais belo índigo.

— Vejo, como se chama?

— Ilha de Monte Cristo — respondeu o livornense.

Como Franz tinha ainda que deixar passar algum tempo até ir encontrar o amigo em Roma e não tendo mais que se preocupar com a hospedagem, ele aceitou a sugestão, para se recuperar do fracasso da primeira caçada.

Ao ouvirem a resposta afirmativa do rapaz, os tripulantes trocaram entre si alguns cochichos.

— O que há? — quis saber o passageiro. — Algum problema?

— Não — tranquilizou-o o capitão. — Mas devemos prevenir a Vossa Excelência que a ilha causa suspeitas.

— O que isso quer dizer?

— Quer dizer que, sendo a ilha desabitada, e servindo às vezes de ponto de encontro para contrabandistas e piratas vindos da Córsega, da Sardenha ou da África, se as autoridades de Livorno souberem da nossa estadia em Monte Cristo, ficaremos sob observação por seis dias.

Se o detalhe tivesse sido mencionado antes, é provável que Franz tivesse pensado duas vezes até concordar com a expedição, mas já estavam a caminho. Pareceria covardia voltar atrás.

O barco, no entanto, aproximava-se rapidamente do destino, com bom vento a favor, fazendo de seis a sete milhas por hora. À medida que a distância diminuía, a ilha parecia crescer na superfície líquida e, com a límpida atmosfera das últimas luzes do dia, podia-se ver, como balas de canhão num arsenal, o amontoado de rochedos sobrepostos, entre os quais avermelhava a urze e verdejavam árvores.

O sol já se pusera havia mais ou menos uma hora quando Franz achou distinguir, a um quarto de milha à esquerda, uma massa escura. Sendo impossível dizer o que podia ser, e temendo ser alvo da zombaria dos marinheiros, que o acusariam de confundir nuvens baixas com terra firme, ele nada disse. De repente, porém, um clarão brilhou na ilha. Ele podia confundir terra com nuvem, mas aquele fogo não era um meteoro.

— Que luz é aquela? — perguntou ele.

— Psiu! — fez Gaetano, o capitão. — Uma fogueira.

— Acha que temos má companhia?

— Vamos precisar verificar.

— Como?

— Já vai saber.

Dizendo isso, ele desceu suavemente ao mar e nadou na direção da costa, com tanto cuidado que não se podia ouvir o menor barulho. Só pelo rastro fosforescente que deixavam os seus movimentos se podia segui-lo.

Em pouco tempo, também esse rastro desapareceu: ficava claro que Gaetano havia chegado a terra.

Todos na pequena embarcação permaneceram imóveis por meia hora, quando, enfim, viu-se ressurgir e se aproximar o mesmo rastro luminoso. Pouco depois, com duas braçadas Gaetano estava de novo a bordo.

— E, então? — perguntaram ao mesmo tempo Franz e os quatro marinheiros.

— São contrabandistas espanhóis. Têm com eles apenas dois bandidos corsos.

— E acha que corremos algum risco, se desembarcarmos?

— Nenhum. Contrabandistas não são ladrões.

O brilho da fogueira se estendia no mar por uma centena de metros. Gaetano acompanhou a costa ao longo da luz, mas mantendo o barco na parte não iluminada. Em seguida, estando já bem à frente das chamas, apontou a proa para lá e, decididamente, entrou no círculo luminoso, cantando alto uma canção de pescador.

Com isso, os homens sentados ao redor do fogo se levantaram e foram até o desembarcadouro, sem tirar os olhos do veleiro que chegava, num evidente esforço para medir a força dos visitantes e quais as suas intenções. Logo pareceram se dar por satisfeitos e voltaram a se sentar junto à fogueira, na qual assavam um cabrito inteiro, com exceção de um só, que permaneceu de pé junto à orla.

Quando o barco chegou a uns vinte metros da terra, esse que tinha ficado de vigia fez maquinalmente, com a carabina, o gesto de uma sentinela que está à espera de uma patrulha e gritou "Quem vem lá" no dialeto sardo.

Gaetano trocou com ele algumas palavras que o viajante não entendeu, mas que muito claramente diziam respeito a ele.

— Sua Excelência — perguntou o capitão — deseja se manter no anonimato ou devo dizer o seu nome?

— Diga apenas que sou um francês, viajando por prazer.

Gaetano transmitiu a resposta. A sentinela gritou, então, alguma coisa aos homens em volta do fogo; um deles se levantou e desapareceu entre os rochedos.

Houve um silêncio. Cada um parecia se preocupar com seus próprios afazeres: Franz com o desembarque; os marinheiros com as velas; os contrabandistas com o cabrito. Apesar da aparente descontração, todos reciprocamente se observavam.

O homem que tinha se afastado de repente reapareceu, do lado oposto àquele em que havia desaparecido. Fez um sinal com a cabeça para a sentinela, que se voltou para o lado do barco e se limitou a dizer: "S'accommodi".

O "s'accommodi" italiano é intraduzível. Significa ao mesmo tempo venham, entrem, sejam bem-vindos, estejam à vontade.

Com os marinheiros, não foi preciso insistir: quatro remadas e o barco chegou à terra. Gaetano desceu à praia, trocou ainda algumas palavras com a sentinela; seus companheiros sucessivamente o seguiram e, por último, Franz.

O barco foi amarrado, eles deram mais ou menos uns trinta passos e pararam numa esplanada. Franz abaixou um pouco o archote e constatou, por outro amontoado de cinzas, que a ilha de Monte Cristo era um ponto frequentado por visitantes nômades.

A expectativa de uma eventual hostilidade se desfez. Uma vez em terra firme, não se podia dizer que a acolhida tivesse sido amigável, mas demonstrava indiferença. Isso afastou toda apreensão. É verdade que o cheiro do cabrito que assava no acampamento ao lado fez a preocupação se transformar em apetite.

Ele comentou com Gaetano essa última sensação e o marinheiro o tranquilizou, dizendo que nada é mais simples do que uma refeição, para quem, como eles, têm no barco pão, vinho, seis perdizes e algo com que acender um bom fogo para assá-las.

— Aliás — acrescentou ele —, se Vossa Excelência ficou tão tentada com o cheiro do cabrito, posso oferecer aos vizinhos dois dos nossos pássaros contra um naco do quadrúpede.

— Faça isso, Gaetano, faça, sim. Você realmente nasceu com o dom da negociação.

Sentindo os odores do cabrito sendo assado, Franz esperava com impaciência o retorno do capitão que, no entanto, voltou com aparência bem preocupada.

— Recusaram a troca?

— Pelo contrário. O chefe deles, sabendo ser o senhor um jovem francês, convidou-o para jantar com ele. Mas sob uma condição.

— É mesmo? E que condição é essa?

— Que vá de olhos vendados.

— Pelo visto me meti num conto de *As mil e uma noites* — murmurou Franz.

Sem outras explicações, passaram-lhe uma venda nos olhos e o fizeram jurar que de forma alguma tentaria ver. Ele jurou.

Os homens seguraram os seus dois braços e o guiaram.

Rapidamente, pela mudança da atmosfera, ele entendeu estar entrando num subterrâneo. Após alguns segundos de caminhada, ouviu-se um estalido, com a sensação de uma nova mudança no ar, que se tornou morno e perfumado. Os pés identificaram um tapete espesso e macio. Os guias o deixaram. Houve um instante de silêncio e ele ouviu, em bom francês, mas com uma ligeira pronúncia estrangeira:

— Seja bem-vindo, hóspede, pode retirar a venda.

Franz não esperou que se insistisse: ergueu o lenço e, diante dele, estava um homem vestido à tunisiana. Um belo homem, mas com uma palidez estranha, como a de alguém que por muito tempo estivesse fechado num túmulo, não tendo recuperado a cor normal dos seres vivos.

O homem esperou que Franz se refizesse da surpresa.

— Mil desculpas pelas precauções impostas. Tentarei fazer com que esqueça esse pequeno aborrecimento, oferecendo um jantar razoável e um bom descanso. Ali, podemos passar à mesa?

Quase no mesmo instante, uma divisória foi erguida e um núbio, vestido com uma simples túnica branca, fez sinal ao patrão, significando que eles podiam passar à sala de jantar.

— Não sei se concorda comigo — disse o desconhecido a Franz —, mas nada é mais desagradável do que passar duas ou três horas com alguém, sem saber por qual nome ou qual título chamar. Para deixá-lo à vontade, a mim habitualmente chamam de Simbad, o Marujo.

— E eu — devolveu Franz —, assim sendo, não vejo dificuldade alguma a que me chame de Aladim. Com isso permanecemos no Oriente, para onde tenho a impressão de ter sido transportado pela mágica de algum gênio amigo. Como o digno marinheiro de quem assumiu o nome — perguntou ele, mudando a conversa —, o senhor também passa a vida viajando?

— Sim. Foi uma vontade que tive, numa época em que não podia realizá-la — disse o desconhecido com um sorriso. — Como tantas outras, que espero também poder realizar, chegada a hora.

O jantar prosseguia, parecendo ter sido preparado sobretudo para Franz, pois quem o convidava mal provou um ou dois pratos do esplêndido banquete que oferecia, mas ao qual o convidado imprevisto prestava as devidas homenagens.

— Passemos ao cômodo ao lado, que será o seu quarto, e Ali vai nos preparar os cachimbos e servir o café.

Os dois se estenderam num divã. Compridos cachimbos turcos com tubos de jasmim e embocadura de âmbar estavam ao alcance das mãos e já preparados para que não fosse preciso fumar duas vezes o mesmo. Anfitrião e hóspede escolheram, cada qual o seu, Ali os acendeu e saiu para buscar o café.

Houve um momento de silêncio, em que Simbad se deixou levar por pensamentos que pareciam o tempo todo persegui-lo, mesmo enquanto falava, e Franz se entregou ao mudo devaneio a que quase sempre nos leva um tabaco de muito boa qualidade, expulsando com a fumaça tudo que nos aflige a mente e, em troca, abrindo ao fumante as aspirações da alma. Uma estranha transformação se passou no jovem. Todo o cansaço físico e toda a preocupação causados pelos acontecimentos do dia desapareceram, como no momento de repouso em que estamos ainda conscientes o suficiente para sentir a chegada do sono. O corpo pareceu ganhar uma leveza imaterial, a mente se aclarou extraordinariamente, os sentidos pareceram redobrar as suas faculdades. O horizonte se ampliou, mas não mais o horizonte sombrio sobre o qual pairava um vago terror percebido antes do sono, e sim um horizonte azul, transparente, vasto, com tudo que o mar tem de azul, com tudo que o sol tem de brilho, com tudo que a brisa tem de perfume. Depois, no meio da cantoria dos marinheiros, tão límpida e tão clara que se poderia, caso fosse registrada, com ela criar uma harmonia divina, Franz viu surgir a ilha de Monte Cristo, não mais como um recife ameaçador acima das ondas, mas como um oásis perdido no deserto.

XXVI
Despertar

Quando ele voltou a si, tudo em volta parecia uma continuação daquele sonho. A impressão que tinha era a de estar num sepulcro, com um único raio de sol que penetrava, como um olhar de compaixão. Estendeu a mão e sentiu a pedra. Procurou entender: estava deitado com seu albornoz num leito macio e perfumado, feito com folhagem seca.

Levantando-se, deu alguns passos até o ponto de onde vinha a luz. À agitação do sonho sucedia a calma da realidade. Ele percebeu que estava numa gruta, avançou na direção da abertura e, pelo vão arqueado, viu o céu azul e o mar cor de anil. O ar e a água resplendiam sob os raios do sol matinal. À beira-mar, os marinheiros conversavam e riam, sentados. A dez metros da praia, o bote graciosamente balançava, preso à âncora.

Contente, ele se aproximou de onde estava a tripulação que, ao vê-lo, levantou-se. O capitão veio ao seu encontro:

— O sr. Simbad nos encarregou de transmitir seus cumprimentos, esperando que Vossa Excelência o desculpe, pois tinha um compromisso urgente em Málaga.

Dizendo isso, Gaetano apontou para um pequeno veleiro que seguia na direção da ponta meridional da Córsega.

Um segundo depois, uma leve nuvem de fumaça apareceu à popa da embarcação, desprendeu-se graciosamente e subiu aos ares, fazendo com que em seguida um fraco estampido chegasse aos ouvidos de Franz.

— Ah, é ele que lhe diz adeus! — acrescentou Gaetano.

Quanto a Franz, nada mais o prendia em Monte Cristo, então ele deu o sinal de partida.

Ao mesmo tempo que içavam âncora do seu próprio veleiro, o iate ia desaparecendo.

E, com ele, também o último vestígio de realidade da noite anterior, com tudo começando, para Franz, a se confundir num mesmo sonho.

Navegaram o dia inteiro, atravessaram a noite e, no dia seguinte, ao nascer do sol, a ilha de Monte Cristo é que havia, por sua vez, desaparecido.

Uma vez em terra firme, pelo menos momentaneamente Franz esqueceu o ocorrido, pensando apenas em encontrar o amigo que o esperava em Roma.

Pegou a estrada e, no sábado à noite, desembarcou no posto da Alfândega, pela diligência do correio.

Faltava agora somente chegar ao hotel de mestre Pastrini, o que não era tarefa tão fácil, pois a multidão lotava as ruas e Roma já estava tomada pelo burburinho surdo e febril que precede o Carnaval.

Franz e Albert dispunham de dois quartos pequenos e um gabinete, pois todo o restante do andar estava ocupado por um hóspede riquíssimo, talvez siciliano ou maltês: o dono do hotel não conseguia dizer exatamente de qual dessas duas nacionalidades era o viajante.

— Muito bem, mestre Pastrini — disse Franz —, mas precisamos que nos providencie uma refeição para essa noite e uma carruagem para amanhã e os dias seguintes.

— O jantar — respondeu o hoteleiro — posso mandar servir agora mesmo; já a carruagem... faremos o possível para conseguir uma. É tudo que posso dizer.

— E quando teremos a resposta? — quis saber o rapaz.

— Amanhã de manhã.

— O que acha? — perguntou Franz a Albert.

— O que acho é simples: quando uma coisa está além do que posso, procuro não me fixar só nela e passar para outra. O jantar está pronto, mestre Pastrini?

— Perfeitamente, Excelência.

— Pois então jantemos, antes de tudo.

Com essa admirável filosofia de vida, acreditando nada ser impossível quando se tem bolsa bem pesada ou carteira bem recheada, Albert de Morcerf jantou, deitou-se e dormiu profundamente, sonhando atravessar o Carnaval numa carruagem de seis cavalos.

XXVII
Bandidos romanos

No dia seguinte, Franz acordou antes de todos e foi logo tocando a campainha. Mestre Pastrini foi pessoalmente atendê-lo e perguntou:

— Suas Excelências ainda querem alugar uma carruagem até domingo?

— Que pergunta! — impacientou-se Albert. — Acha que vamos correr a pé as ruas de Roma?

— E para quando precisam dela?

— Em uma hora.

— Em uma hora ela estará à porta.

De fato, uma hora depois o veículo esperava os dois rapazes.

— Onde Suas Excelências querem que as leve?

— Bem... a São Pedro primeiro e ao Coliseu depois — disse Albert, como verdadeiro parisiense.

Ele não sabia que era preciso um dia inteiro para visitar a basílica de São Pedro e um mês para estudá-la. O dia, então, se passou apenas na visita à igreja. Foi de repente que os dois amigos perceberam que o sol já se punha. Voltaram ao hotel e, quando chegaram, Franz deu ordem ao cocheiro para que estivesse a postos às oito horas, pois queria mostrar, a Albert, o Coliseu à luz da lua.

Puseram-se à mesa: mestre Pastrini havia prometido aos hóspedes um verdadeiro banquete, mas o que apresentou revelou-se no máximo aceitável. No fim do jantar, ele foi vê-los. Franz achou que era para receber seus cumprimentos e já se preparava para isso, mas assim que começou, foi interrompido:

— Têm a intenção de visitar *il Colosseo*?

— O Coliseu?

— Como queira. Disse ao cocheiro para sair pela porta del Popolo, fazer o percurso externo dos muros e entrar de volta pela porta San Giovanni?

— Foram as minhas exatas palavras.

— Pois esse itinerário é impossível!

— Impossível?

— Ou, no mínimo, extremamente perigoso.

— Perigoso? E por quê?

— Por causa do famoso Luigi Vampa.

— Em primeiro lugar, caro mestre Pastrini, quem é o famoso Luigi Vampa? — perguntou Albert. — Ele pode ser famoso em Roma, mas devo dizer que, em Paris, é um nome totalmente desconhecido.

— Pois se trata de um bandido que, quando comparado, faz um Decesaris ou um Gasparone serem vistos como coroinhas de igreja.

— E o que tem a ver esse bandido com o trajeto que indiquei ao cocheiro, saindo pela porta del Popolo e entrando pela porta San Giovanni?

— O que tem é que os senhores podem perfeitamente sair por uma, mas é provável que não entrem pela outra.

— E por quê? — perguntou Franz.

— Por não se ter mais segurança a cinquenta passos da porta, depois que escurece.

— O que me diz, Albert? — perguntou Franz ao amigo. — Ainda quer ir ao Coliseu pelas avenidas externas?

— Sem dúvida, já que o caminho é mais pitoresco — respondeu o outro.

Soavam as nove horas, a porta foi aberta e o cocheiro apresentou-se dizendo:

— Excelências, a carruagem os espera.

— Nesse caso — disse Franz —, ao Coliseu.

— Pela porta del Popolo ou pelas ruas de dentro, Excelências?

— Pelas ruas de dentro, diabos! Pelas ruas de dentro — exclamou Franz.

— É, meu caro! — disse Albert, levantando-se também. — Eu o imaginava mais corajoso.

Com isso, os dois rapazes desceram a escada e subiram na carruagem.

XXVIII
Aparições

Franz tinha encontrado outro trajeto para chegar ao Coliseu sem passar por nenhuma ruína antiga, ou seja, sem que outras curiosidades tirassem do colosso uma só polegada das suas gigantescas proporções.

A carruagem parou a poucos passos da Meta Sudans. O cocheiro desceu para abrir a portinhola e os dois rapazes se viram diante de um guia que parecia ter surgido do nada. Como o do hotel já os acompanhava, eles passaram a ser dois.

Havia mais ou menos 15 minutos que Franz estava à sombra de uma coluna, enquanto Albert, com os dois guias carregando archotes, acabava de sair de um vomitório na outra extremidade do Coliseu. Nesse momento, ele teve a impressão de ouvir rolar, nas profundezas do monumento, uma pedra que se soltara da escada à frente daquela que ele acabara de tomar para chegar ao lugar onde estava sentado.

Logo depois, um homem apareceu, saindo da sombra na medida em que subia os degraus da escada bem à frente de Franz e que tinha sua abertura clareada pela lua.

O personagem estava encoberto por uma pesada capa marrom, que escondia a parte de baixo do rosto, enquanto o chapéu de abas largas cobria o alto.

Alguns minutos se passaram, e ele já começava a dar claros sinais de impaciência, quando ouviu um ligeiro ruído no terraço superior.

No mesmo instante, uma sombra pareceu cortar a luz, alguém apareceu na abertura, mergulhou o olhar no escuro com o máximo de atenção e viu o homem da capa.

— Peço desculpa, Excelência — disse ele, em dialeto romano —, pela demora. Estou chegando do castelo Sant'Angelo e tive toda dificuldade do mundo para falar com Beppo.

— O que conseguiu saber?

— Terça-feira, às duas horas, teremos duas execuções, como é hábito em Roma, na abertura das grandes festas. Um dos condenados, um miserável que matou o padre que o havia criado e não merece qualquer interesse, será *mazzolato*. O outro é o pobre Peppino, que será *decapitato*. Estou disposto a tudo para impedir a morte do infeliz, que se vê nessa situação por ter me ajudado. *Per la madonna!* Vou me considerar um covarde se não fizer alguma coisa pelo bravo rapaz.

— E o que vai fazer?

— Colocarei uns vinte homens em volta do cadafalso. Quando eu der o sinal, atacaremos a escolta, armados com punhais.

— Meu amigo, sozinho e com algum dinheiro posso mais do que você com seus capangas e punhais. Deixe que me ocupo disso.

— Ótimo! Mas, se não der certo, estaremos prontos.

— Façam isso, se assim quiserem, mas garanto que consigo a absolvição.

— Se isso acontecer, Excelência, como saberemos?

— É simples, aluguei as três últimas janelas do palácio Rospoli; se tiver obtido a anistia, as duas janelas das pontas mostrarão um adamascado amarelo e a do meio o mesmo tecido, só que branco, com uma cruz vermelha.

— Perfeito. E por quem fará chegar o indulto?

— Envie-me um dos seus homens vestido de penitente e entregarei a ele. Com esse disfarce, ele vai poder chegar ao patíbulo e passar o documento ao chefe da confraria, que o entregará ao carrasco. Mas avise Peppino desde já, para que ele não morra de medo ou enlouqueça antes da hora, pois teríamos um gasto à toa.

— Obrigado, Excelência. Conto com o senhor, que deve contar comigo.

O desconhecido, com a capa encobrindo o rosto, agora mais do que nunca, passou a dois metros de Franz e desceu à arena pelas arquibancadas externas.

Um segundo depois, o nome de Franz ecoava pelas arcadas: era Albert que o chamava.

Ele esperou que os dois estranhos se afastassem e só depois respondeu, para que não soubessem que alguém, mesmo não tendo visto os rostos, não perdera uma palavra sequer da conversa.

Daqueles dois homens, um era com certeza desconhecido para Franz, sendo a primeira vez que o via e ouvia, mas o outro, mesmo sem ter podido distinguir o rosto, tinha uma maneira de falar que já o havia impressionado antes, deixando a certeza de que reconheceria aquele sotaque em qualquer situação. Ele estava convencido de que o outro homem era Simbad, o Marujo.

Franz se sentia agitado demais para conseguir dormir. A noite inteira ele passou e repassou mentalmente tudo que pudesse ligar o homem da gruta e o desconhecido do Coliseu, mostrando serem os dois personagens um único indivíduo. E quanto mais ele pensava, mais confirmava essa opinião.

Pegou no sono ao amanhecer, por causa disso acordou bem tarde. Albert, como bom parisiense, tinha se preparado para a noite e mandara reservar um camarote no teatro Argentina.

Era um camarote em que doze espectadores podiam se sentar sem desconforto e custara, para os dois amigos, mais barato que um camarote de quatro lugares no teatro Ambigu, de Paris.

Em outro camarote, na terceira fila à frente deles e sozinha numa poltrona bem visível, estava uma jovem incrivelmente bonita, vestindo-se à grega, mas tão à vontade que era óbvio ser aquilo natural para ela.

Na poltrona de trás, à sombra, podia-se entrever alguém, um homem, do qual era impossível discernir o rosto. Durante toda a obra-prima coreográfica à qual assistiam, ele não se moveu, apesar da barulheira infernal dos trompetes, címbalos e outras percussões da orquestra, parecendo saborear um sono restaurador.

Terminada a cena de balé, a cortina desceu sob os aplausos frenéticos da plateia extasiada.

Começou a abertura do segundo ato e, às primeiras vibrações dos arcos de violino, Franz viu o dorminhoco lentamente se erguer e se aproximar da grega, que se virou para dizer alguma coisa e voltou a apoiar os cotovelos no parapeito do camarote.

O rosto do homem continuava à sombra, por isso Franz não pôde distinguir seus traços.

Erguida a cortina, a atenção de Franz voltou-se naturalmente para o palco, deixando de lado o camarote da bela grega. Ele já se preparava para aplaudir com todo o público da sala, quando, prestes a juntar as mãos no aplauso, parou-as, assim como o grito com que ia aclamar os artistas expirou na boca.

O ocupante do camarote estava de pé, deixando o rosto à mostra. Franz acabava de reconhecer o misterioso homem de Monte Cristo, o mesmo que na véspera ele tivera a impressão de lhe ser familiar, pela silhueta e pela voz, nas ruínas do Coliseu.

Não tinha mais dúvida, o estranho viajante morava em Roma.

— Preciso saber quem ele é — disse Franz, levantando-se.

Voltando ao hotel, Franz encontrou Albert estirado numa poltrona, fumando charuto.

Nesse momento, a porta se entreabriu e o mestre Pastrini passou a cabeça pelo vão:

— Os jovens devem saber, o conde de Monte Cristo se hospeda no mesmo andar que os senhores. Pois ele mandou lhes oferecer dois lugares em sua carruagem e às suas janelas do palácio Rospoli.

Albert e Franz entreolharam-se.

— Acha que devemos aceitar o convite desse estrangeiro que nem conhecemos?

— Que tipo de pessoa é esse conde de Monte Cristo? — perguntou Franz ao hoteleiro.

— Um grandíssimo fidalgo siciliano ou maltês, não sei exatamente, mas nobre como um Borghèse e rico como uma mina de ouro.

Nesse momento, bateram à porta. Um criado vestindo uma elegante libré apareceu à entrada do quarto e disse:

— Da parte do conde de Monte Cristo, para o sr. Franz d'Épinay e para o visconde Albert de Morcerf.

Entregou, então, ao dono do hotel dois cartões, que foram repassados aos jovens.

— O sr. conde de Monte Cristo — continuou o criado — pede permissão aos senhores para se apresentar, enquanto vizinho, e gostaria de respeitosamente se informar quanto à hora em que poderá vir vê-los.

— Diga ao conde — respondeu Franz — que teremos nós a honra de visitá-lo.

O criado retirou-se.

— É o que se pode considerar um assédio elegante — observou Albert. — Tem toda razão, mestre Pastrini, esse seu conde de Monte Cristo é perfeitamente correto. Acredita não ser indiscrição nossa nos apresentarmos em seus aposentos amanhã?

— De forma alguma.

XXIX
A mazzolata

Franz e Albert tinham apenas que atravessar a área comum do andar. O hoteleiro foi à frente e bateu à porta. Um criado veio abrir.

— *I signori Francesi* — disse ele.

O criado se curvou e fez sinal para que entrassem.

Eles atravessaram dois cômodos mobiliados com um luxo que não imaginavam encontrar no hotel de mestre Pastrini, até chegarem, enfim, numa sala de perfeita elegância.

— Se Suas Excelências aceitarem aguardar, vou chamar o sr. conde — disse o criado, desaparecendo por uma das portas.

Franz e Albert trocaram um olhar e, em seguida, observaram os móveis, os quadros e as armas. À segunda vista, tudo pareceu com ainda maior magnificência que à primeira.

— O que me diz de tudo isso? — perguntou Franz ao amigo.

— Puxa, meu caro! Acho que nosso vizinho é um agente de câmbio que especulou com fundos espanhóis na baixa ou um príncipe viajando no anonimato.

— Shh! — pediu silêncio Franz. — É o que já vamos saber, pois ele está chegando.

— Cavalheiros — disse o conde de Monte Cristo ao entrar —, aceitem minhas desculpas por não ter me antecipado, tive medo de ser indiscreto se me apresentasse mais cedo nos seus aposentos.

Os dois jovens inclinaram-se. Franz não se decidira ainda, e como o conde não demonstrava tê-lo reconhecido nem vontade de ser reconhecido, tinha dúvidas entre fazer alguma alusão ao encontro passado ou deixar que o futuro próximo trouxesse novas provas.

Mesmo assim, procurou levar a conversa para um ponto que pudesse trazer esclarecimento a certas suspeitas, então perguntou:

— O sr. conde já nos ofereceu lugares em sua carruagem e nas janelas do palácio Rospoli; poderia também nos dizer como conseguir um *posto* tão privilegiado, como dizem na Itália, em plena piazza del Popolo?

— Ah, é verdade! — disse o conde, parecendo distraído e observando Morcerf com toda atenção. — Não vai haver algo como uma execução na piazza del Popolo?

— Exato — alegrou-se Franz, vendo com que facilidade havia chegado ao que queria.

— Espere, acho que pedi ontem a meu administrador que tratasse disso; talvez eu ainda possa lhes prestar esse pequeno favor. Mas antes, passemos à mesa, pois acabam de fazer sinal de que está servida.

Os dois convidados se levantaram e o acompanharam até a outra sala.

No fim do almoço, Franz puxou do bolso o relógio.

— O que o incomoda? — perguntou o anfitrião.

— Será preciso nos desculpar, sr. conde — respondeu Franz —, mas temos ainda mil coisas a fazer.

— Quais?

— Não temos fantasias e, para o dia de hoje, elas são quase obrigatórias.

— Não se preocupe com isso. Parece que temos, na piazza del Popolo, um quarto de vestir. Mandarei que levem os trajes que indicarem e vamos já para lá, cuidar das nossas máscaras.

— Se é assim, ótimo — concordou Franz. — Mas, no caminho para a piazza del Popolo, eu gostaria de passar pela via del Corso, seria possível?

— Passemos, então, pela via del Corso. A carruagem pode nos esperar na piazza del Popolo, indo pela estrada del Balbuino. Acho até bom passar pela via del Corso, para ver se certas ordens que dei foram executadas.

— Excelência — anunciou o criado abrindo a porta —, um homem vestido de penitente pede para vê-lo.

— Ah, é verdade! Sei quem é. Cavalheiros, queiram passar à sala de estar. Encontrarão na mesa de centro excelentes charutos de La Havana. Chego em um minuto.

Os dois rapazes se levantaram e saíram por uma porta, enquanto o conde, desculpando-se ainda, saía por outra. Albert se aproximou e não se conteve, vendo em cima da mesinha autênticos *puros*.

— E, então? O que achou do conde de Monte Cristo? — perguntou Franz.

— O que achei? — surpreendeu-se Albert com a pergunta do amigo. — Um homem encantador, que recebe maravilhosamente bem e — acrescentou ele, soltando com ternura uma nuvem de fumaça que subiu em espiral na direção do teto —, além de tudo, tem excelentes charutos.

— Não notou um detalhe estranho?

— Qual?

— A insistência com que ele o observava?

O conde entrou.

— Estou de volta e à disposição dos senhores. Já dei as instruções e a carruagem seguirá para a piazza del Popolo. Faremos a pé o nosso trajeto pela via del Corso, se assim quiserem. Vamos, cavalheiros, não podemos perder tempo, já passam trinta minutos do meio-dia, vamos.

Os três desceram. Seguindo as instruções, o cocheiro tomou a via del Babuino, enquanto os pedestres subiram pela praça da Espanha e tomaram a via Frattina, que os levou diretamente aos palácios Fiano e Rospoli.

O olhar de Franz se dirigiu de imediato às janelas desse último palácio, pois se lembrava do sinal combinado no Coliseu.

— Quais são as suas janelas? — perguntou ao conde, da maneira mais natural que pôde.

— As três últimas.

O jovem rapidamente olhou para elas. As duas laterais estavam enfeitadas com adamascados amarelos e a do meio ostentava um branco com uma cruz vermelha.

O homem da capa havia mantido a palavra e isso tirava qualquer dúvida: o homem da capa era o conde.

Na esquina da rua, o administrador estava à espera deles.

A janela que se abria para a piazza del Popolo ficava no segundo andar do grande palácio, entre a rua de Babuino e o Monte Pincio. Servia a uma espécie de quarto de vestir, ligado ao de dormir. Fechando a porta deste último, o inquilino tinha toda privacidade. Elegantes trajes de palhaço, em cetim branco e azul, tinham sido deixados em cima de cadeiras.

— Como ficou por minha conta a escolha das fantasias — disse o conde aos dois convidados —, mandei que preparassem essas.

Franz mal ouviu o que dizia o anfitrião, porque estava atento ao espetáculo que se apresentava na piazza del Popolo e à aparelhagem assustadora que, naquele momento, constituía seu principal ornamento.

Era a primeira vez que ele via uma guilhotina, pois a *mandaia* romana segue mais ou menos a mesma ideia que o instrumento nacional francês de morte.

Os condenados, trazidos na véspera do Carceri Nuove para a igrejinha Santa Maria del Popolo, tinham passado a noite aos cuidados de dois padres; cada um, numa capela de velório.

Um dupla fileira de *carabinieri*, nos dois lados da porta da igreja, estendia-se até o patíbulo. O restante da praça estava apinhado de cabeças de homens e de mulheres, muitos com filhos nos ombros.

O burburinho de repente cessou como em um toque de mágica: a porta da igreja acabava de se abrir.

Uma confraria de penitentes, cada um vestindo apenas um saco cinzento com dois furos à altura dos olhos e empunhando uma vela acesa, apareceu primeiro, encabeçada pelo chefe.

Atrás dos penitentes vinha um homem de alta estatura e completamente nu, não fosse um calção de brim, do qual pendia, à esquerda, uma faca grande, numa bainha. No ombro direito ele carregava uma pesada maça de ferro. Era o carrasco.

Atrás do carrasco vinha Peppino e, logo depois, um certo Andréa.

Ambos beijavam de vez em quando o crucifixo que lhes apresentava o padre confessor.

Bastou esse espetáculo para que as pernas de Franz fraquejassem. Ele olhou para Albert, que estava branco como a camisa que vestia e, num gesto automático, jogou longe o charuto que fumava, ainda pela metade.

O conde era o único a se manter impassível e, na verdade, inclusive, com uma ligeira coloração avermelhada tentando atravessar a lividez habitual do seu rosto.

— Quando falou da execução, creio que mencionou apenas uma — disse Franz ao conde.

— E disse a verdade.

— Mas são dois condenados.

— Sem dúvida, um está realmente prestes a morrer, mas o outro tem ainda muitos anos pela frente.

— Não resta muito tempo mais para que ele seja agraciado, tenho essa impressão.

— Pronto, está vindo; veja! — mostrou o conde.

De fato, no momento em que Peppino chegava ao pé da *mandaia*, um penitente atravessou a fileira de soldados sem que eles impedissem a passagem e, aproximando-se do chefe da confraria, entregou um papel dobrado em quatro.

O olhar febril de Peppino não perdia detalhe algum dessa movimentação. O chefe da confraria desdobrou o papel, leu e ergueu a mão.

— Louvado seja Deus e agradeçamos à Sua Santidade! — disse ele, em voz alta e inteligível. — Um dos condenados foi agraciado.

— A absolvição! — exclamou o povo em uníssono. — Um condenado foi agraciado!

Ouvindo isso, Andréa pareceu dar um salto e ergueu a cabeça.

— Absolvição para quem? — perguntou ele.

Peppino permaneceu imóvel, mudo e respirando forte.

— Foi concedida essa graça para a pena de morte de Peppino — disse o chefe da confraria.

— Um indulto para Peppino! — desesperou-se Andréa. — Por que para ele e não para mim? Devíamos morrer juntos; foi o que me garantiram: que ele iria antes de mim; vocês não têm o direito de me fazer morrer sozinho, não quero morrer sozinho, não quero!

Com isso, ele se desprendeu dos dois padres se contorcendo, aos berros, urrando e fazendo esforços tremendos para se desfazer das cordas que o amarravam.

O carrasco fez sinal a seus ajudantes, que pularam do alto do patíbulo e foram buscar o condenado.

Os dois levaram Andréa ao cadafalso e, lá em cima, apesar dos seus esforços, com mordidas e gritos, forçaram-no a se ajoelhar. O carrasco, enquanto isso, posicionou-se de lado, com a maça em riste; deu um sinal, então os dois ajudantes se afastaram. O condenado pensou em se levantar, mas, antes disso, o pesado instrumento se abateu sobre a sua têmpora esquerda. Houve um barulho surdo e abafado, o homem caiu como um boi, de cara no chão; depois outro golpe, em sentido contrário, o deixou de costas. O carrasco, então, encostou a maça, tirou a faca da cinta e, com um só golpe, abriu a garganta do infeliz. Por fim, subiu à barriga dele e pisoteou. A cada pressão, um jato de sangue esguichava do pescoço.

Franz não pôde mais se conter, recuou da janela e caiu numa poltrona, quase desmaiado. De olhos fechados, Albert se mantinha de pé, mas agarrado às cortinas.

O conde continuava sem se mover, triunfante como o anjo do mal.

XXX
O Carnaval de Roma

Quando Franz voltou a si, encontrou o conde já vestindo seu traje de palhaço. Automaticamente olhou para a praça, na qual viu que tudo havia desaparecido: cadafalso, carrasco, vítimas. Restava apenas o povo, barulhento, agitado, alegre.

Seria ridículo bancar o sensível e não seguir o exemplo dos dois companheiros. Franz, então, vestiu também a fantasia e a máscara, que certamente não era mais branca do que estava o seu próprio rosto.

Todos prontos, eles desceram. A carruagem esperava à porta, cheia de confetes e de buquês a serem lançados. Eles entraram, então, no cortejo.

É difícil imaginar um contraste mais radical. No lugar do espetáculo anterior, sinistro e silencioso, a piazza del Popolo tinha tudo da mais louca e barulhenta orgia. Uma multidão de mascarados caminhava pelas ruas, vinda de todos os lados, saindo de portas, descendo por janelas... Veículos surgiam nas esquinas, carregados de pierrôs, de arlequins, de dominós, de marqueses, com todo mundo gritando, gesticulando, lançando ovos cheios de farinha de trigo, confetes e buquês, sem que ninguém tivesse o direito de reclamar.

A lembrança daquilo a que tinham assistido meia hora antes apagou-se totalmente para os dois rapazes, tragados na diversão do espetáculo atual, colorido, agitado, louco.

Na segunda volta que davam na praça, o conde pediu permissão para se retirar. Disse ao cocheiro que parasse a carruagem e que ficaria à disposição dos convidados. Franz olhou para cima: estavam diante do palácio Rospoli e, na janela do centro, aquela ornamentada com o tecido adamascado branco e com uma cruz vermelha, via-se um dominó azul, fantasia, na imaginação do rapaz, da bela grega do teatro Argentina.

— Cavalheiros — disse o conde, já na calçada —, quando se cansarem de participar da ação e quiserem voltar a ser espectadores, sabem que têm lugar nas minhas janelas. Até lá, disponham do cocheiro, da carruagem e dos meus criados.

Franz agradeceu a generosidade. Albert, por sua vez, flertava com umas mulheres fantasiadas de camponesas romanas que estavam em outra carruagem que havia parado, como a do conde, para uma pausa de descanso tão comum naquele tipo de desfile.

Mas, infelizmente para ele, a fila de veículos andou; enquanto a sua seguia na direção da piazza del Popolo, a das camponesas era levada para o palácio de Veneza.

— Ah, meu amigo! — disse a Franz. — Viu isso?

— O quê? — perguntou o outro.

— Ora! A carruagem cheia de camponesas romanas!

— Não.

— Pois tenho certeza de que eram moças adoráveis.

O resto do dia se passou sem outras aventuras, além de dois ou três encontros casuais com a carruagem das camponesas romanas. Numa dessas vezes, sem querer ou por cálculo de Albert, a sua máscara se desatou.

Provavelmente uma das mulheres adoráveis, que Albert imaginava sob a convidativa fantasia, sensibilizou-se com aquele gesto galante, pois quando a carruagem dos dois amigos voltou a passar pela delas, ela jogou um buquê de violetas. Albert prendeu-o vitoriosamente no peito e continuou o seu desfile triunfante.

Não é preciso dizer que o flerte entre Albert e a foliã dos buquês de violeta durou o dia inteiro.

Franz deu seus mais sinceros parabéns ao amigo, que os aceitou como quem sabe que fez por merecer. Ele havia percebido, pelo que disse, sinais de inimitável elegância, indicando que a bela desconhecida devia pertencer à mais alta aristocracia.

Estava decidido a lhe escrever, no dia seguinte.

Franz reparou que Albert parecia querer pedir alguma coisa e o amigo demorou apenas o tempo mínimo, que exige a polidez entre jovens da mesma idade, para confessar que agradeceria muito se, no dia seguinte, tivesse só para si a carruagem.

Franz, então, prometeu a Albert que se contentaria, nesse caso, de acompanhar o espetáculo das janelas do palácio Rospoli.

E, de fato, no dia seguinte, ele viu Albert passar inúmeras vezes, com um enorme buquê em que ele seguramente teria prendido o bilhete amoroso. Essa conjectura se transformou em certeza ao ver o mesmo buquê, facilmente identificável graças a um maço central de camélias brancas, nas mãos de uma adorável foliã trajando cetim cor-de-rosa.

Albert não errou em suas previsões: no fim da tarde seguinte, Franz o viu entrar saltitante no quarto, agitando em triunfo um pedaço de papel que ele segurava pela ponta.

— E, então? Por acaso estava enganado?

— Ela respondeu? — exclamou Franz.

— Pode ler.

Ele pegou o bilhete e leu:

"Terça-feira, às sete horas da noite, desça do seu coche em frente à via dei Pontefici e siga a camponesa romana que irá tirar da sua mão o *moccoletto*. Quando chegar no primeiro degrau da igreja de San Giacomo, para que ela o reconheça, tenha uma fita cor-de-rosa no ombro da sua fantasia de palhaço. Até lá não me verá mais. Constância e discrição."

— O que me diz? O que acha disso, meu amigo?

— Ora, o que acho! A coisa toda está ganhando um aspecto bem interessante.

Chegou finalmente a terça-feira, o mais tumultuado dos dias de Carnaval. Das duas às cinco horas, Franz e Albert seguiram o corso, trocando punhados de confetes com os coches que faziam o mesmo na direção contrária. Albert orgulhosíssimo em sua fantasia de palhaço. Tinha no ombro um laço de fita cor-de-rosa com as pontas indo até abaixo dos joelhos.

A noite caía rapidamente e o grito de *Moccoli*! era repetido por vozes estridentes. Duas ou três estrelas começaram a brilhar acima da multidão. Foi como um sinal. Passados dez minutos, cinquenta mil luzes cintilaram, indo do palácio de Veneza à praça do Povo e da praça do Povo ao palácio de Veneza.

Essa louca e exuberante corrida durou mais ou menos duas horas. A via del Corso estava iluminada como em pleno dia; podia-se distinguir em detalhe os rostos dos espectadores até o terceiro ou quarto andar.

De cinco em cinco minutos, Albert tirava do bolso o relógio que, finalmente, marcou sete horas. Os dois amigos, justamente, estavam à altura da via dei Pontefici, então Albert saltou da carruagem, segurando o *moccoletto*.

Dois ou três mascarados tentaram se aproximar para apagá-lo ou arrancá-lo. Porém, hábil boxeador que era, ele os enviou a dez metros e partiu em desvairada corrida para a igreja de San Giacomo.

Os degraus estavam cheios de curiosos e de mascarados que competiam em ver quem arrancaria a chama das suas mãos. Franz o olhava de longe e viu quando o amigo pisou no primeiro degrau. Quase imediatamente, uma mascarada, com a fantasia já conhecida de camponesa, estendeu o braço e, sem que dessa vez Albert resistisse minimamente, tirou dele o *moccoletto*.

Franz estava longe demais para ouvir as palavras que trocaram, mas com certeza não eram hostis, pois Albert logo se afastou de braços dados com a camponesa.

XXXI
As catacumbas de São Sebastião

O jantar estava servido, mas como Albert não chegaria tão cedo, Franz jantou sem ele. Às onze horas, ele se vestiu e avisou que estaria na casa do duque de Bracciano.

Tratava-se de um dos mais interessantes endereços de Roma. As festas que organizavam lá eram célebres por toda a Europa. Franz e Albert tinham chegado à cidade com cartas de recomendação para o duque, e este último, ao ver só um dos rapazes, logo perguntou por seu companheiro de viagem. Franz contou terem se perdido de vista na via Macello, no momento em que iam se apagar os *moccoli*.

— Então ele não voltou ao hotel? — perguntou o duque.

— Até a hora que saí, não — respondeu Franz.

— Estava armado?

— Vestido de palhaço.

— Não deveria tê-lo deixado ir, já que conhece Roma melhor do que ele.

— O que pode acontecer de ruim?

— Vai saber! A noite é escura e o Tibre corre bem perto da via Macello.

Franz sentiu um frio correndo em suas veias, ao perceber que as preocupações do duque eram bem parecidas com as suas.

— Deixei um aviso no hotel dizendo que teria a honra de estar na casa do sr. duque — disse Franz. — Pedi também que me prevenissem da sua chegada.

— Ah! Vejo um dos meus criados que, justamente, o procura — disse o duque.

Ele estava certo e, ao localizar Franz, o criado se aproximou e disse:

— Excelência, um recado do hotel de Londres, dizendo que um mensageiro o espera lá, com uma carta do visconde de Morcerf.

— E por que ele não a trouxe aqui?

— Não foi dada nenhuma explicação.

Franz pegou seu chapéu e partiu às pressas. Por sorte, o palacete Bracciano fica a apenas dez minutos do hotel de Londres. Nas proximidades do hotel, Franz viu um homem de pé no meio da rua, bem protegido numa capa. Foi até ele, mas, para espanto seu, foi o desconhecido que lhe dirigiu a palavra, recuando um passo:

— O que quer, Excelência?

— Não seria o responsável por trazer uma carta do visconde de Morcerf?

— Como se chama Vossa Excelência?

— Barão Franz d'Epinay.

— É, então, a Vossa Excelência que se dirige a carta.

— Espera-se resposta? — perguntou Franz, pegando a carta.

— Sim, pelo menos é esta a expectativa do seu amigo.

A carta, escrita e assinada de próprio punho por Albert, era tão surpreendente que Franz precisou ler e reler:

> "Caro amigo, assim que receber esta, tenha a bondade de pegar em minha carteira, que se encontra na gaveta quadrada da escrivaninha, minha carta de crédito. Junte também a sua, se ela não for suficiente. A soma de quatro mil escudos romanos deve me ser enviada com toda urgência.
>
> Conto com a sua ajuda, como você poderia contar com a minha.
>
> P.S.: *I believe now to Italian bandetti.*
>
> Do seu amigo,
> Albert de Morcerf."

Abaixo dessas linhas, vinham escritas, por outra pessoa, essas palavras em italiano:

> "*Se alle sei della mattina le quattro mila piastre non sono nelle mie mani, alle sete il conte Alberto avra cessato de vivere.**
>
> Luigi Vampa."

Albert tinha caído nas mãos do famoso bandido, do qual havia duvidado a existência.

Sem perder tempo, Franz correu à escrivaninha, abriu a gaveta indicada no bilhete, encontrou a carteira e nela a carta de crédito. Era de um montante de seis mil piastras, mas dessas seis mil Albert já havia gastado três. Franz, no entanto, não dispunha de carta de crédito alguma: como morava em Florença e viera a Roma por apenas sete ou oito dias, tinha trazido uma centena de luíses e deles restavam uns cinquenta, no máximo.

Eram necessárias setecentas ou oitocentas piastras para que, juntos, os dois amigos conseguissem a soma exigida.

Uma ideia luminosa surgiu, então, em sua cabeça: O conde de Monte Cristo.

Ele atravessou o andar e bateu à porta. Um criado convidou-o a entrar. O conde estava num pequeno escritório que Franz não conhecia, cercado de divãs, e tomou a dianteira:

— Que bons ventos o trazem a essa hora?

— Por favor, leia — pediu Franz, mostrando a carta de Albert.

O conde leu.

— Tem essa soma?

— Faltam oitocentas piastras.

O conde foi a uma escrivaninha, abriu-a e, puxando uma gaveta cheia de ouro, disse:

— Espero que não cometa a afronta de recorrer a outro além de mim.

* Se às seis horas da manhã as quatro mil piastras não estiverem em minhas mãos, às sete o conde Albert de Morcerf deixará de viver. (N. do A.)

— Pelo contrário, vim diretamente aqui, como pode ver — disse Franz.

— Obrigado. Pegue o necessário — disse ele, fazendo sinal e indicando a gaveta aberta ao jovem.

— Onde está o homem que trouxe o bilhete?

— Na rua.

O conde foi à janela do escritório que dava para a rua e assobiou de uma forma particular. O mensageiro obedeceu imediatamente e, atravessando os quatro degraus da portaria, entrou. Cinco segundos depois, estava à porta do escritório.

— Ah, é você, Peppino? — disse o conde.

Em vez de responder, Peppino jogou-se aos pés dele, pegou suas mãos e beijou-as várias vezes.

— Ah, pelo visto ainda não esqueceu que salvei a sua vida!

— Não, Excelência. E nunca esquecerei — respondeu o homem, com um tom que não deixava a menor dúvida quanto ao que dizia.

— Sr. d'Epinay, conhece as catacumbas de São Sebastião?

— Não, nunca desci para visitá-las.

— Pois terá a oportunidade.

Franz e o conde saíram, seguidos por Peppino.

À porta, encontraram a carruagem. Era Ali que estava na banqueta, e Franz reconheceu o escravo mudo da gruta de Monte Cristo.

Eles seguiram pela antiga via Ápia, toda margeada de túmulos. De vez em quando, sob a claridade da lua que começava a se erguer, Franz tinha a impressão de que percebia um vigia se destacando numa ruína, mas rapidamente, a um sinal de Peppino, ele voltava à sombra e desaparecia.

Pouco antes do circo de Caracalla a carruagem parou e Peppino foi abrir a portinhola para que os dois passageiros descessem. Eles avançaram em silêncio, com o conde, que parecia ter a singular habilidade de enxergar no escuro, guiando Franz.

Chegaram a três arcadas. A do meio servia de porta e dava acesso a um amplo espaço quadrado, cercado de nichos. No meio dessa área erguiam-se quatro pedras que nos tempos antigos haviam servido de altar, como indicava a cruz que ainda se via plantada acima delas.

Uma única lamparina, numa coluna, iluminava de forma fraca e vacilante a estranha cena que se oferecia aos olhos dos dois visitantes, ainda à sombra.

Um homem estava sentado lendo, com o cotovelo apoiado nessa coluna, de costas para as arcadas da entrada, de onde os recém-chegados o viam.

Era Luigi Vampa.

Ao redor, deitados desordenadamente em suas capas, ou encostados numa espécie de banco de pedra, cerca de vinte bandidos descansavam, todos com a carabina ao alcance da mão.

— Quem vem lá? — gritou uma sentinela.

Ouvindo isso, Vampa se endireitou rápido, já sacando uma pistola da cinta. Num instante todos os bandidos estavam de pé. Assim, vinte canos de carabina apontaram para o conde, que disse com tranquilidade:

— Meu caro Vampa, quanto exagero para receber um amigo!

— Sr. conde! Estava longe de imaginar sua visita, me desculpe.

— Parece ter a memória curta, Vampa. Não ficou combinado que não somente a minha vida, mas também a dos meus amigos são sagradas?

— E em que faltei ao trato, Excelência?

— Sequestrou hoje e trouxe para cá o visconde Albert de Morcerf, que é amigo meu…

— Por que não me avisaram? — disse o chefe, virando-se para os homens em volta. — Por que me fizeram quebrar a palavra que dei ao sr. conde?

— Está vendo? — perguntou o conde a Franz. — Foi apenas um equívoco, como eu disse.

— Mas onde está o prisioneiro, que não vejo? — preocupou-se Franz, olhando em volta.

— Está ali — disse Vampa, apontando para um vão, diante do qual estava postado um bandido de guarda. — Vou, eu mesmo, avisar que está livre.

O chefe foi ao local que servia de prisão para Albert, com Franz e Monte Cristo que o seguiam.

XXXII
O encontro

Ao se levantar pela manhã, a primeira palavra de Albert foi propor imediatamente a Franz que fossem visitar o conde. Já haviam agradecido, mas ele sabia que depois do que lhe fora feito, era preciso algo mais.

Franz, então, o acompanhou; os dois foram convidados a entrar. Cinco minutos depois, o conde apareceu.

— Sr. conde — disse Albert, indo até ele. — Permita-me repetir pela manhã o que eu não soube expressar muito claramente à noite: para sempre me lembrarei de que lhe devo a vida, ou quase isso. Meu pai, conde de Morcerf, é de origem espanhola e tem alta posição na França e na Espanha; vim colocar a mim e a todos que me amam à sua disposição.

— Pois bem, sr. de Morcerf, confesso que esperava o seu oferecimento e o aceito de coração. Contava mesmo com um favor seu — respondeu o conde.

— Qual?

— Não conheço Paris e, quando tiver a oportunidade de ir, compromete-se — o conde acrescentou a essas palavras um estranho sorriso — a abrir para mim, meu caro sr. de Morcerf, as portas desse mundo em que sou tão desconhecido quanto um indígena norte-americano?

— Ora, sr. conde! Com relação a isso, garanto que tanto eu quanto os meus nos dedicaremos de corpo e alma à tarefa. E quando se daria essa visita?

— Quando o senhor mesmo estará lá?

— Eu? Deus do céu! Em quinze dias ou, no máximo, três semanas. Só o tempo de voltar.

— Ótimo! Contemos, então, três meses. Como vê, dou tempo de sobra.

— E dentro de três meses baterá à minha porta?— alegrou-se Albert.

— Quer um encontro com dia e hora? — brincou o conde.

— Com dia e hora — aceitou Albert.

— Bom, que seja! Estamos em 21 de fevereiro, dez e meia da manhã. Pode ser no dia 21 de maio, às dez e meia da manhã?

— Combinadíssimo! O almoço estará pronto.

— Seu endereço?

— Rua do Helder, nº 27.

— Você mora sozinho? Não vou incomodar?

— Moro na residência do meu pai, mas tenho um pavilhão no fundo do pátio, totalmente independente.

— Perfeito.

O conde pegou papel e pena e escreveu: "Rua do Helder, nº 27, 21 de maio, dez e meia da manhã.

— E agora — disse o conde, guardando no bolso o papel —, fique descansado, a agulha do seu relógio não será mais pontual que eu.

Os dois jovens se despediram do conde e saíram.

— O que há? — perguntou Albert a Franz, voltando para o quarto. — Parece pensativo.

— E estou mesmo, confesso. O conde é alguém bem singular, por isso vejo com certa apreensão esse encontro marcado em Paris.

— Esse encontro... com apreensão? Ficou louco, meu amigo Franz?

— O que posso fazer? Louco ou não, isso me preocupa.

XXXIII
O almoço

Na casa da rua do Helder, onde Albert de Morcerf, ainda em Roma, tinha marcado encontro com o conde de Monte Cristo, tudo estava preparado, confirmando a palavra do rapaz.

Em traje social, ele havia estabelecido seu quartel-general numa saleta do andar térreo.

Faltando quinze minutos para as dez horas, o criado, que se chamava Germain, entrou, trazendo alguns jornais e deixando--os numa mesa.

— A que horas a mesa deve estar pronta? — perguntou ele.

— Às dez e meia exatamente. Debray talvez tenha que ir ao ministério... E, aliás... — Albert consultou suas anotações — foi precisamente a hora que indiquei ao conde, 21 de maio, dez e meia da manhã. Mesmo sem contar tanto com a promessa, quero cumprir minha parte. Por falar nisso, sabe me dizer se a sra. condessa já se levantou?

— Se o sr. visconde assim desejar, irei me informar.

— Gostaria... e diga que terei a honra de ir visitá-la por volta das três horas e que peço a permissão para apresentar alguém a ela.

Nesse momento, uma carruagem ligeira parou diante da porta e, pouco depois, o mesmo criado veio anunciar o sr. Lucien Debray. Um rapaz grande, louro, com olhos escuros e seguros de si entrou sem um sorriso, sem uma palavra, em atitude semioficial.

— Bom dia, Lucien, bom dia! — cumprimentou Albert. — Você me assusta com toda essa sua exatidão, caro amigo! É incrível! Por acaso foi derrubado o ministério?

— Não, caríssimo — respondeu o rapaz, metendo-se no divã —, fique tranquilo. O tempo todo balançamos, sem nunca cair. Começo inclusive a achar que simplesmente passamos à inamovibilidade.

— Pois vou lhe proporcionar uma boa distração.

— Como assim?

— Apresentando alguém que não conhece.

— Homem ou mulher?

— Homem.

— Hum... Já conheço muitos!

— Mas não como este a que me refiro.

— E de onde ele vem? Do fim do mundo?

— Talvez de mais longe até. Ah! Estou ouvindo a voz de Beauchamp no saguão. Vocês vão poder brigar; assim o tempo passa mais rápido.

— O sr. Beauchamp! — anunciou Germain.

— Entre, entre, meu caro jornalista da pena devastadora! — recebeu-o Albert, levantando-se e indo até o rapaz. — Estou apenas à espera de mais duas pessoas; assim que elas chegarem, sentaremos à mesa.

— E que tipo de pessoas são essas? — perguntou Beauchamp.

— Um fidalgo e um diplomata.

— Nesse caso, são duas horas no máximo para o fidalgo chegar e duas, no mínimo, para o diplomata. Volto na sobremesa.

— Nada disso, Beauchamp. Mesmo que o fidalgo fosse um Montmorency e o diplomata, um Metternich, o almoço seria às onze horas, sem atraso.

— Está bem, tudo certo; então eu fico. Preciso realmente me distrair um pouco essa manhã.

— Ótimo, aí estão você e Debray! Tenho a impressão de que quando o ministério está mal, a oposição está bem.

— Ah, mas você não faz ideia da programação do dia. Logo mais tem um discurso do sr. Danglars na Câmara dos deputados e, mais tarde, na casa dele, organizada pela mulher, a leitura de uma tragédia escrita por um membro da Câmara dos pares. É um inferno o governo constitucional!

— Meu amigo, você hoje está com uma acidez revoltante — disse Albert a Beauchamp. — Lembre-se de que as colunas sociais parisienses falam de um possível casamento meu com a srta. Eugénie Danglars. Não posso, então, em sã consciência, permitir que fale mal da eloquência de um homem que deve me dizer um dia: "Saiba o sr. visconde que é de dois milhões o dote de minha filha."

— O sr. de Château-Renaud e o sr. Maximilien Morrel! — disse o criado, anunciando os dois novos convidados.

— Todos presentes! Podemos então passar ao almoço, não é? — apressou-se Beauchamp. — São os dois que faltavam, ou me engano?

— Morrel! — estranhou Albert. — Morrel! Quem é?

Mas antes que o anfitrião se refizesse da surpresa, o sr. de Château-Renaud, belo rapaz de trinta anos, já apertava a sua mão:

— Permita-me apresentar o sr. capitão de cavalaria na África do Norte, Maximilien Morrel, meu amigo e, mais que isso, meu salvador. Bom, é melhor que ele mesmo se apresente. Cumprimente esse herói, visconde.

Então, Château-Renaud se afastou, deixando que se visse um esbelto e digno jovem, de testa larga, olhar vivo, bigodes negros. Um rico uniforme, meio francês meio oriental, que lhe caía admiravelmente bem, realçava o amplo peitoral, decorado com a cruz da Legião de Honra, e a viril elegância da sua figura.

O jovem oficial se curvou com apurada cortesia e em todos os seus gestos era possível perceber uma graciosidade como a dos atletas.

— O sr. barão de Château-Renaud certamente já imaginava o prazer que me proporciona conhecê-lo — disse Albert, com simpática amabilidade. — Sendo amigo dele, seja também amigo nosso.

— A que horas almoçamos, Albert?

— Às dez e meia.

— Exatas? — insistiu Debray, tirando o relógio.

— Ah, por favor! Podem perfeitamente me conceder cinco minutos de atraso, pois também espero um salvador. Convidei-o há dois meses, em Roma. Desde então, quem pode dizer por onde andou!

— Confesse, meu caro Albert — disse Debray —, seu cozinheiro se atrasou e você, a exemplo da sra. de Maintenon, quer substituir o prato por um conde. Confesse, porque somos suficientemente polidos para perdoá-lo e ouvir a história que quer nos contar e que promete ser fabulosa.

— Mas posso garantir, por mais fabulosa que pareça, é verdadeira do início ao fim. Alguns bandidos me sequestraram, então fui levado para um lugar terrível, chamado de catacumbas de São Sebastião. Só seria solto se fosse pago um resgate, nem tão alto assim, de quatro mil escudos romanos. Escrevi a Franz contando que se os quatro mil escudos não fossem pagos até as seis horas, às seis e dez eu estaria me juntando aos bem-aventurados santos e gloriosos mártires, na companhia dos quais já tinha a honra de me encontrar. E o sr. Luigi Vampa, como se chamava o chefe dos bandidos, sem piscar os olhos, acreditem, fielmente manteria a palavra.

— E Franz chegou com os quatro mil escudos? — perguntou Château-Renaud. — Afinal, quatro mil escudos não são problema para alguém que se chama Franz d'Épinay!

— Não, mas chegou pura e simplesmente com o convidado que estou aguardando e que gostaria de lhes apresentar.

— Então foi ele quem cuidou do resgate?

— Não. Apenas cochichou poucas palavras ao ouvido do tal chefe dos bandidos; em seguida, fui solto.

— Nossa! Um verdadeiro Ariosto, esse seu personagem!

— Não, era apenas o conde de Monte Cristo.

— Pode ser mesmo um sujeito formidável, o tal conde de Monte Cristo — acrescentou Château-Renaud —, mas nem sempre, pois acaba de dar dez horas e meia.

A vibração das batidas do relógio de pêndulo não havia ainda cessado, e Germain abriu a porta para anunciar:

— Sua Excelência, o conde de Monte Cristo!

Os presentes não puderam evitar um sobressalto. O conde avançou até o meio da sala sorrindo, então se dirigiu a Albert, que já se encaminhava em sua direção, de mão estendida.

— A pontualidade — disse Monte Cristo — é a forma de serem corteses os soberanos, disse um rei, se não me engano, francês. Mas, por mais que queiram, os viajantes nem sempre conseguem fazer o mesmo. Espero, porém, que o caro visconde, considerando meu esforço, desculpe os dois ou três segundos de atraso que creio ter cometido nesse nosso encontro.

— Eu estava justamente anunciando, aos amigos que procurei reunir para essa ocasião, a visita prometida pelo sr. conde — respondeu Albert. — Amigos que tenho a honra, então, de apresentar. São os srs. conde de Château-Renaud, com linhagem que chega aos 12 pares de França e antepassados que se sentavam à Távola Redonda, e Lucien Debray, secretário particular do ministro do Interior. O sr. Beauchamp, temido jornalista, terror do governo francês, que embora seja uma celebridade nacional, talvez não seja conhecido na Itália, visto que o jornal para o qual escreve não circula por lá. E, enfim, o sr. Maximilien Morrel, capitão da cavalaria no Norte da África.

Ao ouvir esse último nome, o conde, que até então polidamente cumprimentara a todos com frieza e impassibilidade bem inglesas, deu um passo à frente, ao mesmo tempo que uma ligeira coloração tingiu suas pálidas faces.

— Senhores — disse Albert —, Germain faz sinal de que a mesa está servida. Meu caro conde, permita-me mostrar o caminho.

Em silêncio, passaram todos à sala de jantar, onde cada um tomou o seu lugar.

— Cavalheiros — disse o conde ao se sentar —, gostaria de confessar algo que me servirá de desculpa para todos os deslizes que eu porventura venha a cometer: sou estrangeiro, mas a tal ponto que é a primeira vez que venho a Paris. Peço, então, que tolerem, da minha parte, algum detalhe que lhes pareça demasiadamente turco, napolitano ou árabe. Com essa ressalva, cavalheiros, almocemos.

— Sr. conde, não imagina o prazer que me proporciona! — disse Morcerf. — Eu o tinha anunciado a meus amigos como um personagem fabuloso, alguém que se poderia encontrar em *As mil e uma noites* ou como um feiticeiro da Idade Média, mas os parisienses são tão sutis em paradoxos que veem como caprichos da imaginação as mais incontestes verdades, caso elas não se adaptem às condições da existência cotidiana. Confirme, então, por favor, que de fato fui sequestrado por bandidos e que, sem a sua generosa interferência, eu hoje estaria, muito provavelmente, no aguardo da ressurreição eterna, nas catacumbas de São Sebastião.

— Caro visconde — emendou Monte Cristo —, fui movido, como sabe, pelo interesse, querendo que me ajudasse a me aproximar dos salões de Paris, quando viesse visitar a cidade. Por algum tempo o senhor pode ter considerado isso um projeto vago e fugidio, mas hoje, como vê, é uma bela e boa realidade, à qual terá que se submeter, para não faltar à palavra.

— Farei isso, mas temo que se sinta um tanto frustrado, sr. conde, já que está habituado com o fantástico. Não me atrevo a propor que aceite hospitalidade, como aceitei a sua em Roma, pois aqui, além de mim, mal cabe uma sombra, a menos que essa sombra seja feminina.

— Ah! — exclamou o conde. — Temos pelo menos uma exceção à regra. Em Roma, o senhor mencionou a eventualidade de um casamento. Devo já felicitá-lo quanto a essa próxima felicidade?

— É o que quer meu pai e espero poder lhe apresentar, em breve, se não minha mulher, pelo menos a futura: a srta. Eugénie Danglars.

— Eugénie Danglars! — repetiu Monte Cristo. — Espere um pouco, seu pai seria o sr. barão Danglars?

— O próprio — concordou Morcerf. — Mas um baronato bem recente.

— Qual problema? — respondeu Monte Cristo. — Se ele tiver prestado ao Estado serviços que lhe valeram a distinção.

— Enormes serviços — completou Beauchamp. — Apesar de liberal na alma, ele arredondou, em 1829, um empréstimo de seis milhões para o rei Carlos X, que, bem, não só o tornou barão, mas também cavaleiro da Legião de Honra. O senhor o conhece? Deu essa impressão, quando disse o nome dele.

— Não, não o conheço — disse distraidamente Monte Cristo. — Mas provavelmente o conhecerei em breve, pois tenho um crédito com ele, aberto pelas casas Richard & Blount de Londres, Arstein & Eskeles de Viena, e Thomson & French de Roma.

— Falando do sr. Danglars, nos afastamos do assunto anterior — lembrou Morcerf —, que era o de encontrar uma moradia conveniente para o nosso visitante. Então, senhores, juntemo-nos para ter uma ideia.

— Obrigado, cavalheiros, mas não se preocupem. Tenho já prevista uma moradia de minha propriedade. Enviei antes meu intendente, que já deve ter comprado a casa e mobiliado.

— Então o senhor tem um intendente que conhece Paris — observou Beauchamp.

— Tanto quanto eu. É a primeira vez que vem à França. Além disso, é negro e não fala — completou Monte Cristo.

— Ali? — perguntou Albert, para surpresa geral.

— Ele mesmo, Ali, o núbio mudo. O senhor o viu em Roma, creio.

E Monte Cristo entregou um papel a Albert.

— Champs-Élysées, nº 30 — leu Albert.

— Pelo que vejo — disse Château-Renaud —, tem casa já montada na avenida Champs-Élysées, tem criados, um intendente. Só falta, então, uma amante.

Albert sorriu, lembrando-se da bela grega que tinha visto no camarote do conde.

— Tenho algo melhor — respondeu Monte Cristo —, tenho uma escrava. Enquanto os senhores precisam pagar por amantes que arranjam no teatro Opéra, comprei a minha em Constantinopla. Custou mais caro, mas, com relação a isso, não preciso mais me preocupar.

Depois de algum tempo, todos já haviam passado pela sobremesa e pelos charutos, Debray disse ao se levantar:

— Meu caro, são duas e meia, preciso voltar ao ministério. Falarei do conde ao ministro. Afinal, precisamos saber quem ele é.

— Vá com calma — disse Morcerf —, já vi gente até mais esperta acabar desistindo.

— Ora! Gastamos três milhões com a polícia. Podemos perfeitamente desviar cinquenta mil para isso.

— E quando souber, vai me dizer?

— Prometo. Até a próxima, Albert. Senhores, esse vosso muito humilde…

— Bom — disse Beauchamp a Albert. — Não vou à Câmara, mas terei algo melhor que um discurso do sr. Danglars a oferecer aos leitores.

— Por favor, Beauchamp — riu Morcerf —, não tire de mim o mérito da apresentação. Ele é bem peculiar, não é?

— Mais que isso — acrescentou Château-Renaud —, é realmente um dos personagens mais extraordinários que já vi. Vamos também, Morrel?

— Assim que eu der meu cartão ao sr. conde, que promete vir nos ver à rua Meslay, nº 14.

— Esteja certo de que farei isso — disse o conde, com um cumprimento.

Então, Maximilien Morrel foi embora com o barão de Château-Renaud, deixando Monte Cristo sozinho com Morcerf.

XXXIV
A apresentação

Uma vez sozinho com Monte Cristo, Albert propôs:

— Agora, sr. conde, aceite me acompanhar até o sr. de Morcerf, a quem, de Roma, contei o serviço que me prestou e avisei da visita que prometeu. O conde e a condessa esperavam com impaciência a oportunidade de lhe agradecer pessoalmente.

Monte Cristo se curvou sem nada acrescentar: aceitava o convite sem entusiasmo nem contrariedade, como uma das convenções sociais a que alguém de boa educação deve obedecer. Albert chamou Germain e mandou que prevenisse os seus pais da visita do conde de Monte Cristo.

Os dois seguiram o criado.

Logo no saguão, acima da porta de entrada da sala, via-se um escudo com brasão que, pela riqueza e harmonia de ornamentação da peça, deixava clara a importância que o proprietário dava ao emblema.

Já na sala, no ponto mais visível, havia também um retrato. Era o de um homem de 35 ou 38 anos, em uniforme de general, com a dupla dragona retorcida das patentes superiores, a fita da Legião de Honra no pescoço, indicando se tratar de um comendador, e, no peito direito, a medalha de grande oficial da ordem do Salvador. No peito esquerdo, a da grande cruz de Carlos III, mostrando que o militar retratado tinha participado das guerras da Grécia e da Espanha ou, o que resulta no mesmo em matéria de condecorações, tinha cumprido alguma missão diplomática nesses dois países.

Monte Cristo estava ocupado em decifrar esses detalhes, quando uma porta lateral foi aberta e ele se viu diante do conde de Morcerf em pessoa.

O personagem entrou com um andar cheio de dignidade, demonstrando certa pressa. Sem dar um passo, Monte Cristo o viu se aproximar: seus pés pareciam pregados no chão; assim como seus olhos, no rosto do conde de Morcerf.

— Pai — disse Albert —, tenho a honra de apresentar o sr. conde de Monte Cristo, o generoso amigo que tive a felicidade de encontrar nas difíceis circunstâncias que o senhor bem conhece.

— Seja bem-vindo nesta casa — disse o conde de Morcerf, cumprimentando Monte Cristo com um sorriso —, à qual devolveu seu único herdeiro, gesto que implica em nosso eterno reconhecimento.

Dizendo isso, o general indicou uma poltrona a Monte Cristo, ao mesmo tempo que ele próprio se sentava diante da janela.

— Ah! E aqui está minha mãe — exclamou o visconde.

Virando-se um tanto bruscamente, Monte Cristo de fato viu a sra. de Morcerf entrando na sala por uma porta oposta àquela utilizada pelo marido. Imóvel e pálida, assim que o visitante se virou ela deixou o braço — que, não se sabe por quê, se apoiara no lambri dourado — descansar ao longo do corpo.

— Meu Deus, senhora! A senhora está bem? Será, por acaso, o calor da sala que a incomoda?

— Não está se sentindo bem, mãe? — preocupou-se o visconde, correndo até ela.

Com um sorriso, Mercedes agradeceu aos dois.

— Não foi nada, apenas a emoção por ver pela primeira vez quem impediu que estejamos agora afundados em lágrimas e de luto. Senhor — continuou a condessa, caminhando com a fidalguia de uma rainha —, devo-lhe a vida de meu filho e, por esse grande favor, o abençoo.

Monte Cristo se curvou, mais pálido ainda que Mercedes.

— Feliz o meu filho por tê-lo como amigo, e dou graças a Deus por ter assim decidido.

Mercedes ergueu aos céus os seus belos olhos com tão infinita gratidão que o visitante pensou que via brotarem neles duas lágrimas.

— O sr. conde — continuou ela — condescenderia a passar conosco o resto do dia?

— Obrigado, senhora, e eu não poderia estar mais agradecido pelo convite, mas cheguei essa manhã à sua porta, ainda no meu carro de viagem. Não sei como estou alojado em Paris e, na verdade, mal sei em que lugar exatamente. É uma aflição supérflua, concordo, mas assim mesmo incômoda.

— Pode, então, nos prometer que teremos esse prazer em outra oportunidade? — perguntou a condessa.

Monte Cristo se curvou sem responder, mas o gesto podia ser entendido afirmativamente.

— Então, não o prendo mais, sr. conde, pois não quero que meu agradecimento se transforme em indiscrição ou inconveniência.

Naquela noite, chegando à casa da avenida Champs-Élysées, o conde de Monte Cristo visitou-a de cima a baixo, como teria feito alguém que nela tivesse vivido muitos anos. Nenhuma vez, apesar de ir abrindo caminho, ele se enganou de porta ou pegou uma escada ou corredor que não levasse diretamente aonde queria ir. Ali o acompanhava nessa vistoria noturna. O conde disse ao vigilante núbio:

— São onze e meia, Haydée não deve demorar. As francesas foram avisadas?

Ali estendeu o braço na direção do apartamento destinado à bela grega, mostrou três dedos da mão esquerda e, na mesma mão, com a palma para cima, encostou a cabeça e fechou os olhos, significando sono.

— Ah! — respondeu Monte Cristo, acostumado com aquela linguagem. — São três e esperam no quarto de dormir, é isso?

Ali fez que sim, com um gesto afirmativo com a cabeça.

Em pouco tempo, ouviu-se chamarem o porteiro; o portão externo foi aberto, uma carruagem manobrou no pátio e parou diante da escada. O conde desceu. A portinhola já estava aberta, quando ele ofereceu a mão a uma jovem, abrigada numa capa de seda verde, toda bordada de ouro, que lhe cobria a cabeça. A moça aceitou a mão oferecida e beijou-a com um carinho, em que quase se mesclava a devoção. Os dois trocaram algumas palavras, ternas por parte dela e afetuosamente graves por parte do conde, naquela linguagem vibrante que o velho Homero emprestava aos deuses.

Com Ali à frente, que carregava um círio de cera rosada, a jovem — que outra não era senão a bela grega, companheira habitual de Monte Cristo na Itália — foi levada a seus aposentos, enquanto o conde se retirou no pavilhão que reservara para si.

XXXV
Crédito ilimitado

No dia seguinte, por volta das duas da tarde, uma carruagem atrelada a dois magníficos cavalos ingleses parou diante da porta de Monte Cristo. Um homem passou a cabeça pela janelinha da cabine, que ostentava na portinhola uma coroa de barão pintada, e mandou o criado ir perguntar ao porteiro se o conde de Monte Cristo estava em casa.

O visitante tinha um olhar perspicaz, sobretudo astuto, pouco voltado às coisas do espírito. Os lábios eram tão finos que, em vez de se salientarem para fora, pareciam entrar pela boca. Para terminar, o volume e a proeminência das maçãs do rosto, sinal infalível de argúcia, a depressão da testa, o inflado dos occipitais, que se sobrepunham às orelhas grandes e nada aristocráticas, tudo isso junto contribuía a conferir, para toda a fisionomia do personagem, uma aparência quase repulsiva que, no entanto, pareceria dos mais recomendáveis ao vulgo, por causa dos magníficos cavalos, do enorme diamante que enfeitava a camisa e da fita vermelha, indo de uma lapela à outra da veste.

O criado bateu à janela do porteiro e perguntou:

— Não é onde mora o sr. conde de Monte Cristo?

— É, sim, a casa de Sua Excelência — respondeu o porteiro. — Mas Sua Excelência não está recebendo visitas.

— Nesse caso, fique com o cartão do sr. barão Danglars, para o conde de Monte Cristo. Diga que, indo à Câmara, meu patrão fez o desvio, esperando ter a honra de conhecê-lo.

O criado voltou à carruagem.

— O que houve? — perguntou Danglars.

O criado repetiu, então, a resposta do porteiro.

— Entendo! Acha, então, que é um príncipe, esse cavalheiro que faz com que o chamem Excelência. Pouco importa, como tem um crédito comigo, terá que me procurar quando precisar de dinheiro.

E Danglars se afundou no assento, gritando ao cocheiro:

— Para a Câmara dos deputados!

Por entre as persianas de uma janela do seu pavilhão, Monte Cristo, avisado a tempo, tinha visto o barão, observando-o com uma excelente luneta e a mesma atenção com que Danglars havia analisado a casa, o jardim e as librés.

— Ali! — chamou ele, enquanto dava também uma pancada numa campainha de cobre.

O núbio se apresentou.

— Como pode explicar que haja em Paris — disse Monte Cristo, mostrando-se irritado — dois cavalos tão bonitos quanto os meus e que não estejam nas minhas cocheiras?

Pela expressão do rosto e pelo tom severo, Ali abaixou a cabeça, contrafeito.

— Tenho uma visita a fazer hoje à noite e quero esses dois cavalos atrelados na minha carruagem, com arreios novos.

Às cinco horas, o conde desceu e viu, aparelhando sua carruagem, os cavalos que tanto havia admirado pela manhã, na carruagem de Danglars.

O conde teve um gesto de satisfação, desceu os degraus, saltou dentro da carruagem que, levada pelo trote dos magníficos animais, só parou quando já estava em frente ao palacete do banqueiro.

Danglars presidia uma comissão nomeada para uma ferrovia quando lhe anunciaram a visita do conde de Monte Cristo. Ao ouvir o nome, ele se levantou e disse aos colegas, muitos dos quais membros de uma ou outra das Câmaras:

— Cavalheiros, peço que me desculpem, mas a casa Thomson & French, de Roma, me encaminhou um certo conde de Monte Cristo, oferecendo, por meu intermédio, crédito ilimitado. É a piada mais engraçada em que meus correspondentes estrangeiros já ousaram me envolver e, os senhores compreendem, isso desperta minha curiosidade.

Considerando ter acabado a explicação e pondo em suas palavras uma ênfase que fez dilatarem suas narinas, o sr. barão deixou os colegas e passou para uma sala branca e dourada, muito comentada na área financeira de Chaussée d'Antin. Foi para onde ele tinha dito que levassem o visitante, querendo impressioná-lo logo à primeira vista.

Pelo barulho que fez Danglars ao entrar, o conde se virou.

O recém-chegado o cumprimentou discretamente e indicou uma poltrona em madeira dourada, forrada de cetim branco bordado em ouro. O conde se sentou.

— É com o sr. de Monte Cristo que tenho a honra de falar?

— E eu com o sr. barão Danglars, cavaleiro da Legião de Honra, membro da Câmara de deputados? — devolveu o conde, repetindo os títulos que havia lido no cartão do banqueiro.

Danglars mordeu os lábios.

— Peço desculpa por não ter me referido ao título pelo qual o senhor foi anunciado, mas, como sabe, vivemos sob um regime de governo popular e sou um representante dos interesses do povo.

— O senhor, pelo visto, perdeu o hábito de chamar os outros de conde, mas não o de fazer com que o chamem de barão.

Danglars franziu a boca, vendo não ser aquele um terreno favorável para medir forças com o homem à sua frente e tentou voltar a temas que lhe fossem mais familiares.

— Sr. conde — disse ele, inclinando-se —, recebi uma notificação da casa Thomson & French. Mas confesso não ter entendido bem o sentido. Essa carta, que creio ter aqui comigo (ele remexeu no bolso)... sim, aqui está. Essa carta abre ao sr. conde de Monte Cristo um crédito ilimitado no meu banco.

— E o que há de obscuro nisso?

— Nada, apenas a palavra *ilimitado*...

— Não é francesa, a palavra?

— Sem dúvida, e também quanto à sintaxe não há o que dizer, mas isso não se aplica em contabilidade.

— Na opinião do sr. barão a casa Thomson & French não é perfeitamente segura? Com os diabos! Isso seria muito desagradável para mim, que tenho alguns fundos sob a sua responsabilidade.

— Ah! Perfeitamente segura — respondeu Danglars com um sorriso quase de zombaria. — Mas o sentido da palavra *ilimitado*, em termos de finanças, é tão vago...

— Que chega a ser ilimitado, não é mesmo? — disse Monte Cristo.

— É justamente onde eu queria chegar, caro senhor. "Vago" significa dúvida e, como disse um sábio, em caso de dúvida, mantenha-se de fora.

— Ou seja — continuou Monte Cristo —, se a casa Thomson & French se dispõe a cometer loucuras, a casa Danglars não segue o seu exemplo.

— Resumindo — voltou Danglars, após um momento em silêncio —, vou tentar ser bem claro, pedindo que o sr. conde mesmo estipule a soma que conta sacar comigo.

— Ora — retomou Monte Cristo, disposto a não ceder uma polegada sequer de terreno, na discussão —, se pedi um crédito ilimitado na sua casa foi por, justamente, não saber de quais somas precisarei.

O banqueiro achou ser chegada a hora de, finalmente, voltar a ter vantagem e, refestelando-se todo na poltrona, com um rude e orgulhoso sorriso disse:

— Ah! Caro senhor, as capacidades da casa Danglars podem satisfazer às maiores exigências, mesmo que pedisse um milhão...

— Como? — espantou-se Monte Cristo.

— Um milhão, foi o que eu disse — repetiu Danglars, com a segurança da estupidez.

— E o que posso fazer com um milhão? — respondeu o conde. — Eu não abriria um crédito se fosse por miséria assim. Um milhão? Tenho sempre um milhão na carteira ou na sacola de viagem — revoltou-se Monte Cristo, que tirou da pasta em que estavam seus cartões de visita duas ordens de pagamento ao portador, do Tesouro Nacional, de quinhentos mil francos cada.

A força do golpe fez efeito: o banqueiro perdeu toda segurança, olhando Monte Cristo com olhos esbugalhados.

— Vamos, confesse não confiar tanto na casa Thomson & French. Deus do céu, é simples! Previ a possibilidade e, mesmo não sendo do ramo das finanças, tomei certas precauções. Tenho duas outras cartas semelhantes à que lhe foi dirigida: uma da casa Arstein & Eskeles, de Viena, para o barão de Rothschild, e outra da casa Baring, de Londres, para o sr. Laffitte. É só falar, sr. barão, e tiro toda essa preocupação dos seus ombros, me apresentando a um ou outro desses banqueiros.

Não havia como negar, Danglars se sentia derrotado. Ele abriu com visível tremor as duas cartas que o conde lhe estendia na ponta dos dedos.

— Devo dizer, são três assinaturas que realmente valem milhões — reconheceu Danglars, levantando-se como se quisesse cumprimentar a força do ouro personificada no homem à sua frente. — Três créditos ilimitados em três dos nossos bancos! O sr. conde deve me desculpar, mas mesmo deixando de lado a desconfiança, continuo assombrado.

— Ah! Não seria um banco como o seu que se assombraria por algo assim — disse Monte Cristo com toda polidez. — Isso significa que pode me enviar algum dinheiro, não é?

— É só dizer, conde; estou às suas ordens.

— Que seja! Agora que nos pusemos de acordo; pois estamos de acordo, correto?

Danglars fez um gesto afirmativo com a cabeça.

— Que seja! — repetiu o conde. — Agora que estamos de acordo, não tendo mais o senhor desconfiança nenhuma, fixemos, se assim quiser, uma soma geral de seis milhões, por exemplo, para o primeiro ano.

— Seis milhões, entendido! — aceitou Danglars quase em estado de asfixia.

— Caso eu precise de mais — continuou Monte Cristo com displicência —, pedirei mais. Mas não creio que fique mais de um ano na França e, nesse ano, não devo gastar mais do que isso... bom, veremos... Queira, para começar, me enviar quinhentos mil francos amanhã. Estarei em casa até o meio-dia.

— O dinheiro estará na residência do sr. conde às dez horas da manhã — respondeu Danglars. — Prefere ouro, cartas bancárias ou dinheiro?

— Metade ouro e metade cartas bancárias, por favor.

O conde se levantou.

— Com o bom gosto e as intenções que tem — continuou Danglars —, vai trazer à capital um luxo que humilhará todos nós, pobres pequenos milionários. Por hoje, aproveitando a ocasião, gostaria de apresentar ao sr. conde a baronesa Danglars. Desculpe-me a precipitação, mas um cliente como o senhor faz quase parte da família.

Monte Cristo se inclinou, sinalizando que aceitava a honra que o financista queria lhe conceder.

Ele tocou uma campainha, um criado apareceu.

— A sra. baronesa está em casa?

— Está, sr. barão — respondeu o empregado.

— Sozinha?

— Não, a baronesa tem um convidado.

— Não seria indiscreto apresentá-lo diante de outras pessoas, não é, sr. conde? Quer se manter desconhecido?

— Não, prezado barão — disse Monte Cristo, bem-humorado —, não me dou a esse direito.

— E quem está na companhia da senhora? O sr. Debray? — perguntou Danglars com uma naturalidade que fez Monte Cristo intimamente sorrir, já informado sobre os transparentes segredos domésticos do financista.

— O sr. Debray, barão — respondeu o criado.

XXXVI
A parelha tordilha

A sra. Danglars, contando seus 36 anos, possuía uma beleza que ainda chamava atenção; ela estava ao piano, pequena obra-prima da marchetaria, enquanto Lucien Debray, sentado junto a uma mesinha, folheava um livro ilustrado.

Ele já tivera tempo, antes dessa interrupção, de contar à baronesa muitas coisas sobre o conde. Sabe-se o quanto Monte Cristo havia encantado os convidados, no almoço de Albert. E aquela primeira impressão ainda não se desfizera em Debray, que a transmitiu à amiga. A curiosidade da baronesa, então, já estava atiçada e foi com um sorriso que ela recebeu o marido, o que não era muito habitual. Já o conde, recebeu em resposta a seu cumprimento, uma graciosa reverência.

Lucien, por sua vez, trocou uma saudação, mostrando já conhecer o visitante, e acenou com mais familiaridade a Danglars.

— Sra. baronesa — começou o marido —, permita-me apresentar o sr. conde de Monte Cristo, a mim recomendado, da maneira mais premente, por meus correspondentes de Roma. O que vou dizer num instante o tornará a coqueluche de todas as belas: ele está na cidade com a intenção de permanecer um ano e gastar seis milhões nesse período, o que nos deixa prever uma série de bailes, de jantares, de noitadas nas quais espero não sermos esquecidos pelo sr. conde, como ele próprio não será em nossas bem mais singelas comemorações.

A sra. Danglars lançou ao visitante um olhar que, sem dúvida, já demonstrava certo interesse.

— E o senhor chegou…? — perguntou a baronesa.

— Na manhã de ontem, senhora.

— E vem, pelo que me disseram, do fim do mundo?

— De Cádiz, senhora, pura e simplesmente.

Nesse momento, a camareira preferida da sra. baronesa entrou e, se aproximando da patroa, disse algumas palavras a seu ouvido.

A sra. Danglars ficou muito surpresa.

— Não pode ser! — disse ela.

— Mas é isso — respondeu a moça.

— Seria verdade, barão?

— O quê? — perguntou Danglars, visivelmente nervoso.

— O que me diz a camareira…

— E o que ela disse?

— Que quando meu cocheiro foi atrelar meus cavalos na carruagem, não os encontrou.

— Senhora, ouça — tentou se explicar o marido.

— Ah! Estou ouvindo! Perfeitamente! Pois estou curiosa para saber o que vai dizer. E deixarei que os cavalheiros aqui presentes julguem. Começo expondo os fatos: o sr. barão Danglars tem dez cavalos no estábulo. Desses dez cavalos, dois são meus! Pois bem! A sra. de Villefort pede para usar minha carruagem e, nesse momento, descobre-se que meus cavalos desapareceram! E isso porque o sr. Danglars viu nisso um meio de ganhar alguns milhares de francos.

— Esposa — começou Danglars, dirigindo-se a ela —, os animais eram ariscos demais e a assustavam o tempo todo.

— O senhor muito bem sabe que há um mês tenho a meu serviço o melhor cocheiro de Paris, a menos, é claro, que o tenha vendido com os cavalos!

A baronesa deu de ombros, demonstrando profundo desprezo. Danglars não pareceu se dar conta desse gesto mais veemente do que às vezes é quase normal entre cônjuges, e disse, virando-se para Monte Cristo:

— Na verdade, lamento não tê-lo conhecido antes, sr. conde, pois não está montando a sua casa?

— Estou, sim.

— Eu lhe teria proposto a parelha. Vendi por nada, mas, como disse, quis me desfazer dos animais: eram fogosos demais.

— Justamente, comprei dois, hoje de manhã, bons e nada caros. O sr. Debray é conhecedor de cavalos, creio, não quer vê-los?

Enquanto Debray se dirigia à janela, Danglars se aproximou da esposa e disse baixinho:

— Imagine que me ofereceram um preço exorbitante pelos cavalos. Não sei qual louco, querendo se arruinar, me enviou pela manhã seu intendente, mas fato é que ganhei 16 mil francos com isso. Não fique chateada, quatro mil serão seus e dois mil de Eugénie.

A sra. Danglars esmagou o marido sob o peso de um olhar arrasador.

— Santo Deus! — exclamou Debray. — São os seus cavalos, os seus cavalos, na carruagem do conde!

— Minha parelha tordilha! — exclamou a baronesa, que também acorrera à janela. — É ela, realmente!

Danglars estava estupefato.

— Será possível? — fingiu espanto Monte Cristo.

— É incrível! — murmurou o banqueiro.

A sra. Danglars cochichou algo ao ouvido de Debray, que se aproximou de Monte Cristo:

— A baronesa pergunta por quanto o marido lhe vendeu a parelha.

— Não sei exatamente — respondeu o conde —, foi uma surpresa que meu intendente fez para mim e… me custou trinta mil francos, acho.

Debray foi transmitir a informação à baronesa. Danglars estava tão pálido e pouco à vontade que o conde fingiu se solidarizar com ele:

— Como são ingratas as mulheres, sua boa intenção não a sensibilizou nem um pouco.

O banqueiro não respondeu, prevendo a cena conjugal desastrosa que se armava. De fato, as sobrancelhas da esposa já se franziam como as de Júpiter Olímpico, prenunciando a tempestade. Debray, vendo que a tormenta de fato se aproximava, deu como pretexto algum negócio e se despediu. Monte Cristo, querendo usufruir um pouco mais do que havia conseguido, permaneceu ainda um pouco, mas afinal cumprimentou a sra. Danglars e se retirou, deixando o barão à mercê do furor da esposa.

Duas horas depois, a sra. Danglars recebeu uma galante carta do conde de Monte Cristo, em que ele dizia de forma alguma querer começar sua incursão na boa sociedade parisiense contrariando uma bela mulher e suplicando, então, que aceitasse de volta os cavalos. Tinham os mesmos arreios que traziam pela manhã, mas no centro de cada roseta que enfeitava a orelha, ele tinha mandado incrustar um diamante.

Também Danglars recebeu uma carta, em que o conde pedia permissão para oferecer à baronesa aquele capricho de milionário, desculpando-se pela maneira oriental pela qual devolvia os animais.

No dia seguinte, por volta das três horas, Ali foi chamado por um toque de campainha e entrou no escritório do conde.

— Ali, você frequentemente mencionou a habilidade que tem com o laço...

O núbio fez sinal afirmativo e se empertigou com orgulho.

— Bem!... Acha que, com o laço, conseguiria parar um boi?

Outro sinal afirmativo.

— E dois cavalos em plena corrida?

Ali sorriu.

— Pois bem, ouça! Logo mais um veículo vai passar, puxado pelos dois tordilhos que ontem eram meus. Mesmo que seja atropelado, preciso que esses cavalos sejam parados bem diante do meu portão.

Ali foi à rua e traçou um risco no calçamento. Depois, foi fumar seu grande cachimbo sentado no marco que ficava na esquina em que terminava a casa. Sem sair do escritório, Monte Cristo não se preocupou mais com o que havia pedido.

Lá pelas cinco horas, ouviu-se um tropel ainda distante, mas se aproximando à velocidade do raio. Em seguida, uma carruagem apareceu, com o cocheiro tentando inutilmente frear os cavalos, que avançavam furiosos, tumultuados, dando saltos ensandecidos.

Na carruagem, abraçavam-se uma mulher jovem e uma criança de sete a oito anos, sem mais nem forças para gritar, de tanto que estavam apavoradas. Bastava uma pedra no caminho ou um galho de árvore em que o veículo esbarrasse para que o desastre fosse completo. A carruagem ocupava o centro da pavimentação, e era possível ouvir em volta os gritos desesperados das pessoas na calçada.

Ali deixou de lado o cachimbo turco, puxou da bolsa um lacete e atirou-o. O fio deu três voltas nas patas dianteiras do cavalo da esquerda que, mesmo assim, na velocidade em que vinha, avançou ainda três ou quatro passos e caiu, quebrando o varal que o atrelava. O outro cavalo, com isso, ficou impedido de continuar sua corrida, apesar dos esforços que fazia. O cocheiro aproveitou o momento de trégua para pular do seu assento, enquanto Ali já segurava as narinas do segundo tordilho que, relinchando de dor, deitou-se junto do outro.

Tudo isso durou o espaço de tempo que uma bala gasta para atingir o alvo.

No entanto, foi o suficiente para que, da casa em frente ao local em que tudo isso se deu, um homem acorresse, seguido por diversos empregados e, enquanto o cocheiro abria a portinhola, ele já retirava da carruagem a senhora que, com uma mão se agarrava à poltrona e com a outra mantinha junto ao peito o filho desmaiado. Monte Cristo levou ambos para o sofá da sala, dizendo:

— Está a salvo, senhora, não tem mais perigo.

A mulher recuperou-se e, como resposta, apenas mostrou o filho, com um olhar mais eloquente que qualquer súplica.

É verdade, a criança continuava sem sentidos.

Monte Cristo fez um gesto para acalmar a mãe chorosa e, abrindo um móvel, tirou uma garrafinha de cristal da Boêmia com filetes de ouro, contendo um líquido vermelho como sangue, do qual deixou que uma só gota molhasse os lábios da criança que, apesar de ainda bem pálida, imediatamente abriu os olhos.

Ao ver isso, a mãe quase chegou ao delírio de tanta alegria.

— Onde estou? E a quem devo tanta felicidade, depois de passar por tão terrível prova? — perguntou ela, assombrada.

— Está na casa de alguém que se sente feliz por ter podido evitar uma calamidade — respondeu Monte Cristo.

— Ah, a maldita curiosidade! — continuou a mulher. — Paris inteira falava dos magníficos cavalos da sra. Danglars; cometi a loucura de querer experimentá-los.

— Como?! — surpreendeu-se o conde com admirável atuação. — Aqueles cavalos são os da baronesa?

— São. O senhor a conhece?

— A sra. Danglars?... Tive essa honra. Comprei ontem do barão essa parelha, mas a baronesa pareceu ficar tão abalada com isso, que os devolvi, pedindo que os aceitasse como presente meu.

— Mas então o senhor é o conde de Monte Cristo, de quem Hermine tanto me falou ontem?

— Eu mesmo, senhora.

— E eu, sra. Héloïse de Villefort.

O conde cumprimentou como se o nome fosse para ele totalmente desconhecido.

— Ah, como meu marido ficará agradecido! Deve ao senhor as vidas da mulher e do filho.

XXXVII
Ideologia

Se o conde de Monte Cristo já vivesse há mais tempo no mundo parisiense, teria dado o devido valor à manobra de aproximação empreendida pelo sr. de Villefort.

Em geral, o sr. de Villefort era de poucas visitas, e sua mulher as fazia por ele. Isso já se estabelecera e todos concordavam ser por conta das graves e múltiplas ocupações do magistrado, enquanto, na verdade, não passava de cálculo da arrogância, a quintessência da aristocracia.

De fato, o sr. de Villefort tinha fama de ser o homem menos curioso e menos banal da França. Todo ano ele promovia um baile, com participação de apenas quinze minutos, ou seja, três vezes menos que o rei em seus próprios festejos. Nunca era visto em teatros, concertos ou qualquer lugar público. Às vezes, mas muito raramente, participava de um jogo de cartas e, nesse caso, tinha-se o cuidado de escolher para a mesa parceiros à sua altura: algum embaixador, arcebispo, príncipe, presidente de tribunal ou duquesa com rendas próprias.

Este era o personagem cuja carruagem acabava de estacionar diante da porta do conde de Monte Cristo.

O criado anunciou o sr. de Villefort no momento em que o conde, debruçado sobre uma ampla mesa, seguia num mapa o itinerário de São Petersburgo à China.

O procurador do rei entrou da mesma maneira como entrava no tribunal, com o andar grave e cadenciado. Era o mesmo homem, ou melhor, um homem na continuidade daquele que anteriormente vimos como substituto, em Marselha. Se antes era esguio e pálido, tornara-se magro e exangue. Os olhos fundos eram vazios e os óculos, diante das órbitas, pareciam fazer parte do rosto, com suas hastes de ouro. Exceto pela gravata branca, todo o restante da sua indumentária era totalmente negro e essa cor fúnebre só era cortada pela estreita fita vermelha, que imperceptivelmente passava pela lapela, parecendo uma linha de sangue traçada com pincel.

— Senhor — começou Villefort, com aquele tom anasalado que os magistrados gostam de usar na oratória e do qual não conseguem, ou não querem, se desfazer nem em conversas corriqueiras —, seu insigne préstimo junto à minha mulher e meu filho, ontem, obrigaram-me a vir pessoalmente agradecer. Assim sendo, aqui estou, para exprimir toda a minha gratidão.

— Ora, cavalheiro — respondeu o conde de forma extremamente fria —, já estou satisfeito por ter podido conservar um filho à sua mãe, pois a maternidade, pelo que dizem, é o mais sagrado dos sentimentos. Minha felicidade, então, já o dispensaria de cumprir um dever que muito me honra, mas que em nada se compara à satisfação interior.

Surpreso com essa réplica inesperada, Villefort hesitou. Uma ruga em seus lábios acostumados ao menosprezo mostrava bem que ele, desde o início, não considerava o conde de Monte Cristo um fidalgo dos mais civilizados.

Ele, então, procurou, ao redor, algo que pudesse sustentar a conversa, que parecia prestes a perigosamente se comprometer. Então, viu o mapa que estava sendo consultado pouco antes e fez uma tentativa:

— O senhor gosta de geografia? É uma disciplina muito útil, sobretudo para quem, como me disseram ser o seu caso, conhece tantos países quanto os que esse atlas estampa.

— É verdade — respondeu o conde —, procurei aplicar ao conjunto da espécie humana o que o senhor diariamente aplica em casos de exceção, ou seja, um estudo fisiológico. Achei que seria, quando necessário, mais fácil descer do todo à parte, do que da parte ao todo... Mas sente-se, por favor.

— Ah! É dado a filosofar — retomou Villefort, após um instante de silêncio, durante o qual, como o atleta que percebe estar diante de um duro adversário, procurou juntar forças. — Se eu pudesse, como o senhor, viver sem nada fazer, tenho certeza de que procuraria ocupação menos triste.

— Tem razão; além disso, o homem é um feio inseto para quem o estuda no microscópio solar. Mas o procurador do rei acaba de dizer que sou alguém que nada faz. Vejamos! O senhor acredita mesmo que faz alguma coisa? Ou, para falar mais claramente, acredita que o que faz possa ser considerado "alguma coisa"?

O espanto do magistrado redobrou com esse segundo golpe, fortíssimo, desferido pelo estranho adversário. Há muito tempo ele não ouvia um paradoxo tão brutal ou, melhor dizendo, era a primeira vez, mais exatamente.

Ele se preparou para responder:

— O cavalheiro é estrangeiro e, como já deixou claro, passou boa parte da vida nos países orientais. Não sabe, então, o quanto a justiça humana, expeditiva naqueles territórios bárbaros, ganhou aqui um caráter prudente e calculado? Nossos códigos existem com artigos tirados dos costumes gauleses, das leis romanas, da prática dos francos... E não se adquire o conhecimento de todos esses preceitos sem longos estudos.

— Concordo, mas tudo que o senhor sabe com relação ao código francês eu sei, e não somente a partir desse código, como também a partir do código de todas as gentes. Comparado a tudo que fiz, o senhor fez muito pouco e, perto do que aprendi, o senhor ainda tem muito o que aprender.

— Por favor, me desculpe — retomou Villefort, meio atordoado. — Ao vir à sua casa, não imaginava encontrar alguém com conhecimentos tão extraordinários. E nunca ouvi ninguém falar como o senhor.

— Por ter sempre se restringido ao círculo das condições gerais e nunca se arriscar a levantar voo nas esferas superiores, que Deus povoou com seres invisíveis ou excepcionais.

— Como o senhor mesmo...

— Sou um desses seres extraordinários, é verdade, e creio que, até hoje, ninguém chegou a uma situação como a minha. Os reinos dos reis são limitados por montanhas, por rios, por mudanças de costumes ou de línguas. Já o meu, tem a dimensão do mundo, pois não sou italiano, nem francês, nem indiano, nem americano ou espanhol: sou cosmopolita. País nenhum pode se gabar de ter me visto nascer, e só Deus sabe qual me verá morrer. Adoto todos os modos, falo todas as línguas. Aqui acham que sou francês, pois falo com a mesma facilidade e clareza, não é? Já Ali, que é núbio, pensa que sou árabe. Bertuccio, meu intendente, jura que sou romano. Haydée, minha escrava, me imagina grego. Então, veja o senhor, não sendo de país nenhum, não esperando proteção de governo nenhum, sem considerar irmão quem quer que seja, não me afetam nenhum dos escrúpulos que fazem hesitar os fortes e nenhum dos obstáculos que paralisam os fracos. Tenho somente dois adversários, não digo vencedores, pois com persistência os submeto; eles são o espaço e o tempo. O terceiro obstáculo, e mais inexorável, é a minha condição de mortal. É o único a poder me parar no caminho que trilho e antes de eu ter atingido a meta a que me dirijo. A tudo mais calculei. O que os homens denominam possibilidades do destino, isto é, a ruína, a mudança, as eventualidades, previ todas. Algumas podem eventualmente me atingir; mas nenhuma, me derrubar. A menos que eu morra, serei sempre o que sou; e é por isso que digo coisas que o senhor nunca ouviu. Nem mesmo da parte de reis, pois reis precisam de gente como o senhor, através das quais fazem com que as outras pessoas tenham medo. Quem, numa sociedade ridiculamente organizada como a nossa, não pensa: "Talvez um dia eu tenha um problema com o procurador do rei"?

— Mas o senhor mesmo não é obrigado a isso? Pois a partir do momento em que vive na França, deve naturalmente se submeter às leis francesas.

— Eu bem sei, mas quando vou a determinado país, antes procuro estudar, pelos meios particulares que tenho, todas as pessoas das quais posso esperar ou temer alguma coisa, e acabo por conhecê-las tão bem, ou até melhor que elas próprias. Resulta daí que o procurador do rei, qualquer que seja, com o qual eu precise eventualmente lidar, se verá em situação mais desconfortável que eu.

— Isso quer dizer — retomou com alguma hesitação Villefort — que, sendo fraca a natureza humana, todo homem, no seu entender, cometeu... erros.

— Erros... ou crimes — respondeu despreocupadamente Monte Cristo.

Villefort olhava Monte Cristo com supremo espanto e perguntou:

— O sr. conde tem parentes?

— Nenhum, estou só no mundo.

— É pena!

— Por quê?

— Porque poderia assistir a um espetáculo capaz de quebrar o seu orgulho. Teme apenas a morte, não foi o que disse?

— Não temo, o que disse foi que apenas ela pode me deter.

— E a velhice?

— Minha missão estará cumprida antes disso.

— E a loucura?

— Já quase enlouqueci, e o senhor certamente conhece o axioma *non bis in idem*.* Por ser uma expressão da criminalística, está portanto na sua alçada.

* Trata-se de um axioma do direito: julgada por um delito, uma pessoa não pode ser novamente julgada por esse mesmo delito. (N. do A.)

— Mas há ainda — continuou Villefort — algo mais a se temer, além da morte e da velhice: por exemplo, a apoplexia, esse raio que fulmina a pessoa sem destruí-la e depois disso, no entanto, tudo está terminado. Venha, por favor, continuar nossa conversa na minha casa e o sr. conde verá meu pai, o sr. Noirtier de Villefort, um dos mais ativos jacobinos da Revolução Francesa. Representava a mais brilhante audácia, à serviço da mais vigorosa organização, um homem que não havia, como o senhor, visto todos os reinos da Terra, mas ajudou a desmantelar um dos mais poderosos. Mesmo assim, a ruptura de um vaso sanguíneo num lobo do cérebro quebrou tudo isso. Não foi preciso um dia, sequer uma hora, apenas um segundo. De um momento para outro, o terrível sr. Noirtier se tornou *o pobre sr. Noirtier*, velho entrevado, dependendo da boa vontade do ser mais frágil da casa, a neta Valentine. Um cadáver mudo e gelado, enfim, vivendo apenas à espera de que a matéria chegue à sua inteira decomposição.

— E qual conclusão o senhor tira disso?

— Concluo, sr. conde, que meu pai, atordoado pelas paixões, cometeu alguns daqueles erros que escapam da justiça humana, mas não da justiça de Deus!... E Deus, querendo punir um só pecador, fulminou apenas ele.

Enquanto um sorriso aflorava em seus lábios, no fundo do peito de Monte Cristo explodiu um urro que teria feito Villefort fugir, caso pudesse ouvi-lo.

— Preciso ir — disse o magistrado, que, há algum tempo, já se levantara e falava de pé. — Levo do senhor um sentimento de estima que, assim espero, lhe será aprazível quando me conhecer melhor, pois não sou uma personalidade banal, longe disso. O senhor, aliás, tem em minha esposa uma amiga eterna.

O conde o cumprimentou e o acompanhou apenas até a porta do escritório. O visitante chegou a seu coche acompanhado por dois criados que, a um sinal do dono da casa, lhe indicavam o caminho.

XXXVIII
Píramo e Tisbe

Passados dois terços da rua Faubourg Saint-Honoré, nos fundos de um belo palacete, notável entre as notáveis residências daquela área abastada, estende-se um amplo jardim com castanheiros frondosos que ultrapassam em altura os enormes muros. Num canto em que a folhagem é tão densa que a luz mal consegue passar, um grande banco de pedra e cadeiras de jardim indicam que se trata de um local de encontro ou de retiro, apreciado por algum morador do palacete, que fica a cerca de cem metros e que dali quase não é visto, por causa da verdadeira muralha verde que o cerca.

Por volta do fim da tarde de um dos dias mais quentes com que a primavera já castigou Paris, via-se, em cima do banco de pedra, um livro, uma sombrinha, um cesto de costura e um lenço de cambraia com um bordado já começado. Não longe dali, perto do gradil e de pé junto à treliça, olhando por entre as aberturas, estava uma jovem.

Quase no mesmo instante, a pequena porta que dava para esse cercado foi entreaberta sem fazer barulho e um rapaz grande e forte, depois de uma rápida olhada em volta para confirmar que ninguém o via, entrou e fechou a passagem, se dirigindo com passos rápidos à treliça.

Ao vê-lo, mesmo sendo a quem esperava, a moça se assustou e recuou.

Pelas frestas daquela pequena porta externa, porém, e com a percepção que só os enamorados têm, o rapaz já havia identificado o esvoaçar do vestido branco com uma longa faixa azul. Ele chegou ao cercado e, encostando a boca no gradil, sussurrou:

— Não tenha medo, Valentine, sou eu.

A jovem se aproximou.

— Ah! Por que hoje veio tão tarde? Sabe que logo será hora de jantar e já precisei de muita diplomacia e astúcia para escapar de minha madrasta que me vigia, de minha camareira que me espiona e do meu irmão que me persegue. Estou há tempos aqui, com esse bordado que não consigo acabar.

— Querida Valentine — respondeu o rapaz —, sua repreensão me alegra. Ela prova, não me atrevo a dizer que me esperava, mas que pelo menos pensava em mim. Você bem me disse estar noiva do sr. d'Épinay, por uma decisão tomada por seu pai, o que significa ser coisa totalmente resolvida, pois tudo que o sr. de Villefort decide infalivelmente acontece. Mas Valentine — insistiu o jovem com emoção profunda —, quando penso em você, meu sangue ferve, meu peito se dilata, meu coração transborda. No entanto, toda essa força, toda essa energia e capacidade extraordinárias serão empregadas a amá-la apenas até o dia em que disser que eu delas me sirva apenas como amigo. O sr. Franz d'Épinay vai estar fora por mais um ano, pelo que dizem. Em um ano, quantas possibilidades favoráveis podemos ter, quanta coisa pode acontecer! Esperemos, então; é tão bom e tão humano esperar!

— Shh! — fez de repente Valentine. — Esconda-se, fuja! Está vindo alguém.

Maximilien pegou uma enxada e se pôs a cortar o mato furiosamente.

— Senhorita! Senhorita! — ouviu-se uma voz por trás das árvores. — A sra. de Villefort procura a senhorita e pede que venha. Há uma visita na sala.

— Uma visita! — estranhou Valentine, agitada. — E que visita?

— Uma grande personalidade, um príncipe, pelo que ouvi dizer, o sr. conde de Monte Cristo.

XXXIX
Toxicologia

Monte Cristo acabava de chegar à casa dos Villefort, com a intenção de retribuir a visita do sr. procurador do rei.

Após as primeiras trocas de formalidades, o conde perguntou pelo dono da casa.

— Meu marido janta com o sr. chanceler — respondeu a jovem esposa. — Lamentará muito ter perdido a chance de estar com o senhor.

Duas visitas que já se encontravam na sala antes da chegada do conde, e o devoravam com os olhos, despediram-se e partiram.

— Mas o que faz a sua irmã Valentine? — perguntou a sra. de Villefort a Édouard.

— A senhora tem uma filha? — perguntou o conde.

— De um primeiro casamento do meu marido — explicou a madrasta. — Uma grande e bonita moça.

— Mas sempre triste — intrometeu-se o jovem Édouard, arrancando penas do rabo de uma magnífica arara, que gritava de dor em seu poleiro dourado.

— Sabe onde ela está? Diga!

— Sob o castanheiro grande — continuou o menino cruel, dando moscas vivas à ave.

A mãe estendia a mão para tocar uma sineta e dizer à camareira onde estava Valentine, quando esta última entrou.

— Srta. de Villefort, minha enteada — apresentou a dona da casa, voltando-se para Monte Cristo, que estava sentado no sofá.

— E, aqui, o sr. conde de Monte Cristo, rei da China — disse o jovem engraçadinho, olhando para a irmã.

Nesse momento, soaram as batidas do relógio.

— São seis horas, você não vai ver se o seu avô está pronto para comer? — perguntou à Valentine a sra. de Villefort.

— Por favor, seria por minha causa que deve, a senhorita, se retirar? — perguntou o conde.

— De forma alguma — respondeu prontamente a jovem senhora. — É a essa hora que servimos ao sr. Noirtier a triste refeição que sustenta a sua triste existência. O senhor tem conhecimento do estado deplorável em que se encontra o pai do meu marido?

— O sr. de Villefort o mencionou. Uma paralisia, creio.

— Infelizmente! O pobre homem foi condenado a uma completa falta de movimento, apenas a alma ilumina ainda aquela máquina humana, mas como uma lamparina prestes a se apagar. Mas o senhor é um grande químico, lembro-me do elixir que deu a meu filho e que tão rapidamente o trouxe de volta à vida...

— Uso-o com frequência; com toda prudência, é claro.

— Trata-se certamente de um segredo, que não cometerei a indiscrição de perguntar.

— Mas eu, senhora — disse Monte Cristo, pondo-se de pé —, cometerei o galanteio de oferecê-lo.

— Sr. conde!

— Lembre-se, porém, de uma coisa: em pequena dose é um remédio, em dose mais forte, um veneno. Uma gota devolve a vida, como a senhora viu, cinco ou seis matam infalivelmente e de maneira ainda mais perigosa, pois, num copo de vinho, elas não mudam o seu gosto. Mas não continuo, pareceria até estar dando um conselho.

O relógio acabava de marcar seis e meia quando anunciaram uma amiga da sra. de Villefort que vinha jantar. Monte Cristo se despediu.

— Tenho a impressão — disse ele, saindo — de ter encontrado um terreno fértil.

Então, pensou: "Estou convencido de que uma semente que se lance ali, com certeza vai brotar."

No dia seguinte, fiel à promessa feita, ele enviou a receita que havia oferecido.

XL
A alta e a baixa

Alguns dias depois desse último encontro, Albert de Morcerf foi visitar Monte Cristo em sua casa, na Champs-Élysées, e mencionou ainda os agradecimentos que a sra. Danglars lhe pedira para transmitir.

— Está em frequente contato com o barão? — perguntou ele a Albert.

— Estou, sim. E o sr. conde se lembra da minha promessa.

— Ela se mantém?

— Mais do que nunca. Considere marcado um encontro.

— É bonita, a srta. Eugénie? Pois me lembro de ser este o seu nome.

— Bem bonita, uma bela moça — respondeu Albert —, mas de uma beleza que não me sensibiliza muito. Ah, estou sendo infame! Na verdade, tem outra coisa mais. Minha mãe tem um olho criterioso e confiável. Ela, no fundo, não incentiva tanto essa união, por ter não sei qual prevenção contra os Danglars.

— Então não se case com ela — aconselhou o conde.

— Verei o que posso fazer. Vou tentar.

— Bom, já que comecei uma conversa tão pessoal, pensei em reunir, na minha casa de campo de Auteuil, os Danglars e os Villefort. Se também o convidar para esse jantar, assim como aos senhores seus pais, isso vai parecer uma espécie de agenciamento matrimonial, não acha? É provavelmente o que pensaria a sra.

condessa de Morcerf, sobretudo se o barão Danglars me der a honra de levar a filha. Temo que a sua mãe passe a me detestar e de forma alguma quero que isso aconteça.

— Puxa, conde! Agradeço sua franqueza e aceito de bom grado a nossa exclusão. Minha mãe quer mesmo ir ao litoral, respirar o ar marítimo. O jantar será que dia?

— Sábado.

— Hoje é terça-feira. Amanhã à noite partimos e na manhã de quinta estaremos em Tréport. O sr. conde é sublime em sua maneira de deixar as pessoas à vontade.

— Pois então estamos combinados.

Albert levantou-se.

— Está indo embora?

— Obrigado por perguntar! Há duas horas o incomodo e ainda tem a delicadeza de perguntar se estou indo! O senhor é a pessoa mais polida da Terra!

XLI
O major Cavalcanti

O relógio marcava exatamente sete horas quando um fiacre parou diante do portão da residência, parecendo em seguida partir acabrunhado, depois de deixar na calçada um homem de mais ou menos cinquenta e dois anos, vestindo uma sobrecasaca verde com alamares pretos.

O visitante foi encaminhado para a sala mais simples, na qual o conde o recebeu com ares alegres:

— Ah, meu caro! Seja bem-vindo. Eu o esperava. É o major Bartolomeo Cavalcanti, não é?

— Exatamente, Bartolomeo Cavalcanti.

— E nosso excelente padre Busoni o enviou.

— Ele mesmo — confirmou, contente, o major.

— E vejo que traz uma carta!

— Sim, aqui está.

Monte Cristo pegou a carta, abriu e leu em voz alta:

— Ah! Esse nosso querido padre... "O major Cavalcanti, um digno patrício de Lucca, descendendo dos Cavalcanti de Florença, gozando de um patrimônio que garante a ele uma renda de meio milhão...".

Fazendo uma pausa, o conde ergueu os olhos para além do papel e fez um gesto, parabenizando:

— Meio milhão! Caramba, meu caro sr. Cavalcanti! — exclamou ele e continuou:

— "E falta a ele uma única coisa, para ser feliz."

— Por Deus, é verdade! Uma só — disse o italiano.

— "Encontrar um filho adorado... raptado em criança por algum inimigo da sua família ou por ciganos."

— Aos cinco anos de idade!

— Pobre pai — compungiu-se Monte Cristo, que continuou:

— "Devolvo a esperança e a própria vida ao major, contando que esse filho, em vão procurado nos últimos quinze anos, o sr. conde pode ajudar a encontrar."

O militar olhou para o dono da casa com indescritível expressão de ansiedade.

— Posso, sim — completou Monte Cristo.

O major se endireitou.

— Ah! Tem ainda um *postscriptum* — acrescentou o conde.

— É verdade — repetiu o visitante. — Tem... um... *postscriptum*.

— "Para não obrigar o major ao incômodo de deslocar fundos do seu banqueiro em Lucca, peço para a ele um adiantamento de 48 mil francos, a serem debitados da soma que o senhor ainda me deve..."

O major seguia com visível preocupação a leitura do *postscriptum*.

— Isso é tudo — limitou-se a dizer o conde.

— O *postscriptum*...

— Sim, o *postscriptum*...

— Considera-o de forma tão favorável quanto ao restante da carta?

— É claro. O padre Busoni e eu temos dívidas um com o outro. São apenas alguns papéis bancários a mais ou a menos. Estava preocupado com o *postscriptum*, caro sr. Cavalcanti?

— Confesso que sim. Confiando na assinatura do padre Busoni, não previ outros fundos e se essa soma falhasse, eu me veria com dificuldades em Paris.

— E um homem como o senhor se sente em dificuldade em algum lugar? — brincou Monte Cristo. — Vamos, o que é isso?

O major arregalava os olhos de surpresa.

— Mas, por favor, sente-se. Não sei onde estou com a cabeça... deixei-o de pé já faz quinze minutos.

O major puxou uma poltrona e se sentou.

— Quer dizer — começou Monte Cristo — que o senhor vive em Lucca, é rico, é nobre, goza da consideração geral, ou seja, tem tudo que pode tornar um homem feliz?

— Tudo, Excelência, absolutamente tudo.

— E falta apenas uma coisa para isso?

— Uma só.

— Encontrar o seu filho.

O digno italiano ergueu os olhos para o céu e, fazendo um esforço, tentou suspirar.

— Mas agora me diga, caro sr. Cavalcanti, que filho tão lamentado é esse? Pois me disseram que permaneceu solteiro.

— É o que pensam — disse o major —, e eu mesmo...

— O senhor mesmo se esforçou para isso. Um pecadilho de juventude que o senhor queria esconder de todos.

O homem de Lucca assumiu aparência bem calma e digna, sempre olhando para o conde, que não escondia um sorriso de simpática curiosidade.

— É verdade, procurei esconder de todos aquele pecado.

— Não pelo senhor — insistiu Monte Cristo —, pois um homem está acima de coisas assim.

— Não, certamente não por mim — confirmou o major, também sorrindo e balançando a cabeça.

— Pela mãe — disse o conde.

— Por sua pobre mãe! — murmurou o italiano, tentando fazer com que a força de vontade, agindo sobre a glândula lacrimal, pudesse umedecer o canto do olho.

— Que vinha de uma das principais famílias da Itália, se não me engano.

— Uma patrícia de Fiesole, sr. conde!

— O senhor se casou com Oliva Corsinari, na igreja de Santa Paula de Monte Cattini. Aqui está a certidão do padre.

— Por Deus, isso mesmo! — exclamou o major, com surpresa.

— E aqui, a certidão de batismo de Andrea Cavalcanti, expedida pelo padre de Saravezza.

— Em sua perfeita ordem — disse o major.

— Pois fique com esses documentos, que para mim não têm utilidade. Entregue-os a seu filho, que os guardará com todo carinho. Já a mãe do rapaz...

— Céus! Precisaremos dela?

— Não — tranquilizou-o Monte Cristo. — Ela, aliás...

— Sim, é verdade. Ela...

— Eu soube. Morreu há dez anos.

— E ainda lamento a sua morte, conde.

— O que fazer? Todos somos mortais. Mas, caro sr. Cavalcanti, não é necessário que se saiba, aqui na França, que está separado do filho há quinze anos. Se souberem dessa separação...

— Ah, entendo! O que digo?

— Um preceptor desleal, que se vendeu aos inimigos da sua família...

— Os Corsinari?

— Pode ser... raptou a criança para que a sua linhagem desapareça.

— É claro, sendo filho único.

— Pois então! Agora que temos tudo combinado, que suas lembranças se revigoraram para não o traírem, o senhor provavelmente imagina que guardei uma surpresa. Essa criança, o seu filho, o seu Andrea...

— Está aqui?

— Aqui mesmo — disse Monte Cristo.

— Ah, que ótimo! Que maravilha! — animou-se o major, apertando, a cada exclamação, os alamares da farda. — Vai trazê-lo? Sua generosidade chegará a esse ponto?

— Não, de forma alguma quero me colocar entre um pai e seu filho. Estarão a sós, major. Mas não se preocupe, pois mesmo que a voz do sangue não fale tão alto, não há como se enganar: ele vai entrar por aquela porta. É um belo rapaz louro, o senhor verá.

Os olhos do major brilhavam como pedras preciosas.

Com uma simpática saudação ao militar de Lucca, que estava em êxtase, Monte Cristo desapareceu por trás do reposteiro.

XLII
Andrea Cavalcanti

O conde de Monte Cristo foi para uma sala ao lado, onde o precedera um rapaz de maneiras desenvoltas, vestido bastante elegantemente e que uma pequena carruagem de praça havia, meia hora antes, despejado à sua porta.

Quando o conde entrou, o jovem estava estirado bem à vontade num sofá.

Ao vê-lo, o rapaz imediatamente se levantou.

— É o sr. conde de Monte Cristo? — perguntou ele.

— Eu mesmo. E creio ter a honra de falar com o sr. visconde Andrea Cavalcanti, não é? Tem uma carta de apresentação para mim?

— Não mostrei-a logo por causa da assinatura, que me pareceu estranha.

— Simbad, o Marujo?

— Exatamente. E como nunca soube de outro Simbad, o Marujo, além daquele das *Mil e uma noites*...

— Pois trata-se de um dos seus descendentes, amigo meu, um inglês riquíssimo, quase louco, seu nome verdadeiro é lorde Wilmore.

— Ah! Isso explica tudo. Tudo se encaixa. Foi o inglês que conheci... em... bom, muito bem!... Sr. conde, sou seu criado.

— Posso lhe garantir, visconde — disse Monte Cristo, observando com discreta satisfação aquele rosto limpo, que transmitia uma beleza comparável à de um anjo maligno —, que fez muito bem em seguir o convite do meu amigo Simbad, pois o seu pai está aqui e o procura.

— Meu pai! Meu pai está aqui?

— Exatamente. Seu pai, o major Bartolomeo Cavalcanti.

O pânico que momentaneamente se imprimira nos traços do rapaz se dissipou quase de imediato.

— Ah, sim, é verdade! O major Bartolomeo Cavalcanti. E o sr. conde diz que ele se encontra aqui?

— Na sala ao lado. Inclusive acabo de deixá-lo e a história que me contou, sobre o filho querido e do qual há muito tempo foi afastado me tocou muito. Suas dores, temores e esperanças poderiam servir de tema para um comovente poema. Logo vai estar com ele. Parece um tanto rijo, meio empolado, mas é por causa do uniforme. E, considerando que há dezoito anos está a serviço da Áustria, devemos desculpar; afinal, não se pode ser exigente demais com os austríacos, de modo geral. Resumindo, é um pai bastante satisfatório, garanto. Além disso, como sabe, uma boa fortuna faz muitas coisas se tornarem mais toleráveis.

— Meu pai é mesmo rico?

— Milionário... uma renda de quinhentas mil libras.

— Isso quer dizer — quis ansiosamente confirmar o rapaz — que vou estar numa situação... agradável?

— Agradabilíssima, meu caro. Terá uma renda de cinquenta mil libras por ano pelo tempo que permanecer em Paris.

— Passo o resto da vida em Paris, nesse caso.

— Ah! Quem pode garantir o que quer que seja, caro senhor? O homem faz e Deus desfaz.

Andrea deu um suspiro.

— Durante toda a minha permanência em Paris, então... se nada me fizer deixar a cidade, receberei esse dinheiro?

— Perfeitamente.

— Da parte do meu pai? — quis saber Andrea, preocupado.

— Exato, mas garantido por lorde Wilmore que, a pedido do seu pai, abriu para o senhor um crédito de cinco mil francos por mês no banco Danglars, um dos mais sólidos de Paris.

— Ah! Meu querido pai! — exclamou Andrea, visivelmente satisfeito.

— Assim sendo — continuou Monte Cristo, fingindo não notar o tom em que foram ditas aquelas palavras —, não quero atrasar ainda mais o momento desse reencontro. Está preparado para abraçar o digno sr. Cavalcanti? Vá, então, à sala ao lado, meu jovem amigo, onde o seu pai o espera.

Andrea fez profunda reverência e para lá se dirigiu.

O conde o acompanhou de longe e, depois que ele desapareceu, acionou uma mola ligada a um quadro que, afastando-se da moldura, deixava que se tivesse, por um orifício habilmente disfarçado, uma visão da sala.

Depois de entrar, Andrea fechou a porta e se encaminhou até o major, que se levantou assim que ouviu o barulho dos passos.

— Ah, querido pai! — exclamou o rapaz em voz alta. — Será mesmo verdade?

— Bom dia, querido filho — disse gravemente o major.

— Após tantos anos de separação, que felicidade revê-lo.

— É verdade, foi uma longa separação.

— Mas aqui estamos, reunidos!

— Aqui estamos, reunidos — repetiu o major.

— Para não mais nos separarmos?

— Vejo, então, caro filho, que considera a França uma segunda pátria?

— Fato é que, no que me concerne, seria terrível ter que deixar Paris.

— E eu, peço que compreenda, não posso me afastar de Lucca. Voltarei, então, à Itália assim que puder.

— Antes de partir, o querido pai provavelmente deixará comigo os papéis que me ajudarão a comprovar minhas nobres origens.

— Aqui estão.

Andrea pegou avidamente as certidões de casamento e de batismo, do pai e dele próprio. Leu os dois documentos com a rapidez e habilidade de um olhar bem treinado, mas demonstrando também o mais premente interesse.

Terminada a leitura, uma indescritível expressão de alegria brilhou no seu rosto.

— Ai, ai, ai! — exclamou ele com excelente sotaque toscano. — Os trabalhos forçados realmente não assustam as pessoas, na Itália... ?

O major se empertigou todo:

— Por que pergunta?

— Vendo que fabricam documentos como esses!

— O que está dizendo? — perguntou o homem de Lucca, tentando assumir uma atitude imponente.

— Meu caro sr. Cavalcanti, quanto estão lhe pagando para ser meu pai?

O major tentou dizer alguma coisa.

— Shh! — fez Andrea, abaixando a voz. — Para mim, são cinquenta mil francos por ano para ser seu filho. Ou seja, não serei eu que, um dia, venha a negar que o senhor seja meu pai.

O major olhou preocupado em volta.

— Pode ficar tranquilo, estamos só os dois — disse Andrea.

— Tudo bem, a mim deram cinquenta mil francos.

O major tirou da algibeira um punhado de ouro.

— Palpáveis, como pode ver.

Monte Cristo achou ser um bom momento para voltar à sala. Ouvindo o barulho dos passos, os dois homens se jogaram um nos braços do outro e foi como o conde os encontrou.

— E, então, sr. marquês! — disse Monte Cristo. — Tudo indica que encontrou o filho dos seus sonhos?

— Ah, sr. conde! É imensa a alegria.

— E o rapaz, o que diz?

— Ah, sr. conde! É enorme a felicidade.

— Feliz pai, feliz filho! — comemorou o promotor do encontro.

— Uma única coisa me entristece — disse o major —, é a necessidade que tenho de tão rapidamente deixar Paris.

— Ah, caro sr. Cavalcanti! Não sem que eu antes lhe apresente a alguns amigos, assim espero.

— Estou às ordens do sr. conde — disse o major.

— E agora, meu rapaz, confesse.

— O quê? A quem?

— Ao seu pai. Diga a ele, em poucas palavras, em que estado estão as suas finanças.

— Ai, minha nossa! — exclamou Andrea. — É o ponto mais sensível.

— Ouviu isso, major?

— Sem dúvida, ouvi sim.

Monte Cristo passou entre os dois homens.

— Tome! — disse ele a Andrea, enfiando-lhe um maço de notas bancárias na mão.

— O que é isso?

— A resposta do seu pai.

— Ah, meu querido pai!

— Silêncio! — cortou Monte Cristo. — Ele não quer que eu diga que isso vem dele.

— E quando teremos a honra de rever o sr. conde? — perguntou Cavalcanti.

— Sábado, pode ser... sim... isso mesmo... sábado. Dou um jantar em minha casa de Auteuil, rua La Fontaine, nº 28. Várias pessoas, entre as quais o sr. Danglars, banqueiro dos dois. Eu os apresentarei, pois ele precisa conhecê-los para tratar desse dinheiro.

— A que hora devemos chegar?

— Por volta das seis e meia.

— Combinado, estaremos lá — disse o major, levando a mão ao chapéu.

Os dois Cavalcanti cumprimentaram o conde e se retiraram.

Monte Cristo se aproximou da janela e os viu atravessando o pátio, de braços dados.

— Que bela dupla de patifes! — disse ele. — Na verdade, é pena que não sejam mesmo pai e filho!

XLIII
O sr. Noirtier de Villefort

O sr. Noirtier, sentado numa cadeira de rodas grande, observava com olhar inteligente e vivo a cerimoniosa reverência do filho e da nora, o que já o preparava para alguma notícia oficial e inesperada.

— Meu pai — disse Villefort —, não estranhe que Valentine não tenha vindo conosco e que eu também não tenha chamado Barrois, pois a conversa que teremos é daquelas que não são possíveis diante de uma jovem e de um empregado. Minha esposa e eu queremos fazer um comunicado importante.

A expressão de Noirtier se manteve impassível durante todo esse preâmbulo, enquanto Villefort, pelo contrário, parecia querer desvendar o que se passava no fundo do coração do pai.

— Um comunicado — continuou o procurador do rei — que minha esposa e eu temos certeza que será do seu agrado.

O olho do ancião se manteve imóvel.

— Meu pai, vamos casar Valentine.

O olho do ancião continuou inanimado.

A sra. de Villefort tomou, então, a palavra e procurou acrescentar:

— Achamos que a notícia o interessaria, meu sogro, e resta-nos apenas dizer quem é o rapaz a quem a destinamos. É o sr. Franz de Quesnel, barão de Épinay.

Quando a sra. de Villefort pronunciou o nome de Franz, o olho de Noirtier, com cuja movimentação o filho estava acostumado, estremeceu e as pálpebras deixaram que se percebesse uma faísca de luz.

O procurador do rei, conhecendo as antigas relações de inimizade pública entre seu pai e o pai de Franz, compreendeu aquele fulgor e aquela agitação, mas preferiu deixá-los passar, retomando a palavra no ponto em que a esposa havia deixado:

— É importante, pai, e o senhor deve entender que, perto de chegar aos 19 anos, Valentine precisa ter sua situação estabelecida.

A chama no olhar de Noirtier se transformou num incêndio.

— Esse casamento — acrescentou a sra. de Villefort — tem a aquiescência do sr. d'Épinay e de sua família, que se resume, hoje, a um tio e uma tia. A mãe morreu no momento do parto e o pai foi assassinado em 1815, quando o menino tinha apenas dois anos de idade: a decisão depende apenas da sua própria vontade.

— Assassinato misterioso — disse Villefort —, de autoria desconhecida, mesmo que a suspeita tenha pairado sobre muitas cabeças sem, no entanto, se abater sobre nenhuma.

Dizendo isso, ele fez um sinal, mostrando que a esposa podia se retirar.

— Aceite, querido sogro, meus respeitos — disse ela, levantando-se. — Gostaria que Édouard viesse pessoalmente cumprimentá-lo?

Fora combinado que o enfermo exprimiria concordância fechando os olhos e a discordância, por um insistente piscar de olhos. Da mesma forma, quando queria alguma coisa, ele dirigia para o alto o olhar.

Se fosse Valentine que ele quisesse ver, apenas o olho direito era fechado. Se fosse Barrois, apenas o olho esquerdo.

Ouvindo a sugestão da nora, o enfermo piscou insistentemente os olhos.

Diante da evidente recusa, a sra. de Villefort crispou os lábios.

— Quer, então, que envie Valentine? — perguntou ela.

— Sim — exprimiu o ancião, fechando significativamente um olho.

O sr. e a sra. de Villefort fizeram suas saudações e saíram, dando ordens para que chamassem Valentine.

Logo em seguida, toda corada ainda de emoção, Valentine entrou no quarto do avô. Bastou um olhar para que entendesse todo o seu sofrimento.

— Ai, vovô! O que houve? Algo o desagradou, não é? Está zangado.

O ancião fez sinal afirmativo.

— Comigo? — espantou-se a jovem.

O mesmo sinal se repetiu.

— E o que fiz, vovô? Ah!... Meu pai e minha madrasta acabam de sair, não é?

— Sim.

— Entendi! — disse ela, baixando os olhos e se aproximando do velho. — Falaram do meu casamento, foi isso?

— Sim — sinalizou o olhar irritado.

— Não gosta do Franz?

Os olhos repetiram três ou quatro vezes:

— Não, não, não.

— Pois ouça — segredou Valentine, pondo-se de joelhos junto do avô e passando um braço pelo seu pescoço —, também não gosto do sr. Franz d'Épinay.

Noirtier ergueu os olhos. Valentine pensou um pouco e foi propondo em voz alta tudo que lhe passava pela cabeça. Vendo que o enfermo continuava a sempre responder negativamente, ela se decidiu:

— Bom, vamos encontrar uma alternativa!

Ela, então, começou a recitar, uma a uma, as letras do alfabeto, a partir de A, sempre interrogando, com um sorriso, o olhar do paralítico. Em N, Noirtier fez um sinal afirmativo.

— Ótimo! — encorajou a neta. — O que o senhor quer começa com a letra N. Temos que pensar a partir de N. E, então, o que vem depois de N? Na-ne-ni-no.

— Sim, sim, sim.

— Ah! É *no*.

— Sim.

Valentine foi buscar um dicionário e colocou-o numa mesinha diante do avô. Abriu-o e, vendo que o olho do avô se fixara nas páginas, foi passando rapidamente o dedo de cima a baixo das colunas.

Na palavra *notário*, ele fez sinal para que parasse.

— Notário. Quer que chame um tabelião, vovô?

— Sim.

Valentine acionou a campainha e pediu que chamassem o sr. e a sra. de Villefort.

Somente ele veio, trazido por Barrois.

— Pai — disse Valentine —, meu avô quer um tabelião.

— Para nos criar mais algum problema? — reagiu Villefort. — Precisa disso? Chamarei o notário, já que quer tanto assim, mas me desculparei com ele, e pedirei desculpas também pelo senhor, pois tudo isso é bem ridículo.

— Bom, de qualquer forma, vou chamá-lo — avisou Barrois.

XLIV
O testamento

Menos de uma hora depois, Barrois chegou com o notário.

— O senhor foi mandado chamar pelo sr. Noirtier de Villefort, aqui presente — disse o procurador do rei, depois dos primeiros cumprimentos. — Uma paralisia generalizada tirou dele o uso dos membros e da voz. Somente com muito esforço conseguimos apreender alguns fragmentos da sua vontade.

Com o olho, Noirtier fez um apelo tão veemente e imperativo à neta que ela imediatamente acrescentou:

— Eu posso entender tudo que meu avô quiser exprimir.

— É verdade — confirmou Barrois. — Ela compreende absolutamente tudo, como eu expliquei, no caminho.

— O senhor ouviu e entendeu o que acaba de afirmar sua neta? — perguntou o tabelião.

Noirtier fechou devagar os olhos e voltou a abri-los pouco depois.

— Foi o senhor que me mandou chamar?

— Sim.

— Para redigir seu testamento?

— Sim.

— Vamos, então, fazer o possível. Aceita a senhorita como sua intérprete?

O paralítico fez sinal afirmativo.

— O senhor — começou o tabelião, já pensando em contar ao mundo detalhes daquele episódio pitoresco — tem ideia do montante a que se resume a sua fortuna?

Noirtier sinalizou que sim.

— Seria dono de quatrocentos mil francos? — perguntou o oficial público.

O velho continuou imóvel.

— Seiscentos mil? Setecentos mil? Oitocentos mil? Novecentos mil?

Sinal afirmativo.

— Em imóveis? — perguntou o notário.

Uma olhada na direção de Barrois fez o velho ajudante sair, para voltar, em seguida, com uma pequena caixa.

— Permite que eu abra? — perguntou o notário.

Sinal afirmativo.

A caixa foi aberta e dentro havia o equivalente a novecentos mil francos em títulos da dívida pública.

— A quem deseja legar essa fortuna?

— Ah! — disse a sra. de Villefort. — A única pessoa de quem o sr. Noirtier realmente gosta é a neta, Valentine.

O olho do enfermo lançou um brilho, deixando bem claro não se iludir com a falsa boa vontade da nora.

— Seria então à srta. Valentine de Villefort que o senhor deixa esses novecentos mil francos? — perguntou o notário.

Valentine tinha dado um passo atrás e chorava de olhos baixos. O velho olhou para ela com uma expressão de profunda ternura e depois, voltando-se para o tabelião, piscou os olhos da forma mais significativa.

— Não? — estranhou o homem. — Não é a srta. Valentine de Villefort que o senhor institui como sua legatária universal?

Noirtier fez que não.

— Nesse caso é a seu neto, Édouard de Villefort, que o senhor deixa a sua fortuna? — perguntou a mãe.

O piscar de olhos foi assustador.

— Não — traduziu o notário. — Talvez, então, a seu filho, aqui presente?

— Não! — replicou o velho.

Noirtier fixou o seu olhar ardente na mão de Valentine.

— Minha mão? — perguntou ela.

— Sim — assinalou Noirtier.

— Ah! — exclamou bruscamente Valentine. — Acho que compreendi! É sobre o meu casamento, vovô?

— Sim, sim, sim — repetiu três vezes o paralítico, com um lampejo de luz cada vez que erguia a pálpebra.

— Não quer que eu me case com Franz d'Épinay?

— Não, não quero — deixou claro o olhar do ancião.

— E deserda a sua neta — começou a entender o notário — por ser contra esse casamento?

— Sim — respondeu Noirtier.

— Mas sem esse casamento seria ela a sua herdeira?

— Sim.

Um pesado silêncio se fez em torno do velho. Villefort foi o primeiro a rompê-lo:

— Sou o único a poder arbitrar quanto à conveniência ou inconveniência dessa união.

— Sr. Noirtier — voltou o tabelião —, o que conta fazer da sua fortuna, caso a srta. Valentine se case com o sr. Franz?

O velho se manteve imóvel.

— O senhor pretende legá-la, nesse caso?

— Sim.

— A alguém da sua família?

— Não.

— Para os pobres, então?

— Sim.

No mesmo dia, o testamento foi redigido. Buscaram-se as testemunhas, o documento foi aprovado pelo idoso, lacrado na sua presença e deixado à responsabilidade do sr. Deschamps, notário da família.

XLV
O jantar

À primeira vista, olhando de fora, a casa de Auteuil em nada parecia responder às expectativas que as pessoas pudessem criar com relação a uma propriedade do magnífico conde de Monte Cristo. Mas, assim que se abria a porta, o espetáculo mudava.

Às seis horas em ponto, ouviu-se o patear de um cavalo. Era um capitão das forças francesas na África do Norte. Monte Cristo foi recebê-lo no portão, com um sorriso nos lábios.

— Devo ser o primeiro, com certeza — gritou para ele Morrel. — Vim cedo de propósito, para podermos nos ver um pouco antes de todo mundo chegar. Diga-me, conde, seu pessoal vai cuidar bem do meu cavalo?

— Esteja sossegado quanto a isso, meu caro Maximiliano.

— É um animal tão especial que os srs. de Château-Renaud e Debray ainda tentam me alcançar e estão bem longe, como pode ver. E note que têm no encalço deles os cavalos da baronesa Danglars, capazes de manter um trote de umas seis léguas por hora.

— Então, estão todos chegando?

— Pronto, já até aparecem ali adiante.

Pouco depois, Debray desceu da sua montaria e correu à portinhola da baronesa, oferecendo a mão para ajudá-la a descer. Ela fez um gesto imperceptível para qualquer um, menos para Monte Cristo, que não perdeu detalhe nenhum e viu um pequeno papel branco, quase tão imperceptível quanto o gesto, um bilhete que passou da mão da sra. Danglars à do secretário do ministro.

Atrás da esposa, desceu o banqueiro.

— Os srs. major Barlolomeo Cavalcanti e visconde Andrea Cavalcanti — anunciou Baptistin, o mordomo do conde.

— Quem são? — perguntou Danglars a Monte Cristo.

— Deve ter ouvido, os Cavalcanti.

— Para mim, é apenas um nome, nada mais.

— Ah, é verdade! Não conhecem aqui outras linhagens. Na Itália, quem diz Cavalcanti diz raça de príncipes.

— Boa fortuna? — interessou-se o banqueiro.

— Fabulosa.

— O que eles fazem?

— Tentam gastá-la, sem conseguir dar cabo do que têm. Aliás, têm créditos no seu banco, pelo que me disseram anteontem, quando vieram me visitar. Inclusive convidei-os para apresentá--los ao senhor.

— Sr. e sra. de Villefort! — gritou Baptistin.

O casal anunciado entrou. O marido, apesar de todo seu autocontrole, estava visivelmente nervoso. Monte Cristo percebeu, ao apertá-la, que a mão dele tremia.

"Realmente, só as mulheres conseguem disfarçar bem", pensou o anfitrião, observando a sra. Danglars, que sorria para o procurador do rei e trocava dois beijinhos com a esposa dele.

O sr. de Villefort tinha, à direita, a sra. Danglars e, à esquerda, Morrel.

O conde estava sentado entre a sra. de Villefort e Danglars.

Nas outras cadeiras estavam Debray, sentado entre Cavalcanti pai e Cavalcanti filho, e Château-Renaud, sentado entre a sra. de Villefort e Morrel.

O menu foi magnífico, mas oriental, à maneira como eram imaginados os jantares árabes dos contos de fadas.

— Tudo está ótimo — disse Château-Renaud ao anfitrião —, mas o que mais admiro, confesso, é a incrível rapidez com que consegue seus resultados. Pois não é verdade, sr. conde, que comprou essa casa de Auteuil há cinco ou seis dias?

— A bem dizer, no máximo isso — disse Monte Cristo.

— Lembro-me de ter vindo vê-la, a pedido de minha mãe, quando o sr. de Saint-Méran colocou-a à venda, há dois ou três anos.

— A casa pertencia ao sr. de Saint-Méran antes da sua compra, sr. conde? — perguntou a sra. de Villefort.

— Parece que sim — respondeu Monte Cristo.

— Como assim, "parece"? Não sabe de quem comprou a casa?

— Devo dizer que não, meu intendente é quem se ocupa desses detalhes.

— Há pelo menos dez anos não era habitada — disse Château-Renaud. — Na verdade, se não tivesse pertencido ao sogro de um procurador do rei, poderíamos achar ser uma dessas casas malditas, na qual algum grande crime foi cometido.

Villefort, que até então não havia tocado nas três ou quatro taças dos excelentes vinhos à sua frente, pegou uma delas ao acaso e a esvaziou de uma só vez.

Monte Cristo esperou um instante e depois, quebrando o silêncio que se estabelecera após as palavras de Château-Renaud, disse:

— É estranho, sr. barão, mas tive a mesma sensação quando vim aqui pela primeira vez. A casa me pareceu tão lúgubre que eu mesmo nunca a teria comprado, se meu intendente já não tivesse feito isso por mim. Cheguei até a pensar que pudesse ter recebido algum suborno, da parte do tabelião.

— É bem possível — balbuciou Villefort, tentando sorrir —, mas saibam que nada tenho a ver com essa eventual corrupção. O sr. de Saint-Méran quis que a casa, que integrou o dote da sua neta, fosse vendida, pois se ficasse mais três ou quatro anos desabitada, cairia em ruínas.

— Há um quarto, sobretudo — continuou Monte Cristo —, ah, por Deus!, um quarto como qualquer outro, dos mais normais em aparência, forrado com tecido adamascado vermelho, mas que me deu a impressão de encobrir algum drama.

— Por quê? — quis saber Debray.

— Podemos explicar coisas instintivas? — respondeu Monte Cristo. — Bom, o mais simples, já que acabamos de jantar, é que eu lhes mostre.

A sra. de Villefort se levantou; Monte Cristo fez o mesmo, então todos seguiram o exemplo. O procurador do rei e a sra. Danglars permaneceram por um momento como se estivessem pregados nos seus lugares e trocaram olhares interrogativos, mudos e frios:

— Ouviu? — perguntou ela.

— É preciso ir — respondeu Villefort, pondo-se de pé e oferecendo o braço.

Todos se foram pelas portas abertas. Monte Cristo esperou os dois retardatários e os seguiu, fechando a fila, com um sorriso. Se os convidados pudessem entender a razão daquele sorriso, ficariam bem mais assustados do que com o quarto em questão.

O quarto, aliás, nada tinha de particular, além do fato de estar sem iluminação, pois também já começava a cair a noite. Cada um fez o seu comentário e, afinal, chegou-se à conclusão de que o quarto vermelho de tecido adamascado tinha, de fato, um aspecto sinistro.

— Não concordam? — empolgou-se Monte Cristo. — Vejam como a cama foi posicionada de maneira estranha, além da escura e sangrenta forração das paredes. E esses dois retratos pintados ao pastel, não parecem dizer, com seus lábios macilentos: Eu vi!?

Deu-se por falta do sr. Danglars, que havia descido para o jardim. Monte Cristo pareceu ficar contrariado, pegou a esposa do banqueiro pelo braço e a levou até onde estava o marido, que tomava café entre os srs. Cavalcanti, pai e filho.

— Pois muito bem! — insistiu o conde. — Acreditem se quiserem, mas tenho certeza de que um crime foi cometido nesta casa.

— Cuidado com o que diz — brincou a sra. de Villefort —, está presente o procurador do rei.

— Bom — respondeu Monte Cristo —, já que é assim, aproveitarei a oportunidade para fazer uma declaração.

— Uma declaração? — perguntou Villefort.

Monte Cristo o pegou pelo braço, trazendo junto, com a outra mão, a sra. Danglars, e os levou até um plátano, num ponto bastante escuro.

Os outros convidados os seguiram.

— Saibam que — começou Monte Cristo —, neste exato local — ele bateu com o pé na terra —, para revigorar esta árvore já muito antiga, mandei que cavassem em volta para adubar. Pois bem, ao cumprirem essa ordem, os operários desenterraram uma arca, ou melhor, ferragens de uma arca e, no meio delas, o esqueleto de uma criança recém-nascida.

Monte Cristo sentiu que o braço da sra. Danglars se contraía e que o punho de Villefort tremia.

— Mas quem diz ter sido um crime? — tentou Villefort um derradeiro esforço.

— Como?! Uma criança enterrada viva num jardim não é um crime? — exaltou-se Monte Cristo.

— Mas quem diz que foi enterrada viva?

— E por que enterrar aqui, se estivesse morta? Esse jardim nunca foi um cemitério.

— O que fazem com infanticidas nesse país? — perguntou ingenuamente o major Cavalcanti.

— Ora, cortam-lhes simplesmente a cabeça... Não é isso, sr. de Villefort? — perguntou Monte Cristo.

— Exatamente, sr. conde — respondeu ele, com um tom que nada mais tinha de humano.

Monte Cristo achou ser o máximo que podiam suportar as duas pessoas para as quais ele havia preparado toda essa cena e, não querendo ir mais longe, sugeriu:

— O café, meus amigos! Tenho a impressão de que o esquecemos.

Então, levou os convidados de volta à mesa disposta no gramado.

XLVI
O gabinete do procurador do rei

No dia seguinte, enquanto ia ao trabalho, no momento em que Debray tinha o costume de fazer uma rápida visita à sra. Danglars, isto é, por volta de meio-dia e meia, ela pediu o seu coche e saiu.

Dirigiu-se para os lados do Faubourg Saint-Germain, tomou a rua Mazarine e mandou parar na passagem do Pont-Neuf.

Desceu do coche e atravessou a pé a viela. Na rua Guénégaud, ela subiu num fiacre, indicando como destino a rua de Harlay.

Muita gente aguardava a vez na antecâmara do sr. de Villefort, mas a sra. Danglars sequer precisou dizer seu nome: assim que a viu, um meirinho se levantou, foi até ela e perguntou se não era a pessoa que tinha hora marcada com o sr. procurador do rei. Ouvindo a resposta afirmativa, ele a conduziu por um corredor reservado, dando para o escritório do sr. de Villefort.

O magistrado escrevia, sentado numa poltrona, de costas para a porta. Virou-se bruscamente, depois foi passar a tranca e puxar as cortinas.

— Obrigado, senhora, obrigado pela pontualidade — disse ele, oferecendo uma cadeira, que a sra. Danglars aceitou.

— Já faz muito tempo que eu não tinha o privilégio de conversar a sós com a senhora e, infelizmente, nos encontramos para um assunto bem desagradável.

— O senhor deve compreender o meu transtorno, não é? Por favor, me poupe.

— Mas, preciso dizer... junte toda a sua coragem, pois estamos longe do fim.

— Por Deus! — assustou-se a sra. Danglars. — O que pode estar acontecendo?

— Como esse passado terrível foi ressuscitado? — desesperou-se Villefort. — Como, do fundo da tumba e do fundo dos nossos corações, onde dormia aquele fantasma, ele escapou, para nos sacudir entre o medo e a vergonha?

— É terrível! — lamentou-se Hermine. — Com certeza a fatalidade!

— Não creio, senhora. E é o que tenho de assustador a lhe dizer — adiantou Villefort, com uma voz surda. — Não, restos nenhuns foram encontrados sob as flores, não houve criança alguma desenterrada. Não devemos chorar, não devemos gemer: devemos tremer.

— O que quer dizer? — assustou-se definitivamente a sra. Danglars.

— Quero dizer que o sr. de Monte Cristo, cavando em volta daquela árvore, não pode ter encontrado esqueleto nenhum de criança nem ferragens de arca, pois, sob aquelas árvores, não havia coisa alguma assim.

— Santo Deus! Está me apavorando! Mas, por favor, continue, estou ouvindo.

— A senhora bem sabe como terminou aquela noite dolorosa em que se esvaía na cama do quarto vermelho adamascado de Auteuil, enquanto eu, quase igualmente extenuado, aguardava o nascimento. A criança veio e me foi entregue sem movimentos, sem respiração, sem voz: achamos que estava morta. Coloquei-a numa arca que substituiria o caixão, desci ao jardim, cavei um fosso e enterrei-a às pressas. Eu acabava de repor a terra e vi uma sombra se erguer, como um brilhante relâmpago. Senti uma dor, quis gritar, um calafrio percorreu meu corpo, me comprimiu a garganta... Caí ferido, achei que morria. Nunca esquecerei a sua sublime coragem quando, recuperando os sentidos, me arrastei como pude até o pé da escada onde, também agonizante, a senhora veio me socorrer. Era preciso manter silêncio sobre a terrível catástrofe e a senhora teve coragem para ir embora, apoiando-se na parteira. Um duelo, foi o pretexto que dei para o meu ferimento. Contrariando todas as expectativas, o segredo se manteve. Fui transportado a Versalhes e, por três meses, lutei contra a morte. Depois disso, com tudo indicando que eu me apegava à vida, me receitaram o sol e os ares do Sul. Minha convalescência levou dez meses, durante os quais não ouvi falar da senhora e não me atrevia a perguntar. Voltando a Paris, soube que, viúva do sr. de Nargonne, havia se casado com o sr. Danglars. Procurei saber e me disseram que a casa ficara desabitada desde então, mas que tinha sido alugada por nove anos. Procurei o inquilino, aleguei não querer que passasse para mãos de estranhos a casa que havia pertencido ao pai e à mãe da minha mulher, ofereci uma indenização para o rompimento do contrato. Quando consegui essa tão cobiçada rescisão, corri para lá. Ninguém, desde a minha saída, havia estado na casa. Eram cinco horas da tarde, subi ao quarto vermelho e aguardei o cair da noite. Já tarde, esperei a completa escuridão e desci. Cheguei à porta dos fundos. Encostada na parede, ao lado, encontrei uma enxada. Eu havia levado uma lanterna furta-fogo, que só acendi já no gramado. Depois, segui adiante. Era chegado o momento que eu há um ano aguardava. Enquanto cavava, examinando cada pedaço de terra retirado, esperava sentir contra a enxada alguma resistência maior. Nada! No entanto, já abrira um buraco duas vezes maior que o primeiro. Achei ter me equivocado, me enganado de lugar. Procurei me orientar, olhei as árvores, tentei me lembrar de detalhes que me tivessem chamado a atenção. À minha esquerda, uma giesta, atrás o rochedo. Voltei a cavar, a ampliar o buraco: nada! Realmente nada! A arca não estava mais ali.

— Deus do céu!

— Quando amanheceu, desci novamente. Fui diretamente ao ponto que interessava, achando que encontraria marcas que tivessem passado despercebidas no escuro. A terra toda estava revirada numa área de mais de seis metros quadrados, com profundidade de mais de meio metro. Um operário mal teria conseguido fazer, em um dia inteiro de trabalho, o que fiz em uma hora. No entanto, nada, não havia absolutamente nada.

— Mas e então? Como?... — perguntou Hermine, com a respiração suspensa.

— A conclusão é pior e fatalmente mais assustadora para nós: pode ser que a criança estivesse viva e que o assassino a tenha salvado.

A sra. Danglars deixou escapar um grito terrível e agarrou as mãos de Villefort:

— Meu filho estava vivo! Você enterrou meu filho vivo!

A sra. Danglars tinha se posto de pé à frente do procurador do rei e segurava os seus punhos.

Ele compreendeu que, para desviar a tempestade materna que se armava naquele instante, era preciso que Hermine se sentisse tão aterrorizada quanto ele próprio.

— Entenda que, se as coisas tiverem acontecido como imagino, estamos perdidos. Essa criança está viva e alguém sabe disso. E como Monte Cristo mencionou à nossa frente uma criança desenterrada, ali onde a criança não estava mais, ele tem conhecimento desse segredo.

— Deus! Deus de justiça! Deus de vingança! — murmurou a sra. Danglars.

— Em menos de oito dias, saberei quem é o sr. de Monte Cristo, de onde vem, para onde vai e por que nos ameaça com crianças desenterradas no jardim.

Villefort disse essas palavras com um tom que faria estremecer o conde, se ele porventura as ouvisse.

XLVII
O jazigo da família Villefort

Dois dias depois, uma multidão considerável se juntava, às dez horas da manhã, à porta dos Villefort e uma longa fila de coches funerários e particulares se estendia ao longo das ruas Faubourg Saint-Honoré e Pépinière.

Dentre esses veículos, havia um de forma bem singular e que parecia ter feito uma longa viagem. Era uma espécie de furgão pintado de preto e que fora um dos primeiros coches a se apresentar no fúnebre encontro.

Buscando saber que viatura era aquela, soube-se que ela transportava o corpo do sr. marquês de Saint-Méran, mas que, por estranha coincidência, quem tinha vindo para o seu enterro seguiria dois cadáveres.

— Vi a sra. de Saint-Méran ainda no ano passado, em Marselha, voltando da Argélia — dizia Château-Renaud. — Tudo indicava que viveria até os cem anos, graças a uma saúde perfeita, a cabeça sempre lúcida e uma atividade prodigiosa. Que idade tinha?

— Setenta anos — respondeu Albert. — Pelo menos foi o que Franz me disse. No entanto, não foi a idade que a matou, mas a tristeza com a morte do marido. Pelo que ouvi, isso a afetou de maneira muito forte, a ponto de fazê-la perder a razão e não recuperá-la mais totalmente.

Em cada carruagem que seguia o féretro, a conversa era mais ou menos a mesma. Todos se espantavam com aquelas duas mortes tão próximas e tão rápidas.

Após uma hora mais ou menos de marcha, chegou-se à porta do cemitério: fazia um tempo calmo, mas sombrio e, consequentemente, estava em harmonia com a fatídica cerimônia que se celebrava. Entre os grupos que se dirigiam ao jazigo da família, Château-Renaud reconheceu Morrel, que tinha vindo numa pequena carruagem. Ele seguia sozinho, bem pálido e em silêncio, entre as fileiras de teixos da alameda.

— Você, aqui? — disse Château-Renaud, passando o braço sob o do jovem capitão. — Então conhecia o sr. de Villefort? Como eu nunca o vi na casa dele?

— Não era o procurador do rei que eu conhecia, mas a sra. de Saint-Méran — explicou Morrel.

Nesse momento, Albert e Franz juntaram-se a eles.

— O lugar não é dos melhores para apresentações — disse Albert —, mas, afinal, não somos supersticiosos. Permita-me lhe apresentar, sr. Morrel, Franz d'Épinay, o excelente companheiro de viagem com quem percorri a Itália. Meu caro Franz, Maximilien Morrel, uma excelente amizade que fiz na sua ausência. É um nome que você vai me ouvir frequentemente pronunciar, sempre que a referência for coragem e amabilidade.

Morrel teve um rápido momento de indecisão, mas cumprimentou Franz, procurando se controlar.

— A sra. de Villefort está bem triste, não é? — comentou Debray com Franz.

— Ah! Uma dor inexprimível! Pela manhã estava tão abalada que mal a reconheci.

Essas palavras, aparentemente tão triviais, agitaram o coração de Morrel. Franz, então, havia estado com Valentine, falado com ela?

Ele pegou o braço de Châteu-Renaud e apressou-se na direção do túmulo, diante do qual os operários das pompas fúnebres acabavam de deixar os dois caixões.

O jazigo da família de Villefort formava um quadrado de pedras brancas, com uma altura de mais ou menos seis metros. Uma divisória interna separava em dois compartimentos as famílias Saint-Méran e Villefort, cada um com uma porta de entrada.

Os dois caixões entraram no jazigo da direita, que pertencia à família Saint-Méran. Foram deixados sobre cavaletes já previamente preparados. Somente Villefort, Franz e alguns parentes mais próximos entraram no santuário.

Como as cerimônias religiosas já tinham sido celebradas e não havia discurso a ser pronunciado, o público logo se dispersou. Château-Renaud, Albert e Morrel saíram para um lado; Debray e Beauchamp, para outro.

Franz ficou com o sr. de Villefort. Já na porta do cemitério, Morrel parou, alegando um pretexto qualquer, e viu Franz e Villefort saírem numa carruagem funerária; teve, então, um mau presságio com relação à conversa que pudessem estar tendo. Ele tomou a direção de Paris no mesmo coche que Château-Renaud e Albert, mas, apesar disso, não ouviu uma palavra do que disseram os dois amigos.

De fato, no momento em que Franz se separava de Villefort, este último havia perguntado:

— Sr. barão, quando volto a vê-lo?

— Assim que o senhor desejar.

— O mais rapidamente possível.

— Ponho-me ao seu dispor; se quiser, podemos voltar juntos à cidade?

— Se isso não lhe causar nenhum transtorno.

— De forma alguma.

Foi assim que os futuros sogro e genro tomaram o mesmo coche, e Morrel, vendo-os passar, com razão se deixou levar por grave inquietude.

Villefort e Franz voltaram à rua Faubourg Saint-Honoré.

O procurador do rei, sem passar pelos aposentos da esposa ou da filha, e sem falar com elas, portanto, fez com que o jovem o acompanhasse ao escritório e lhe indicou uma cadeira:

— Sr. d'Épinay, devo dizer, e à primeira vista o momento talvez não seja tão mal escolhido quanto possa parecer, que seguir a vontade dos mortos é a primeira homenagem a se depositar sobre o caixão. Quero, então, lembrar o desejo expressado anteontem pela sra. de Saint-Méran em seu leito de agonia, de que o casamento de Valentine não sofra nenhum atraso.

— Talvez não seja o momento ideal, para a srta. Valentine, mergulhada na dor, de pensar nesse assunto. Na verdade, temo...

— Valentine não terá maior desejo que o de cumprir as últimas vontades da avó — interrompeu Villefort.

— Nesse caso — respondeu Franz —, o senhor pode agir como achar mais adequado, minha palavra já foi dada.

— Então, por favor espere meia hora e Valentine virá nos encontrar. Mandarei chamar o sr. Deschamps, leremos e assinaremos o contrato de imediato e, ainda esta noite, a sra. de Villefort levará minha filha à nossa propriedade no campo, onde, daqui a oito dias, nos juntaremos a elas.

— Senhor, só tenho um pedido a fazer — acrescentou Franz.

— Qual?

— Que Albert de Morcerf e Raoul de Château-Renaud estejam presentes a essa assinatura. Como sabe, são minhas testemunhas.

— Posso esperá-los, então, por meia hora, barão; e em meia hora, Valentine também estará pronta.

Franz cumprimentou o futuro sogro e saiu.

Assim que a porta da rua foi fechada, Villefort mandou que avisassem a filha para que descesse à sala em meia hora, pois estavam sendo esperados o notário e as testemunhas do sr. d'Épinay.

A notícia causou alvoroço na casa. A sra. de Villefort mal podia acreditar e, para Valentine, foi como se um raio a fulminasse.

Ela quis ir ver o avô, mas encontrou o pai na escada e foi levada para a sala.

No saguão, passando por Barrois, lançou ao fiel servidor do seu avô um olhar de desespero.

Logo em seguida, a sra. de Villefort entrou também na sala, com o pequeno Édouard. Era visível como os sofrimentos da família também a afetavam, pois estava pálida e parecia extremamente cansada.

Duas carruagens foram ouvidas manobrando no pátio.

Uma era do tabelião; a outra, de Franz e seus dois amigos.

Em pouco tempo, todos estavam reunidos na sala.

O notário, com o método de praxe dos homens da lei, organizou os papéis em cima da mesa, sentou-se numa poltrona, tirou os óculos e começou, virando-se para Franz:

— É Franz de Quesnel, barão de Épinay? — perguntou ele, apesar de saber perfeitamente que sim.

— Sou — respondeu Franz.

O tabelião o cumprimentou.

— A pedido do sr. de Villefort, devo, então, dizer que o seu casamento projetado com a srta. de Villefort mudou as disposições do sr. Noirtier com relação à neta, fazendo-o totalmente alienar a fortuna que a ela se destinaria.

— É bastante desagradável que se tenha, diante da srta. Valentine, levantado tal questão. Nunca procurei me informar sobre o montante da sua fortuna que, por mais reduzida que seja, é mais considerável que a minha.

— Aliás — atalhou Villefort, dirigindo-se ao futuro genro —, afora essa perda de parte das expectativas pecuniárias, esse testamento inesperado em nada deve feri-lo pessoalmente. A única explicação é a fragilidade mental do sr. Noirtier. O que o desagrada não é absolutamente que a srta. de Villefort se case com o senhor, é que Valentine, simplesmente, se case. A união com qualquer outro noivo teria inspirado a mesma reação.

Assim que Villefort terminou essas palavras, agradecidas por Franz com um gesto, a porta da sala foi aberta, e Barrois entrou.

— Senhores — disse ele, com uma voz estranhamente firme para um empregado que se dirige a seus superiores, numa circunstância solene —, o sr. Noirtier de Villefort deseja, com toda urgência, falar com o sr. Franz de Quesnel, barão d'Épinay.

O notário olhou para Villefort.

— Não será possível satisfazê-lo — disse o procurador do rei. — O sr. d'Épinay não pode deixar a sala neste momento.

— Mas é exatamente neste momento — retomou Barrois com a mesma firmeza — que o sr. Noirtier, meu patrão, deseja falar com o sr. Franz d'Épinay, sobre assuntos importantes.

— Valentine — disse o sr. de Villefort —, vá saber que novidade é essa do seu avô.

— Peço perdão — foi a vez de Franz se pronunciar —, creio que devo também ir ver o sr. Noirtier, uma vez que foi a mim que ele chamou.

Assim, sem dar tempo a novos argumentos, Franz levantou-se e foi atrás de Valentine, que já descia a escada com a alegria do náufrago que toca com a mão um rochedo.

O sr. de Villefort os seguiu.

XLVIII
A ata

Noirtier aguardava, vestido de preto, em sua cadeira de rodas.

Quando as três pessoas entraram, ele olhou para a porta, que Barrois imediatamente fechou.

Villefort se aproximou do pai e disse:

— Aqui está o sr. Franz d'Épinay. O senhor pediu, e ele quis atendê-lo. Trata-se de um encontro que há muito gostaríamos de realizar, pois mostrará o quanto a sua oposição ao casamento de Valentine é infundada.

Noirtier respondeu apenas com um olhar que gelou as veias de Villefort.

Como sempre, com o olhar, ele fez sinal para que Valentine se aproximasse.

Em pouco tempo, graças aos meios que já se tornavam habituais na comunicação com o avô, ela chegou à palavra *chave*.

Então, ela observou que o olhar do paralítico estava fixado na gaveta de um pequeno móvel, situado entre duas janelas.

A gaveta foi aberta e, efetivamente, lá dentro havia uma chave.

Com a chave na mão e tendo o enfermo feito sinal de realmente ser o que ele pedia, Valentine continuou a seguir o olhar, que se dirigiu a uma velha cômoda, que parecia ser utilizada apenas para guardar papelada inútil.

A jovem abriu uma das gavetas e tirou alguns papéis.

— É o que quer, vovô?

— Não.

Ela foi pouco a pouco retirando tudo que havia, até nada mais restar.

— A gaveta agora está vazia.

Os olhos de Noirtier se fixaram, então, no dicionário.

— Entendi, vovô.

Ela repetiu, na ordem, as letras do alfabeto. No S, Noirtier fez sinal.

O dicionário foi aberto e os dois chegaram à palavra *segredo*.

— Ah! Um segredo — exclamou a neta.

— Sim.

Valentine foi até a porta e chamou Barrois.

O velho camareiro entrou.

— Barrois — disse Valentine —, meu avô me mandou abrir essa cômoda e tirar a gaveta. Há um segredo nela, preciso que abra.

Barrois olhou para a cadeira de rodas.

— Obedeça! — significou o olhar inteligente de Noirtier.

Ele obedeceu. Foi assim que um fundo falso foi aberto, deixando que se visse um amontoado de papéis amarrados por uma fita preta.

— É o que procura? — perguntou Barrois.

— Sim — exprimiu Noirtier.

— A quem devo entregar esses papéis, ao sr. de Villefort?

— Não.

— À srta. Valentine?

— Não.

— Ao sr. Franz d'Épinay?

— Sim.

Surpreso, o rapaz deu um passo à frente e quis confirmar.

— A mim?

— Sim.

Franz pegou os papéis com Barrois e, dando uma olhada na capa, leu:

— “Para ser entregue, após minha morte, a meu amigo general Durand que, ele próprio morrendo, deve legar esses documentos a seu filho, com a ordem expressa de que os conserve como algo da mais alta importância.”

— E o que devo fazer com estes papéis? — perguntou o rapaz.

— Conservá-los selados como estão, provavelmente — disse o procurador do rei.

— Não, não — disse Noirtier, agitado.

— Quer que ele os leia? — perguntou Valentine.

— Sim — respondeu o olhar do velho.

— Meu avô pede que o sr. barão leia o documento — explicou Valentine a Franz.

— Então, vamos sentar — disse Villefort com impaciência —, pois isso vai levar algum tempo.

Franz desfez o pacote e um grande silêncio se fez no cômodo.

Em meio a esse silêncio, ele leu:

— “Ata de uma sessão do grupo bonapartista da rua Saint-Jacques, em 5 de fevereiro de 1815.”

Franz parou.

— É o dia em que meu pai foi assassinado!

Valentine e Villefort permaneceram mudos, mas o olho do enfermo claramente dizia: Continue.

— Foi saindo de lá — continuou Franz — que meu pai desapareceu!

O olhar continuava a significar: Leia.

Ele obedeceu:

— “Os abaixo-assinados, Louis-Jacques Beaurepaire, tenente-coronel de artilharia; Étienne Duchamp, general de brigada, e Claude Lecharpal, diretor do Departamento de Águas e Florestas,

“Declaram que em 4 de fevereiro de 1815 uma carta chegou da ilha de Elba, recomendando à boa disposição e à confiança dos membros do grupo bonapartista o general Flavien de Quesnel que, tendo servido ao imperador de 1804 a 1815, era leal à dinastia napoleônica, apesar da condição de baronato com que Luís XVIII acabava de diplomar sua propriedade de Épinay.

"Por causa desta carta, endereçou-se um bilhete ao general de Quesnel, convidando-o à sessão do dia 5. O bilhete não indicava a rua nem o número da casa em que se daria a reunião, não comportava assinatura alguma, mas dizia ao general que, caso ele se dispusesse, viriam buscá-lo às nove horas da noite.

"Às nove horas, o presidente do grupo foi à casa do general. Ele estava pronto. O presidente lhe disse que uma das condições impostas era que o convidado ignorasse por completo o local da reunião, deixando que lhe vendassem os olhos sem, de forma alguma, tentar erguer a faixa.

"O general aceitou e prometeu, por sua honra, não procurar ver para onde estava sendo levado.

"No caminho, o presidente achou que o general tentava ver por baixo da venda e o fez se lembrar da promessa feita.

"'Ah! É verdade', disse o general.

"O coche parou diante de uma alameda da rua Saint-Jacques, o general desceu com a ajuda do presidente, cujo posto ele ignorava e que ele achava apenas ser um dos membros do grupo. Atravessaram a alameda, subiram um andar e entraram na sala de deliberações.

"A sessão já havia começado. Todos do grupo estavam presentes. No meio da sala, permitiram que o general retirasse a venda, e ele pareceu bem surpreso de encontrar tantos conhecidos, numa sociedade da qual ele, até então, sequer imaginava a existência.

"Foi mostrada ao general a carta da ilha de Elba, que o recomendava ao grupo como alguém com quem se podia contar. Todo um parágrafo mencionava o provável retorno da ilha de Elba e prometia nova carta, com maiores detalhes, que chegaria pelo *Faraó*, navio do armador Morrel, de Marselha, comandado por um capitão plenamente fiel ao imperador.

"Durante a leitura, o general, que todos ali acreditavam poder considerar um irmão, dava visíveis sinais de contrariedade e repúdio.

"Terminada a leitura, ele permaneceu calado e hostil.

"'Então?', perguntou o presidente. 'O que o general tem a dizer a respeito dessa carta?'

"'Tenho a dizer que prestei juramento ao rei Luís XVIII há muito pouco tempo para violá-lo tão rapidamente a favor do ex-imperador.'

"A resposta era clara e não permitia qualquer dúvida quanto aos seus sentimentos.

"'General', disse o presidente, 'não há, para nós, rei Luís XVIII, como não há ex-imperador. Reconhecemos apenas Sua Majestade o imperador e rei, há dez meses afastado da França, seu Estado, pela violência e pela traição.'

"'Pode ser que para os senhores não haja um rei Luís XVIII', disse o general, 'mas para mim, sim, uma vez que me tornou barão e marechal. Devo, então, sempre me lembrar que devo esses dois títulos a seu feliz retorno ao trono da França.'

"Um murmúrio generalizado acolheu essas palavras; então, foi possível ver, pelos olhares de muitos dos presentes, que eles pensavam em fazer o sr. d'Épinay se arrepender daquela imprudente declaração.

"O presidente impôs silêncio e disse:

"'General, o senhor é alguém grave e lúcido o bastante para compreender as consequências da situação em que todos nos encontramos. Sua franqueza nos impõe as condições que somos obrigados a estabelecer: precisa jurar por sua honra nada revelar do que ouviu.'

"O general levou a mão à espada e exclamou:

"'Se pretende falar de honra, comece por respeitar as suas leis e não queira nada impor pela violência.'

"'E o senhor, general', continuou o presidente, com uma calma talvez mais assustadora que a ira do adversário, 'não toque na espada, é um conselho que dou.'

"Olhando em volta, o general demonstrou um início de apreensão.

"Mesmo assim, não hesitou e, pelo contrário, fez apelo à toda a sua força:

"'Não jurarei.'

"'Nesse caso, general, morrerá', respondeu tranquilamente o presidente.

"O sr. d'Épinay ficou muito pálido. Olhou de novo ao redor: vários dos participantes cochichavam e procuravam as armas sob as capas.

"'Mas fique tranquilo, general', continuou o presidente, 'encontra-se entre pessoas honradas que vão tentar, ao máximo, convencê-lo, antes de chegar ao último recurso. Como o senhor mesmo disse, somos conspiradores e um segredo nosso foi-lhe transmitido: é preciso que o devolva.'

"Um silêncio cheio de significados seguiu essas palavras, e como o general nada respondia, o presidente ordenou:

"'Fechem as portas!'

"Subjugado pela firmeza do tom, o general pensou um pouco e, enfim, avançou até a escrivaninha do presidente e perguntou:

"'Qual é a fórmula?'

"'Esta: Juro, por minha honra, nunca revelar a pessoa alguma no mundo o que vi e ouvi em 5 de fevereiro de 1815, entre nove e dez horas da noite, e declaro merecer a morte, caso viole esse juramento.'

"Um tremor nervoso pareceu percorrer o general que, por alguns segundos, ficou impedido de responder. Depois, superando uma clara repugnância, ele pronunciou o juramento, mas num tom muito baixo e que mal se ouvia. Muitos, então, exigiram que o juramento fosse repetido em voz mais alta e distinta, o que foi feito.

"'Agora quero me retirar', disse o general. 'Estou livre?'

"O presidente se levantou, designou três participantes para acompanhá-lo e tomou o coche com o general, que novamente teve os olhos vendados.

"Entre os três membros escolhidos, estava o cocheiro que os havia trazido.

"Os demais membros do grupo se separaram em silêncio.

"'Onde quer que o deixemos?', perguntou o presidente.

"'Em qualquer lugar onde eu esteja livre da presença dos senhores', respondeu o barão d'Épinay.

"'General', respondeu, então, o presidente, 'cuidado com o que diz, não está mais na reunião, mas lidando com homens isolados. Não os insulte, se não quiser ser responsabilizado pelo insulto.'

"No entanto, em vez de entender tal linguagem, o sr. d'Épinay respondeu:

"'O senhor é tão corajoso neste coche quanto na sua reunião, uma vez que quatro homens podem mais do que um só.'

"O presidente mandou parar o veículo.

"Estavam à beira do Sena, justamente no ponto do cais de Ormes em que uma escada desce até o rio.

"'Por que mandou parar aqui?', perguntou o barão.

"'O senhor insultou um homem', disse o presidente, 'e ele não pretende dar mais um passo sem francamente lhe pedir reparação.'

"O general imediatamente retirou o lenço que lhe cobria os olhos e disse:

"'Finalmente verei com quem estou lidando.'

"A portinhola do coche foi aberta, os quatro homens desceram..."

Franz parou. Enxugou o suor frio que escorria da sua testa. Era um tanto estranho ver o filho trêmulo e pálido, lendo em voz alta detalhes até então ignorados sobre a morte do seu pai.

Valentine juntou as mãos como se rezasse.

Noirtier olhava para Villefort com uma expressão quase sublime de desprezo e orgulho.

Franz continuou:

— "Era, como foi dito, o dia 5 de fevereiro. Fazia cinco ou seis graus e a escada estava escorregadia de gelo dos últimos três dias. Para descer, o presidente deixou ao general, que era pesado e grande, o lado da rampa.

"Uma das testemunhas foi buscar uma lanterna num barco que transportava carvão e, sob essa iluminação, as armas foram examinadas.

"A lanterna foi deixada no chão, os dois adversários se postaram um de cada lado e o combate teve início.

"A luz fazia as duas espadas parecerem raios. Já os duelistas, mal se podia vê-los, de tão escuro que estava.

"O general era tido como um dos melhores espadachins do Exército, mas foi tão violentamente atacado logo às primeiras estocadas que perdeu o equilíbrio e, assim, caiu.

"Achou-se que havia escorregado, mas as testemunhas, vendo que ele não se levantava, aproximaram-se para ajudá-lo a se pôr de pé. Quem o pegou pelo tronco sentiu na mão um calor.

"Era sangue.

"O general d'Épinay entrou em agonia e expirou cinco minutos depois..."

Franz leu essas últimas palavras com a voz tão abafada que quase não se podia ouvir. Daí, então, parou, passando a mão nos olhos como se quisesse afastar uma bruma.

Após um instante de silêncio, entretanto, continuou:

— "O presidente subiu a escada depois de embainhar a espada; um traço de sangue marcava o seu trajeto na neve. Ainda não havia chegado no alto da escada quando ouviu o som de um volume caindo na água: era o corpo do general, que as testemunhas acabavam de lançar no rio, depois de constatar a morte.

"O general morreu num duelo franco e leal e não vítima de uma armadilha, como houve quem dissesse.

"Para estabelecer a verdade sobre os fatos aqui narrados, temendo a possibilidade de um dos participantes daquela cena terrível ser acusado de morte com premeditação ou de infidelidade às leis da honradez, assinam o presente auto:

"Beauregard, Duchampy e Lecharpal."

— Uma vez que o senhor tem conhecimento dessa terrível história em seus detalhes — disse d'Épinay a Noirtier —, uma vez que tem assinaturas da mais alta credibilidade que a certificam, uma vez, também, que parece se interessar por mim, mesmo que tal interesse só tenha se revelado pela dor, não me negue uma última satisfação: o nome do presidente daquela associação, para que eu, enfim, saiba quem matou meu pai.

Noirtier olhou para o dicionário.

Franz pegou-o com um tremor nervoso e foi pronunciando as letras do alfabeto até a letra E, quando o enfermo fez sinal afirmativo.

— E? — repetiu Franz.

O dedo do rapaz deslizou pelas palavras, às quais Noirtier respondia com um sinal negativo.

Valentine escondia o rosto entre as mãos.

Franz chegou à palavra EU.

— Sim! — indicou o velho.

— O senhor! — exclamou Franz, com os cabelos se arrepiando na cabeça. — Então foi o senhor que matou meu pai?

— Sim — respondeu Noirtier, fixando no rapaz um olhar majestoso.

Franz caiu sem forças numa poltrona.

Villefort abriu a porta e saiu às pressas, pois lhe viera a tentação de sufocar aquele resto de existência que sobrevivia ainda no peito do terrível velho.

XLIX
Escreveram-nos de Janina

Franz deixou o quarto de Noirtier tão vacilante e perturbado que até Valentine ficou com pena dele.

Villefort, que só conseguira articular umas poucas palavras esparsas e foi se trancar em seu escritório, duas horas depois recebeu a seguinte notificação:

"Depois de tudo que se revelou esta manhã, o sr. Noirtier de Villefort não pode supor possível uma aliança entre a sua família e a do sr. Franz d'Épinay."

Valentine, por sua vez, sentindo-se feliz, mas também assustada, depois de dar um beijo agradecido no frágil ancião que acabava, daquela forma, de quebrar uma cadeia já considerada indissolúvel, pediu para se retirar.

No entanto, em vez de subir a seus aposentos, ela tomou o corredor e, saindo pela porta dos fundos, dirigiu-se ao jardim.

Chegou ao gradil em que era ansiosamente esperada, pois Maximilien, prevendo o que aconteceria ao ver Franz deixar o cemitério com Villefort, o havia seguido e, sucessivamente, visto ele entrar, em seguida sair e ainda voltar, com Albert e Château-Renaud. Com isso, não tinha mais dúvidas. Correu, então, para aquela área cercada do jardim, disposto a tudo e certo de que, na primeira ocasião, Valentine viria encontrá-lo.

Assim que a viu, ele se acalmou e, ouvindo a primeira palavra pronunciada, saltou de alegria.

— Salvos! — foi o que disse Valentine.

— Salvos! — repetiu o rapaz, sem poder acreditar em tamanha felicidade. — E salvos por quem?

— Meu avô. Ah, sejamos gratos a ele!

— Mas como aconteceu? De que maneira?

Valentine já abria a boca para contar, mas achou haver em tudo aquilo um terrível segredo que não pertencia apenas ao velho bonapartista.

— Mais tarde contarei tudo.

— Mais tarde, quando?

— Quando eu for sua.

Enquanto isso, a sra. de Villefort tinha ido aos aposentos de Noirtier, que a recebeu com o olhar sombrio e severo com que sempre a recebia.

— Não preciso lhe contar que o casamento de Valentine foi desfeito, pois foi aqui que isso se deu — disse ela.

Noirtier manteve-se impassível; ela, então, continuou:

— O que o senhor não sabe é que eu mesma sempre me opus a esse casamento, que se celebraria contra a minha vontade.

Noirtier olhou para a nora como quem espera uma explicação.

— Agora que esse casamento, que sei o quanto o contrariava, foi rompido, vim pedir — continuou a sra. de Villefort — que devolva à sua neta, não o seu carinho, que nunca deixou de existir, mas a sua herança.

Os olhos de Noirtier permaneceram indecisos por um momento: com toda evidência, ele procurava entender a razão daquela iniciativa, mesmo que, no entanto, não conseguisse.

— Posso esperar, meu sogro, que suas intenções estejam em conformidade com o pedido que acabo de fazer?

— Sim — exprimiu o velho.

— Nesse caso, me retiro, grata e feliz.

Cumprimentando o enfermo, a sra. de Villefort saiu.

E, de fato, no dia seguinte, Noirtier mandou chamar o notário. O testamento anterior foi rasgado; então, redigiram outro com toda a sua fortuna sendo legada à neta, sob a condição de que ela permanecesse na sua proximidade.

Houve, então, quem calculasse que a srta. de Villefort, herdeira do marquês e da marquesa de Saint-Méran, voltando às boas graças do avô, seria dona, um dia, de uma renda de quase trezentas mil libras.

Enquanto na casa dos Villefort o antigo projeto de casamento se desmanchava, na dos Morcerf, o conde envergava seu pomposo uniforme de tenente-coronel, ornado com todas as suas condecorações.

Ele, em seguida, pediu os melhores cavalos que tinha na cocheira e, com todo aparato, dirigiu-se à rua da Chaussée-d'Antin, onde pediu que o anunciassem a Danglars, ocupado com seu balanço de fim de mês.

— Vim aqui, barão, pois já faz um tempo que rodamos em torno das palavras que há muito trocamos ... — explicou-se.

Morcerf achou que, ouvindo isso, veria a fisionomia do banqueiro se desanuviar, mas, pelo contrário, ele se tornou ainda mais friamente impassível e perguntou:

— Quais palavras, conde?

— Ah! O senhor aprecia as formalidades e quer me lembrar de que o cerimonial deve seguir um protocolo. Bom, que seja! Deve me desculpar, pois tenho um único filho e é a primeira vez que penso em casá-lo; ou seja, sou um novato nesse assunto. Vou tentar.

Com um sorriso forçado, Morcerf se levantou, fez uma profunda reverência e começou:

— Sr. barão, tenho a honra de pedir a mão de sua filha, srta. Eugénie Danglars, em nome de meu filho, visconde Albert de Morcerf.

Danglars, no entanto, manteve uma expressão dura e, sem propor que o conde voltasse a se sentar, simplesmente disse:

— Preciso pensar antes de responder, sr. conde.

— São palavras vagas, que talvez bastassem para outra pessoa, não fosse essa pessoa o conde de Morcerf. Mas quando um homem como ele lembra a outro um acordo apalavrado, vê-lo recuar o deixa no direito de, no mínimo, exigir uma boa razão para isso.

Danglars era covarde, mas procurava evitar que isso transparecesse. Sentiu-se, então, forçado a rebater a assertiva, mantendo o mesmo tom:

— Não me faltam boas razões — respondeu ele.

— O senhor há de entender que não posso aceitar tanta reticência. Uma coisa, em todo caso, me parece clara, o senhor não deseja esta aliança.

— Não foi o que eu disse, apenas adiei minha decisão.

— E acredita que eu vá me submeter aos seus caprichos, a ponto de humildemente esperar sua boa vontade?

— Se o sr. conde não pode esperar, devemos considerar desfeitos nossos projetos.

Morcerf já se dirigia à porta, mas resolveu voltar e dizer:

— Há muitos anos nos conhecemos, meu caro Danglars, e por isso devemos nos tratar com respeito. O senhor me deve uma explicação.

— Não se trata de nada pessoal com relação ao visconde, é tudo que posso dizer.

Um tremor nervoso agitou o militar que, com um violento esforço de autocontrole, respondeu:

— Tenho o direito de exigir uma explicação. Seria contra a sra. de Morcerf que tem alguma coisa? Ou minha fortuna não é suficiente?

— Sr. conde, como disse, não pretendo me explicar.

— Entendo, não falemos mais sobre isso.

E, amassando com raiva as luvas, Albert se retirou.

No dia seguinte, ao acordar, Danglars pediu os jornais. Afastou três ou quatro deles e escolheu o *L'Impartial*, do qual Beauchamp era redator-chefe. Abriu o envelope externo, percorreu as páginas com ansiedade e, chegando à seção das notícias sociais, deteve-se com um sorriso perverso numa coluna com o seguinte título: *Escreveram-nos de Janina*.

"Bom", pensou, depois de ler, "esse simples artigo sobre o coronel Fernand vai me poupar das explicações ao sr. conde de Morcerf."

Naquele mesmo momento, ou seja, quando soavam as nove horas, Albert de Morcerf, vestido de preto e metodicamente abotoado, com passadas curtas e rápidas, sem falar muito, apresentava-se na casa da avenida Champs-Élysées.

Um segundo depois, Monte Cristo apareceu.

— Desculpe-me o assédio, meu caro conde — explicou-se o visitante —, e começo eximindo de culpa os seus empregados, eu é que estou sendo impertinente.

— Isso me deixa a esperança de que tenha vindo para almoçar?

— Não, obrigado, não se trata de almoçar a essa hora. Talvez almocemos mais tarde, mas em má companhia, devo dizer!

— O que está dizendo?

— Caro conde, tenho um duelo.

— Você? E por quê?

— Por questão de honra.

— Ah! Isso é serio.

— Tão sério que vim pedir um favor.

— Qual?

— O de ser minha testemunha.

— Então a coisa é grave.

Monte Cristo levou Morcerf ao escritório e indicou uma poltrona. Os dois se sentaram.

— Com quem será o duelo?

— Com Beauchamp.

— O que ele fez?

— O jornal dele, na edição de ontem à noite... Não, é mais fácil que leia.

Albert passou a Monte Cristo o jornal, em que ele pôde ler:

"Escreveram-nos de Janina.

Um fato até então ignorado ou, no mínimo, inédito, chegou a nosso conhecimento: as fortificações que defendiam a cidade foram entregues aos turcos por um oficial francês chamado Fernand, que contava com toda a confiança do vizir Ali-Tebelin."

— E qual é o problema? — perguntou Monte Cristo. — O que tanto o incomoda nesse artigo?

— O que me incomoda?

— Sim. Que importância pode ter para você o fato de um oficial chamado Fernand ter entregado os castelos de Janina?

— A importância é por meu pai ter Fernand como nome de batismo.

— E ele serviu a Ali Paxá?

— Ele combateu pela independência grega, e é onde se situa a calúnia. Como herdeiro do nome de meu pai, não posso admitir que paire qualquer dúvida sobre esse nome. Enviarei duas testemunhas a Beauchamp, responsável pelo jornal que publicou a notícia, e ele terá que se retratar.

— Beauchamp não fará isso.

— Nesse caso, teremos um duelo.

Morcerf pegou seu chapéu e saiu.

Do lado de fora, avistou a pequena carruagem que o esperava e, contendo o quanto podia a raiva, foi à residência de Beauchamp, que se encontrava na redação do jornal. Albert, então, dirigiu-se para lá. O jornalista estava numa sala escura e empoeirada, como, desde sempre, são os escritórios nesse tipo de casa.

Albert de Morcerf foi anunciado. O nome precisou ser repetido e, mesmo sem estar ainda convencido, o redator-chefe gritou: Entre!

Albert apareceu.

Beauchamp ficou surpreso ao constatar que, de fato, era o amigo que atravessava os amontoados de papel.

— É você, Morcerf? O que o traz aqui?

— Vim pedir uma retificação.

— Explique-se.

— Uma retificação sobre um artigo que afeta a honra de um membro da minha família.

— O quê?! — surpreendeu-se Beauchamp. — Que artigo? É impossível.

— Aquele sobre Janina.

— De Janina?

— Isso mesmo, de Janina. Pelo visto você parece ignorar o que me trouxe aqui.

— Completamente... Baptiste! um exemplar do jornal de ontem! — gritou Beauchamp.

— Não é preciso, trouxe o meu.

Beauchamp leu, confusamente:

— "Escreveram-nos de Janina etc."

— Deve compreender que se trata de algo bem grave — disse Morcerf, quando Beauchamp terminou.

— Esse oficial é parente seu?

— Nada mais nada menos que meu pai! E por isso quero que o artigo seja desmentido.

Ouvindo a palavra *quero*, Beauchamp ergueu os olhos até Morcerf e, baixando-os quase de imediato, ficou pensativo.

— O artigo será desmentido, não é, Beauchamp?

— Será — confirmou o jornalista.

— Ótimo.

— Mas assim que eu constatar a falsidade da informação. Ela não passou por mim, nem tive conhecimento. Mas sua atitude chamou minha atenção. O artigo continuará até que se desminta ou se confirme o que foi informado.

— Senhor — disse Albert, pondo-se de pé —, terei, então, que lhe enviar minhas testemunhas.

— Meu caro, não me oponho a que mutuamente nos cortemos a garganta, mas quero três semanas. Dentro de três semanas lhe direi: Você tem razão, o artigo é falso, e o apago. Ou: Sinto, mas o artigo é verdadeiro, e tiro as espadas da bainha ou as pistolas da caixa; deixo-lhe a escolha.

— Três semanas — exclamou Albert —, três semanas são três séculos, durante os quais me sentirei desonrado!

— Sr. Albert de Morcerf — disse Beauchamp, pondo-se também de pé —, só dentro de três semanas posso jogá-lo janela abaixo, isto é, dentro de 24 dias, e o senhor só terá o direito de me rachar ao meio depois desse prazo. Isto é, sendo hoje 29 de agosto, ficamos combinados para o dia 21 do mês de setembro. Até lá, por favor, evitemos de latir como dois cães raivosos acorrentados à distância.

L
A limonada

Morrel andava com passadas atléticas, enquanto o pobre Barrois o seguia como podia. Morrel tinha 31 anos; Barrois, sessenta. Além disso, Morrel estava embriagado de amor; Barrois, transtornado com o forte calor. Os dois homens, distantes em seus interesses e pela idade, eram como as duas linhas que formam um triângulo: separadas pela base, mas que se juntam no topo. E o topo era Noirtier, que mandara buscar Morrel, pedindo urgência.

O velho empregado fez Morrel entrar pela porta particular, fechou a que ligava o cômodo à casa e, pouco depois, o roçar de um vestido no piso indicava a presença de Valentine.

O sonho se tornava tão doce que Morrel quase abriria mão da conversa com Noirtier, mas logo em seguida a cadeira de rodas do velho rangeu no chão e ele entrou.

— Sr. Morrel — disse Valentine ao rapaz que a devorava com os olhos —, meu avô tem mil coisas a lhe dizer.

— Estou impaciente para isso, senhorita; por favor, pode falar.

— Meu avô quer deixar esta casa — ela começou. — Barrois já procura um local. Não quero me afastar de meu avô, foi o que combinei com ele. Pode ser que eu tenha, ou não, o consentimento de meu pai para ir morar com vovô. No primeiro caso, parto com ele desde já, no segundo, espero minha maioridade por ainda dez meses. Estarei livre, terei uma fortuna independente e...

— E...? — perguntou Morrel.

— E, com a autorização de vovô, manterei a promessa que lhe fiz.

Morrel levou a mão ao peito.

Noirtier observava os dois com carinho. Barrois, que ficara no fundo, como alguém de quem nada precisa se esconder, sorria, enxugando as gotas de suor que ainda escorriam da sua calva cabeça.

— Santo Deus, como sente calor nosso querido Barrois — observou Valentine!

— Ah! — respondeu ele. — É porque corri muito, mas, devo reconhecer, o sr. Morrel vinha ainda mais rápido.

Noirtier indicou uma bandeja com um jarro de limonada e um copo. O jarro não estava cheio, faltando o que ele próprio havia bebido meia hora antes.

— Por favor, Barrois — disse a jovem —, beba, pois vejo que não tira os olhos dessa jarra já pela metade.

— É bem verdade que morro de sede e gostaria muito de um copo de limonada, que eu beberia à saúde da senhorita.

— Esteja à vontade — encorajou-o a moça.

Valentine e Morrel já se despediam, quando se ouviu a campainha na escada de Villefort.

— Quem pode ser? — perguntou Valentine.

— O dr. d'Avrigny — respondeu Barrois que, nesse momento, sentiu as pernas fraquejarem.

— O que foi isso, Barrois? — preocupou-se Valentine.

— Ele vai cair! — gritou Morrel.

De fato, o tremor que acometera Barrois gradativamente aumentava. Os traços do rosto, numa movimentação convulsiva dos músculos faciais, prenunciavam a iminência de uma forte crise.

Barrois deu alguns passos na direção de Noirtier.

— Deus do céu! Meu Deus! O que estou tendo?... Não me sinto bem... Não enxergo mais.

Os olhos dele pareciam realmente saltar para fora das órbitas, esgazeados, enquanto a cabeça caía para trás e o corpo inteiro se contraía.

— Dr. d'Avrigny! Dr. d'Avrigny! — gritou Valentine com a voz descontrolada. — Por favor! Socorro!

Barrois deu um giro, depois três passos atrás, balançou e foi cair aos pés de Noirtier. Com a mão no joelho do velho, ele conseguiu ainda dizer:

— Patrão! Meu bom patrão!

Naquele instante, tendo ouvido os gritos, Villefort apareceu à entrada da sala.

Morrel largou Valentine quase desmaiada e, com um salto rápido, procurou uma parede, escondendo-se atrás da cortina.

Com o rosto congestionado, os olhos injetados de sangue, a cabeça pendendo para trás, Barrois jazia, batendo com as mãos no assoalho. Uma espuma aflorou nos seus lábios e ele resfolegava com visível dor. Estupefato, Villefort parecia hipnotizado pela cena e não havia notado Morrel.

— Doutor! Doutor! — gritou ele, voltando à porta. — Venha rápido! Venha rápido!

— Senhora! Senhora! — gritou por sua vez Valentine à madrasta. — Traga seu vidro de sais!

A sra. de Villefort desceu sem pressa. Numa mão tinha um lenço, que ela passava no rosto, e na outra, um vidrinho com sais ingleses.

Chegando à porta, seu primeiro olhar foi para Noirtier que, exceto pela emoção bem natural causada pela situação, parecia estar no estado de saúde de sempre. O segundo olhar se dirigiu ao moribundo.

— Ele comeu há pouco tempo?

— Ele não almoçou, mas havia corrido para atender a um pedido de vovô — disse Valentine. — Já aqui, tomou um copo de limonada.

A sra. de Villefort estremeceu. Com seu olhar profundo, Noirtier não perdia uma das suas reações.

— Onde está o dr. d'Avrigny — insistiu Villefort com a esposa. — Rápido, diga!

— Está no quarto de Édouard, que não se sentia muito bem — respondeu ela.

Villefort partiu escada acima.

— Tome — disse a Valentine a madrasta, entregando o vidro de sais. — Provavelmente farão uma sangria; volto aos meus aposentos, pois não suporto ver sangue.

E ela tomou o mesmo caminho que o marido.

Morrel saiu do seu esconderijo, onde passara completamente despercebido, de tão grande que era a preocupação geral. Apertou a mão de Valentine contra o peito e saiu pelo corredor privativo de Noirtier.

Ao mesmo tempo, Villefort e o médico entravam pela porta oposta.

Barrois começava a recuperar os sentidos: a crise havia passado, a voz voltou chorosa e ele se ergueu nos joelhos.

D'Avrigny e Villefort o levaram até um divã.

— O que quer que façamos, doutor? — perguntou Villefort.

— Que todos se retirem.

— Eu também? — perguntou timidamente Valentine.

— A senhorita principalmente — respondeu com certa rudeza o médico, que fechou a porta, assim que ela saiu.

— Como se sente, Barrois?

— Um pouco melhor, doutor.

— O que comeu hoje?

— Nada, apenas bebi um copo da limonada do sr. Noirtier, só isso.

— Onde está essa limonada? — perguntou com alguma rispidez o médico.

— Na jarra, lá embaixo.

— Em que lugar exatamente?

— Na cozinha.

D'Avrigny deu um pulo, abriu a porta, precipitou-se pela escada de serviço e quase derrubou a sra. de Villefort, que também descia.

O médico pouco se importou, tomado por uma ideia fixa. Pulou os três ou quatro últimos degraus, chegou alvoroçado à cozinha e viu a jarra em cima da bandeja, com apenas um quarto do conteúdo.

Ele se atirou sobre a jarra como uma águia sobre a presa.

No mesmo ritmo, voltou ao andar térreo e entrou no quarto.

Derramou um pouco de limonada na palma da própria mão, levou-a à boca, bochechou como se faz com o vinho em degustação e cuspiu o líquido na lareira.

— Por favor, doutor! — exclamou Barrois. — Vai me deixar assim, sem me socorrer? Acho que estou morrendo!

Barrois começou a sofrer um ataque ainda mais violento que o primeiro, até que caiu do divã, contorcendo-se no chão.

O médico deixou-o sofrer a crise, contra a qual sabia que nada podia fazer. Então, correu até Noirtier.

— Foi Barrois que fez a limonada?

— Sim.

— O senhor propôs a ele que bebesse?

— Não.

— O sr. de Villefort?

— Não.

— A senhora?

— Não.

— Valentine, então?

— Sim.

— Barrois, consegue falar? — perguntou d'Avrigny.

O moribundo balbuciou algumas palavras ininteligíveis.

— Quem fez a limonada?

— Eu.

— Quem a trouxe para cá?

— A srta. Valentine.

D'Avrigny bateu na própria testa e murmurou:

— Meu Deus! Meu Deus!

— Doutor, doutor! — chamou Barrois, sentindo vir um terceiro ataque.

Com um grito, ele se projetou para trás como se tivesse sido fulminado. O médico colocou a mão no seu coração e aproximou um vidro dos lábios.

— O quê? — perguntou Villefort.

— Ele está morto.

Villefort recuou três passos, juntou as mãos acima da cabeça e, olhando o cadáver, disse com sincera compaixão:

— Foi tão rápido.

— Realmente muito rápido, não é? — disse d'Avrigny. — Mas não deve se espantar: o sr. e a sra. de Saint-Méran morreram igualmente rápido. Morre-se rápido na sua casa, sr. procurador do rei.

LI
A acusação

— A morte tomou minha casa! — exclamou Villefort.

— O crime — contrapôs o médico.

— Suspeita de alguém!

— Procure a quem o crime favorece, diz um axioma da jurisprudência.

— Meu Deus! — assustou-se Villefort, torcendo-se as mãos.

— Siga a marcha do criminoso: ele matou o sr. de Saint-Méran...

— Doutor!

— Posso jurar. O que me contaram dos sintomas coincide demais com o que acabo de ver aqui.

Villefort parou de se opor e apenas gemeu.

— Ele matou o sr. de Saint-Méran — repetiu o médico — e matou a sra. de Saint-Méran, com dupla herança a receber.

Villefort enxugou o suor que começava a escorrer da sua testa.

— O sr. Noirtier — prosseguiu a voz impiedosa —, que havia feito testamento contra a família e favorecendo os pobres, foi poupado, já que nada se podia esperar dele. Mas bastou que destruísse o primeiro testamento e lavrasse o segundo para ser atacado, provavelmente por receio de que mudasse outra vez de ideia: o novo documento é de anteontem, se não me engano. Como vê, não se perdeu tempo.

— Por favor, dr. d'Avrigny, tenha pena de mim.

— É o meu dever! O médico tem uma missão sagrada na terra. Quando o crime é cometido e Deus não acusa o criminoso, cabe ao médico dizer: Foi ele!

— Tenha pena de minha filha, doutor! — murmurou Villefort.

— O senhor mesmo disse o nome, o senhor, o próprio pai!

— Piedade para Valentine! Ouça, é impossível.

— Não pode haver piedade, sr. procurador do rei, o crime é flagrante. Sr. procurador do rei, eu acuso a srta. de Villefort. Cumpra o seu dever!

Villefort caiu de joelhos.

Sem estender a mão ao dono da casa e sem absolutamente voltar sobre a acusação, o médico saiu, sob as lágrimas e soluços de todos da casa.

LII
O arrombamento

No dia seguinte, o conde de Monte Cristo partia para Auteuil com Ali, além de vários empregados e alguns cavalos que ele queria experimentar.

No momento em que Bertuccio, o intendente do conde, saía para resolver detalhes relativos à estadia na casa, a porta foi aberta pelo mordomo, Baptistin. Tinha um envelope num prato de cobre.

— O que o trouxe aqui? — perguntou o conde, vendo-o coberto de poeira.

Sem nada dizer, Baptistin se aproximou e entregou a carta.

— Importante e urgente — explicou ele.

O conde abriu o envelope e leu:

"Saiba o sr. de Monte Cristo que esta noite um homem vai penetrar em sua casa da Champs-Élysées, em busca de documentos que ele acredita estarem trancados num móvel do gabinete. Sabe-se que o sr. conde é corajoso e não recorrerá à polícia, que poderia comprometer muito o autor deste aviso."

O conde chamou Baptistin, que se retirara depois de entregar a carta, e disse:

— Volte a Paris e traga todos os empregados que ficaram em casa. Preciso de todo mundo aqui, mas de modo que tudo soe aparentemente na mais perfeita normalidade. Apenas feche as janelas do térreo, só isso.

O conde mandou avisar que jantaria sozinho em seus aposentos, apenas com Ali para servi-lo.

Fez a refeição com a tranquilidade e a sobriedade de sempre; depois, fazendo sinal para que Ali o acompanhasse, saiu por uma portinha e se enveredou pelo Bois de Boulogne, como se passeasse. De lá tomou o caminho de Paris e, no cair da noite, já estava diante da sua casa da Champs-Élysées.

Correu à porta lateral com Ali, entrou sem chamar atenção e, pela escada de serviço, da qual tinha a chave, chegou em seu quarto de dormir sem abrir e nem mesmo mover uma só cortina, de forma que o porteiro não pudesse sequer achar que a casa, em princípio vazia, tinha de volta o seu principal morador.

No quarto, ele fez sinal para que Ali parasse onde estava e foi ao gabinete. Examinou bem, mas tudo estava em seu estado habitual: o precioso móvel no lugar e também a chave. Ele o trancou bem, guardou a chave, voltou à porta do quarto, retirou as duas tranquetas do ferrolho e entrou.

Enquanto isso, Ali colocava em cima de uma mesa as armas que o conde havia pedido: uma carabina curta e um par de pistolas de cano duplo. Armado dessa maneira, ele tinha a vida de cinco homens nas mãos.

No relógio do monumento dos Inválidos, os ponteiros marcaram 23h45, com o vento de oeste trazendo, em seus úmidos sopros, a lúgubre vibração das três pancadas.

No momento em que a última delas desaparecia, o conde achou ouvir um leve barulho vindo do gabinete. A esse primeiro barulho, ou melhor, primeiro rangido, seguiram-se um segundo e um terceiro. No quarto, o conde já podia identificá-lo. Alguém com mão firme e acostumada à tarefa, cortava com um diamante os quatro lados de um vidro.

A janela que estava sendo violada ficava bem de frente para a abertura pela qual o conde podia ver o gabinete. Ele fixou, então, os olhos na direção dessa janela: viu uma sombra mais espessa se formar na escuridão e, em seguida, um dos quadrados de vidro ficar totalmente opaco, como se tivessem colado em seu lado externo uma folha de papel. Depois, esse quadrado de vidro estalou, sem cair. Um braço passou pela abertura feita. Um segundo depois, as dobradiças da janela giraram, e um homem entrou. Um só homem.

— Um canalha bem ousado — murmurou o conde.

Nesse momento, ele sentiu Ali encostar de leve em seu ombro. Ele se voltou e o núbio apontou para a janela do quarto em que estavam e que dava para a rua.

Monte Cristo deu três passos até lá e viu outro homem, que se destacou do vão de uma porta e subiu num marco de rua, parecendo tentar ver o que se passava do lado de cá dos muros.

— Então, são dois: um age e o outro fica de tocaia.

Ele fez sinal a Ali para que não perdesse de vista o segundo homem e voltou ao primeiro.

Este tinha entrado e tentava se orientar no escuro, de braços esticados à frente. Parecia ter finalmente tomado conhecimento de certos detalhes: havia duas portas no gabinete, então ele se dispôs a passar o trinco nas duas.

Quando se aproximou da que dava para o quarto de dormir, Monte Cristo achou que ele iria entrar e preparou uma das pistolas, mas ouviu apenas o ruído do ferrolho passando pelos anéis de cobre. Era apenas uma precaução e o visitante noturno, sem saber que o conde havia retirado as tranquetas, podia agora se sentir seguro e agir com toda calma.

Ali ergueu seu machado.

— Não se mexa — disse baixinho para ele Monte Cristo — e pode deixar o machado, não vamos precisar de armas.

Em seguida, acrescentou algumas palavras em voz ainda mais baixa. Era uma ordem, pois Ali imediatamente se afastou na ponta dos pés e despendurou da parede junto à cama um traje escuro e um chapéu de três pontas. Enquanto isso, Monte

Cristo rapidamente tirou a sobrecasaca que usava, o colete e a camisa. Graças ao raio de luz que passava pela fenda da divisória, podia-se ver no seu peito uma daquelas finas e flexíveis túnicas de malha de aço, das quais a última, nessa França em que não se teme mais o punhal, foi talvez aquela usada por Luís XVI, que se protegera de uma facada no peito, mas fora morto por uma machadada na cabeça.

Essa túnica logo desapareceu sob uma batina comprida, do mesmo modo que os cabelos, sob uma peruca com tonsura. O chapéu triangular, sobre a peruca, deu o toque final, transformando o conde em padre.

Sem ouvir o que acontecia, o intruso iniciara o trabalho e, enquanto o dono da casa se metamorfoseava, ele fora até o móvel. A fechadura já começava a estalar sob a pressão de um gancho de arame.

— Bom! — murmurou o conde. — Isso vai levar alguns minutos.

Tranquilo com relação ao gabinete, ele voltou à janela.

O indivíduo, que antes estava em cima de um marco, tinha descido e andava pela rua. Estranhamente, porém, em vez de se preocupar com quem pudesse vir da avenida Champs-Élysées ou da rua Faubourg Saint-Honoré, ele parecia atento ao que se passava na casa do conde, com todos os seus movimentos concentrados em observar o local em que ocorreria o arrombamento.

Monte Cristo deu um tapa na própria testa, enquanto um riso silencioso aflorou em seus lábios.

Aproximando-se de Ali, ele cochichou:

— Continue bem oculto aqui no escuro. O que quer que ouça ou que aconteça, só entre e deixe que o vejam se eu o chamar pelo nome.

Ali acenou com a cabeça, indicando que havia entendido e que obedeceria a essa ordem.

Depois disso, Monte Cristo pegou uma vela num armário, acendeu-a e, no momento em que o ladrão parecia estar mais ocupado com a fechadura, ele abriu com suavidade a porta, tendo o cuidado manter a claridade da vela iluminando bem o seu rosto.

A porta girou tão silenciosamente que o ladrão nada ouviu, mas, para sua surpresa, percebeu que o cômodo subitamente se iluminara, então se virou.

— Ah, boa noite, sr. Caderousse! — disse Monte Cristo. — Que diabo faz aqui a essa hora?

— Padre Busoni! — espantou-se o ladrão.

Sem saber como a estranha aparição chegara ali, pois as portas tinham sido trancadas, ele deixou cair o molho de chaves falsas, paralisado de medo.

O conde se posicionou entre ele e a janela, cortando com isso o meio de fuga para o ladrão, que estava aterrorizado.

— Padre Busoni! — repetiu ele, fixando os olhos esbugalhados no conde.

— E como não? Padre Busoni! O próprio, em pessoa, e fico contente que me tenha reconhecido, meu caro sr. Caderousse, como prova de que temos boa memória, pois, se não me engano, há quase dez anos não nos vemos.

Tanta calma, ironia e força só fizeram crescer em Caderousse um pavor vertiginoso.

— Resolveu, então, roubar o conde de Monte Cristo? — continuou o falso padre.

— Reverendo — murmurou Caderousse, tentando chegar à janela da qual o conde inabalavelmente cortava o caminho —, reverendo, não sei... peço que acredite... juro...

— Um vidro de janela cortado, uma lanterna, um molho de chaves falsas e arames, uma fechadura de toucador semiarrombada; tudo parece bem claro.

— Sr. padre, fui forçado...

— Todo criminoso diz o mesmo.

— Por favor, me desculpe. O senhor já me salvou uma vez, salve-me ainda outra.

— Não me sinto mais tão animado a isso.

— Está sozinho, reverendo? — perguntou Caderousse, juntando as mãos. — Ou trouxe com o senhor policiais prontos a me prender?

— Estou só.

— É tudo que preciso saber! — exclamou o larápio, sacando do colete um canivete já aberto e atacando o peito do conde.

Mas, para seu espanto, em vez de penetrar na carne, o punhal voltou, e já sem corte.

Ao mesmo tempo, o conde o agarrou pelo pulso e o torceu com tamanha força que a arma caiu e o assassino soltou um grito de dor.

Sem se incomodar com isso, o conde continuou a torcer o pulso até que o bandido, com o braço destroncado, caísse, primeiro de joelhos e depois de cara no chão.

Monte Cristo apoiou o pé na sua cabeça e disse:

— Não sei por que não te arrebento logo os miolos, patife!

— Misericórdia! Misericórdia! — implorava Caderousse.

O pé se ergueu.

— Levante-se! — disse o conde.

Caderousse ergueu-se.

— Com os diabos, que força o senhor tem, padre! — reclamou o sacripanta, alisando o braço torcido pelas tenazes de carne e osso que o haviam maltratado. — Caramba! Que punho!

— Cale-se. Deus me concede força para domar bestas ferozes como você. É em nome de Deus que ajo, lembre-se, miserável. Nesse momento, poupá-lo significa ainda servir aos desígnios de Deus.

— Ufa! — suspirou Caderousse, ainda todo doído.

— Agora, vá embora.

— Por onde?

— Por onde veio.

— Quer que eu saia pela janela?

— Não entrou por ela?

Caderousse passou uma perna pelo parapeito e apoiou um pé na escada.

— Desça — mandou o padre, cruzando os braços.

Caderousse compreendeu que nada havia a temer e obedeceu.

Monte Cristo voltou ao quarto e, dando uma olhada rápida no jardim e na rua, primeiro viu Caderousse, que já atravessava o jardim e foi plantar sua escada no final do muro, não querendo sair no mesmo ponto pelo qual tinha entrado.

Depois, passando do jardim para a rua, o conde viu o homem que parecia esperar e que correu para se colocar na esquina, perto da qual desceria o ladrão.

Este último subiu sem pressa a escada e, chegando aos últimos degraus, passou a cabeça por cima do muro para confirmar que a rua estava deserta.

Não se via ninguém nem se ouvia barulho nenhum.

Uma hora da manhã soou nos Inválidos.

Caderousse se colocou a cavalo no alto do muro e puxou a escada. Fincou-a do outro lado para descer, ou melhor, escorregar pelos paus verticais, coisa que ele fez com uma habilidade que comprovava a prática adquirida nesse tipo de exercício.

Descendo dessa maneira, porém, não há como parar. Sem então nada poder fazer, ele viu um homem sair da sombra no momento em que estava no meio da descida. Ainda sem nada poder fazer, viu um braço se erguer no momento em que chegava ao chão e, antes que pudesse se defender, esse braço erguido desceu tão furiosamente nas suas costas que ele largou a escada e gritou:

— Socorro!

Um segundo golpe, logo a seguir, abateu-se na lateral do tronco e ele tombou no chão, gritando ainda:

— Assassino!

Para terminar, pois o ferido rolava pela calçada, o agressor agarrou-o pelos cabelos e o esfaqueou pela terceira vez, no peito.

A essa altura, mesmo que tentasse, Caderousse não podia mais gritar, então apenas gemeu. E gemendo continuou, enquanto três rios de sangue escorriam das três chagas.

Vendo que o ferido não gritava mais, o assassino ergueu pelos cabelos a cabeça, que tinha os olhos fechados e a boca contorcida. Ele, então, deixou que o corpo caísse no chão e desapareceu.

Percebendo que o seu algoz se fora, Caderousse ainda conseguiu se apoiar num cotovelo e, com voz de moribundo, num supremo esforço, gritou:

— Assassinato! Estou morrendo! Socorro, reverendo, socorro!

O lúgubre chamado atravessou a sombra da noite. A porta da escada de serviço foi aberta, depois a porta secundária do jardim. Ali e seu patrão acorreram, trazendo uma tocha acesa.

LIII
A mão de Deus

Ali e seu patrão transportaram o ferido para um quarto, onde o núbio o despiu, seguindo um sinal de Monte Cristo. Constatou-se a gravidade dos três ferimentos. Ali olhou para o conde, perguntando o que fazer.

— Vá chamar o procurador do rei, que mora na Faubourg Saint-Honoré, e traga-o aqui. No caminho, acorde o porteiro e peça que nos consiga um médico.

Ali obedeceu e deixou o falso padre sozinho com Caderousse, ainda sem sentidos.

Quando o infeliz voltou a abrir os olhos, sentado a poucos passos dele, Busoni o olhava, com pesarosa expressão e lábios que se moviam, parecendo murmurar uma oração.

— Um cirurgião, reverendo, um cirurgião! — pediu Caderousse.

— Já foram buscar — respondeu o padre.

— Sei que é inútil quanto à vida, mas quem sabe ganho forças para fazer uma declaração.

— Sobre o quê?

— Sobre o meu assassino.

— Você então o conhece?

— Ah! Que venha alguém e eu possa denunciar o miserável.

— Quer que eu escreva o seu depoimento e você assina?

— Quero... quero... — animou-se Caderousse, com os olhos que brilhavam pela ideia da vingança póstuma.

Monte Cristo escreveu:

"Fui assassinado pelo corso Benedetto."

— Rápido, rápido! — pediu Caderousse. — Não vou conseguir mais assinar.

Monte Cristo passou a pena ao moribundo que, juntando o que lhe restava de forças, assinou e caiu na cama, dizendo:

— Que o reverendo conte o resto. Diga que ele se faz passar por Andrea Cavalcanti, que se hospeda no hotel dos Príncipes e... Ai! Ai! Meu Deus! Estou mesmo morrendo!

Fechando os olhos, Caderousse caiu para trás, com um último grito e um último suspiro.

— Um! — disse misteriosamente o conde, olhando fixo para o cadáver já desfigurado pela horrível morte.

Dez minutos depois, o médico e o procurador do rei chegaram, trazidos pelo porteiro e por Ali, respectivamente, sendo recebidos pelo padre Busoni, que rezava junto ao morto.

LIV
Beauchamp

Por 15 dias, não se falou de outra coisa, em Paris, senão da tão audaciosa tentativa de furto por arrombamento na casa do conde. Morrendo, o ladrão havia assinado uma declaração, indicando um certo Benedetto como seu assassino. A polícia lançou todos os seus agentes para encontrar o homicida.

A faca de Caderousse, a lanterna, o molho de chaves e as roupas, exceto o colete, que desaparecera, foram conservados como indícios, enquanto o corpo era encaminhado para o necrotério.

Todos os empregados da casa confirmaram que tudo aquilo tinha se passado estando o conde em Auteuil. Resumindo, ele nada sabia além do que lhe contara o padre Busoni que, por acaso, havia pedido para passar aquela noite na casa da Champs-Élysées, para uma pesquisa com livros raros da biblioteca.

Chamado para constatar o crime, Villefort quis pessoalmente assumir o caso e conduzia a investigação com o habitual rigor que empregava nas ocorrências criminais a seu encargo.

Só que três semanas se passaram, sem que as buscas dessem qualquer resultado. Com as atenções se voltando para o próximo casamento da srta. Danglars com o conde Andrea Cavalcanti, todos começavam a mais ou menos esquecer a tentativa de roubo na casa do conde e o assassinato do ladrão por seu cúmplice,.

Certa manhã, Albert foi acordado por seu criado, que anunciou a visita de Beauchamp.

Albert esfregou os olhos, disse que mandassem o jornalista esperar na saleta de fumar do térreo, vestiu-se às pressas e desceu.

Beauchamp andava de um lado para o outro e, ao ver o dono da casa, parou.

— Albert — começou ele, com uma tristeza que causou espanto —, por favor, vamos nos sentar e conversar.

— Mas o que é isso? — disse Morcerf com impaciência. — O que significa?

— Significa que estou chegando de Janina.

— Impossível!

— Meu caro Albert, confira no meu passaporte. Veja os vistos: Gênova, Milão, Veneza, Trieste, Delvino, Janina. Nas alfândegas de uma república, de um reino e de um império; agora acredita?

— Santo Deus, Beauchamp! Quantos rodeios para dizer o que espero!

— É que, na verdade, Albert...

Albert ficou tremendamente pálido. Tentou falar, mas a palavra morreu em sua boca.

— Meu caro — disse Beauchamp da forma mais afetuosa —, acredite que eu ficaria felicíssimo de poder apresentar minhas desculpas, que viriam do fundo do coração. Mas, infelizmente...

— Infelizmente o quê?

— A nota do jornal estava certa, meu amigo.

— Como?! O oficial francês...

— Perdoe-me o que vou dizer, mas era o seu pai!

Albert fez um movimento furioso para se lançar contra Beauchamp, mas foi contido, muito mais pela visível sinceridade do que pela mão que o antagonista lhe estendia.

— Fique com isso, amigo — disse ele, tirando do bolso um papel —, é a prova.

Albert desdobrou o papel: uma declaração de quatro importantes moradores de Janina, dizendo que o coronel Fernand Mondego, instrutor militar a serviço do vizir Ali-Tebelin, havia aceitado uma forte soma de dinheiro para entregar o castelo--forte de Janina. As assinaturas eram reconhecidas pelo cônsul francês.

Albert ficou tonto e caiu arrasado numa poltrona.

Não havia mais como duvidar, o nome de família era textualmente citado.

Após um momento de silêncio mudo e doloroso, o corpo todo de Albert reagiu, o peito se inflou, as veias do pescoço saltaram e uma torrente de lágrimas brotou dos seus olhos.

Beauchamp, que com profunda compaixão via o amigo ceder ao paroxismo da dor, aproximou-se e disse:

— Albert, você me compreende, não é? Eu quis pessoalmente ver para ter certeza, esperando que o resultado fosse favorável a seu pai e que eu poderia reparar o erro do jornal. Mas, pelo contrário, as informações confirmam que o oficial instrutor, Fernand Mondego, promovido por Ali Paxá a general responsável pela defesa das fortificações, e o conde Fernand de Morcerf são a mesma pessoa. Estou aqui por me lembrar da honra que me concedeu ao me aceitar como amigo.

Sem se conter mais, Albert abraçou Beauchamp.

— Nobre coração! — exclamou ele.

— Tome — disse Beauchamp, entregando-lhe os papéis.

Albert foi até a vela sempre acesa para os charutos e queimou todos os papéis, até o último pedaço.

— Que tudo isso seja esquecido como um sonho ruim — propôs o jornalista.

— Por favor — concordou Albert. — E que só reste disso a eterna amizade que guardo por meu salvador, amizade que meus filhos manterão pelos seus, amizade que me lembrará sempre que devo a você o sangue das minhas veias, a vida do meu corpo, a honradez do meu nome. Pois se isso se tornasse público, Beauchamp, ah!, posso garantir, eu me estouraria os miolos.

— Caro Albert!

Em seguida, vendo que o rapaz ia voltar a cair na melancolia, acrescentou:

— Que tal irmos ver o sr. de Monte Cristo? Ele o distrairá.

— Pode ser — concordou Albert. — Vamos, sim, gosto muito dele.

LV
A viagem

Monte Cristo soltou uma exclamação de alegria ao ver juntos os dois jovens:

— Ah, ah! Que bom, temos tudo, então, esclarecido e arranjado?

— Tudo — respondeu Beauchamp. — Histórias absurdas que caíram por si só e que agora, se forem renovadas, terão a mim como primeiro adversário. É assunto encerrado.

— O que está fazendo? — perguntou Albert. — Organizando seus papéis, ao que parece.

— Não meus, felizmente! Papéis do sr. Cavalcanti.

— Do sr. Cavalcanti? — estranhou Beauchamp.

— Ele mesmo! — explicou Morcerf. — Não sabe? Um protegido do sr. conde. E que vai se casar com a srta. Danglars no meu lugar. Fato este que — ele tentou sorrir —, como você bem pode imaginar, muito profundamente me abala.

— Pois bem, meu caro visconde — disse Monte Cristo —, tenho para isso um remédio infalível, que posso propor.

— Qual?

— Uma mudança de ares.

— Boa ideia, para onde?

— Para o mar, visconde, o mar.

 — Proposta aceita.

— Nesse caso, caro visconde, terei no pátio de casa, hoje à noite, uma boa carruagem em que se pode estar deitado como na própria cama, atrelada a quatro cavalos de posta. Quatro passageiros podem viajar confortavelmente, sr. Beauchamp, caso se anime a ir conosco.

— Obrigado, acabo de chegar do mar.

— Como assim? Do mar?

— Pode-se dizer. Estou voltando de uma ida às ilhas Borromeu.

Algum tempo depois, Albert e Beauchamp despediram-se, com um aperto de mão que exprimia tudo que suas bocas não podiam dizer na frente de uma terceira pessoa.

— Excelente sujeito, esse Beauchamp! — disse Monte Cristo, depois da saída do rapaz. — Não acha, Albert?

— Com certeza! Um ótimo coração, posso garantir. Gosto dele com toda minha alma. Mas agora que estamos só nós dois, aonde vamos?

— À Normandia, se concordar.

— Monte Cristo foi à campainha e tocou duas vezes.

Bertuccio entrou.

— Mestre Bertuccio, em cinco horas parto para a Normandia. É tempo suficiente para organizar tudo. E mande avisar as estrebarias da primeira agência de posta. O sr. de Morcerf me acompanha. Só isso.

Bertuccio saiu e, seis horas depois, todos os postos de troca de animais da estrada já estavam prevenidos.

Albert foi pontual. A viagem, tensa no início, logo se descontraiu pelo efeito físico da velocidade. Morcerf não imaginava ser possível tanta rapidez.

Chegaram em plena noite à entrada de um belo parque. O porteiro estava de pé, junto do portão aberto, pois tinha sido avisado pela estrebaria da última posta.

Albert tomou banho, ceou e foi se deitar. Por todo o restante da noite, o som melancólico da movimentação do mar embalou o seu sono. Ao se levantar, foi direto a uma porta-janela, abriu e passou para uma pequena varanda. À sua frente, descortinava-se o mar, ou seja, a imensidão, e, atrás, um bonito parque, dando para uma pequena floresta.

No hall de entrada, Albert encontrou dois fuzis e tudo mais que um caçador possa precisar. Em outro cômodo, no andar térreo e com pé direito bem alto, via-se toda aquela engenhosa aparelhagem usada pelos ingleses que, no entanto, não conseguiram ainda convencer os pescadores franceses a fazerem o mesmo.

O dia se passou nesses exercícios diversos, nos quais, aliás, Monte Cristo brilhava. Mataram uma dúzia de faisões no parque, pescaram o mesmo número de trutas nos rios e jantaram num quiosque com vista para o mar.

No fim da tarde do terceiro dia, Albert cochilava numa poltrona junto à janela e o conde traçava, com um arquiteto, a planta de uma estufa, quando o barulho de um cavalo fez o rapaz erguer a cabeça. Olhou pela janela e teve a desagradável surpresa de reconhecer, no pátio, seu camareiro, que ele não havia trazido para não incomodar Monte Cristo.

— Florentin! — exclamou ele, dando um pulo da poltrona e correndo para a porta. — Será que minha mãe não está bem?

De longe, Monte Cristo o viu ir até o criado que, ainda resfolegante da viagem, tirou do bolso um pequeno pacote selado que, uma vez aberto, continha um jornal e uma carta.

— De quem é a carta? — perguntou nervoso o rapaz.

— Do sr. Beauchamp — respondeu Florentin.

Albert abriu a carta. Já nas primeiras linhas, ele deu um grito e pegou o jornal. Em seguida, voltou para a sala de onde Monte Cristo o observava.

Não era mais o mesmo homem.

— Conde, agradeço imensamente sua hospitalidade, mas preciso voltar a Paris.

— O que houve?

— Uma grande desgraça. Por favor não me faça perguntas, conde, apenas me empreste um cavalo.

— Ali, um cavalo para o sr. de Morcerf! Que o preparem rápido, ele tem pressa!

Essas palavras devolveram ânimo a Albert, que se retirou da sala. O conde o seguiu.

— Deve achar estranha a minha atitude — disse o rapaz —, mas leia isso. Por favor, só depois que eu me for, para não ver a minha vergonha.

Com infinita compaixão, o conde o viu montar e partir. Somente depois, ele leu:

> "O oficial a serviço de Ali, paxá de Janina, a que se referiu o jornal *L'Impartial* há três semanas, não somente entregou os castelos da cidade, mas também vendeu seu benfeitor aos turcos. Ele, de fato, àquela época se chamava Fernand, como noticiou nosso digno confrade. De lá para cá, acrescentou-se ao antropônimo um título nobiliárquico e um nome de propriedade rural, chamando-se ele, agora, sr. conde de Morcerf, com cadeira na Câmara dos Pares."

Isso queria dizer que o terrível segredo, com tanta generosidade enterrado por Beauchamp, ressurgia como um fantasma armado. Maldosamente informado, dois dias depois de Albert partir para a Normandia, outro jornal publicou aquelas linhas que quase enlouqueceram o rapaz.

LVI
O julgamento

Naquele mesmo dia, a Câmara dos Pares esteve bem agitada. Lia-se em voz baixa o artigo, teciam-se comentários e novos detalhes eram lembrados, dando ainda mais precisão aos fatos. O conde de Morcerf parecia ser o único a nada saber. Ele não recebia o jornal que havia publicado a notícia difamatória e tinha passado a manhã a escrever cartas e a experimentar um cavalo.

Chegara, então, na hora habitual, de cabeça erguida, e entrou no salão sem reparar nas hesitações dos funcionários e nos cumprimentos pouco à vontade dos colegas. A sessão estava aberta há mais de meia hora. Era evidente que a Câmara em peso estava louca para dar início ao debate.

Via-se o jornal acusador nas mãos de todo mundo, mas ninguém queria assumir a responsabilidade de começar o ataque. Um dos excelentíssimos pares, finalmente, inimigo declarado do conde de Morcerf, subiu à tribuna.

Fez-se um silêncio assustador. Apenas Morcerf ignorava o porquê de tanta atenção, com relação a um orador que não se tinha o hábito de ouvir de forma tão curiosa.

O conde deixou passar o preâmbulo, em que se anunciou que o assunto em pauta era tão grave para a Câmara que exigia toda a atenção dos colegas.

Mas assim que se pronunciaram as palavras Janina e coronel Fernand, o conde de Morcerf empalideceu de forma tão forte que um certo burburinho atravessou a assembleia.

Terminada a leitura do artigo, dentro ainda daquele mesmo silêncio, o acusador concluiu por um pedido de urgente abertura de inquérito, que não só vingaria o sr. de Morcerf, mas também evitaria que a calúnia crescesse, reconfirmando o colega na situação à que a opinião pública há muito tempo se habituara.

O presidente da Câmara pôs em votação o pedido, com os sufrágios rapidamente se exprimindo pela posição dos senhores membros, sentados ou de pé. Decidiu-se pela abertura do inquérito.

Perguntou-se, então, ao conde quanto tempo lhe seria necessário para preparar suas justificativas.

A coragem voltou ao seu peito assim que ele viu estar ainda vivo após o terrível golpe:

— Ponho-me desde já à disposição da Câmara — respondeu ele.

Uma comissão de 12 membros foi nomeada para examinar o material que o colega forneceria. Fixou-se para as oito horas daquela mesma noite a primeira sessão desse grupo, nos escritórios da Casa.

Às oitos em ponto, todos estavam lá.

O sr. de Morcerf entrou à última pancada do relógio. Tinha na mão alguns papeis e parecia calmo.

— O senhor tem a palavra — disse a ele o presidente, abrindo uma carta lacrada.

O conde mostrou documentos provando que o vizir de Janina, até a última hora, havia confiado nele, e de tal forma que o havia encarregado de uma negociação de vida ou morte com o próprio imperador. Mostrou também o anel com que Ali Paxá normalmente selava suas cartas. Esse símbolo de comando lhe fora dado para que ele pudesse ter pleno acesso ao vizir, a qualquer hora do dia ou da noite, mesmo estando este último em seu harém. Infelizmente, explicou Morcerf, a negociação com o imperador fracassou e quando ele voltou para defender o seu benfeitor, encontrou-o já morto. A confiança de Ali Paxá em sua lealdade era tanta que, ao morrer, ele deixara a seus cuidados a concubina favorita e a filha.

O presidente, enquanto isso, havia começado a displicentemente ler a carta que lhe tinham entregado, mas, logo às primeiras linhas, pareceu ficar mais interessado em seu conteúdo. Leu, releu, olhou firmemente o acusado e disse:

— O sr. conde acaba de nos dizer que o vizir de Janina lhe confiou a mulher e a filha.

— É verdade, mas nesse ponto, como nos demais, a má sorte continuou. Quando cheguei, Vasiliki e sua filha Haydée tinham desaparecido.

— E o senhor tem alguma ideia do que aconteceu com as duas?

— Ouvi dizer que sucumbiram à tristeza e talvez também à miséria. Eu não era rico, minha vida corria perigo, não pude procurá-las, o que muito lamentei.

Um murmúrio comprobatório percorreu a assembleia.

Bastaria, então, confirmar a votação, mas antes o presidente tomou a palavra:

— Os prezados colegas, mas também o sr. conde, não deixarão de apreciar, imagino, o depoimento de uma testemunha muito importante, segundo sua própria afirmação, e que se apresenta por livre e espontânea vontade. Essa testemunha, não temos dúvida depois de ouvir o que declarou o nobre colega, deve comprovar a sua perfeita inocência. Aqui está a carta que acabo de receber nesse sentido. Querem sua leitura ou preferem seguir adiante?

As mãos do sr. de Morcerf, que ficou lívido, contraíram-se com os papéis que ele ainda segurava e que se amassavam entre seus dedos.

Seguindo o que decidiu a comissão, passou-se à leitura:

— "Sr. presidente,

"Posso apresentar informações das mais positivas a esta comissão, encarregada de examinar a conduta, no Épiro e na Macedônia, do sr. tenente-coronel conde de Morcerf.

"Presenciei a morte de Ali Paxá e assisti a seus últimos momentos. Posso informar o paradeiro de Vasiliki e Haydée. Ponho-me à disposição da comissão e, inclusive, peço a honra de poder expor meu testemunho. Estarei no vestíbulo da Câmara, no momento em que este bilhete for entregue."

— E que testemunha é essa? — perguntou o conde, com uma voz em que era fácil notar a alteração.

— Uma mulher, acompanhada de um criado.

Todos se entreolharam.

— Mandem-na entrar — disse o presidente.

Cinco minutos depois, o funcionário voltou.

Atrás dele, envolta num véu que a cobria inteira, vinha uma jovem.

O presidente lhe ofereceu uma cadeira, mas ela fez sinal mostrando preferir ficar de pé. Já o conde, despencara em sua própria poltrona, sendo evidente que as pernas não mais o sustentavam.

— A senhora — começou o presidente — escreveu à comissão, oferecendo informações sobre o caso de Janina. Disse também ter sido testemunha ocular dos acontecimentos.

— E de fato fui — respondeu a desconhecida, com uma encantadoramente triste voz e uma sonoridade típica do sotaque oriental.

— Devo, no entanto, observar que seria bem jovem à época — retomou o presidente.

— Tinha quatro anos, mas como os acontecimentos em questão eram de suma importância para mim, detalhe nenhum escapou de minha memória.

— Que importância era essa e quem é a senhora, para que essa grande catástrofe lhe causasse tão profunda impressão?

— Tratava-se da vida ou da morte de meu pai. Sou Haydée, filha de Ali-Tebelin, paxá de Janina, e de Vasiliki, sua mulher bem-amada.

O rubor que subiu às faces da jovem, o ardor do seu olhar e o tom majestoso em que foi feita a revelação, causaram sobre os presentes um efeito inexprimível.

O conde, por sua vez, não se sentiria mais aniquilado se um raio do céu abrisse um abismo a seus pés.

— Senhora — retomou o presidente, depois de respeitosa reverência —, permita-me uma única pergunta, que não significa uma dúvida, pergunta esta que será a última: tem como justificar a autenticidade do que diz?

— Tenho, sim — respondeu Haydée, tirando do véu uma bolsinha perfumada de cetim. — Esta é minha certidão de nascimento, redigida por meu pai e assinada por seus principais oficiais. Junto, meu atestado de batismo, pois meu pai consentiu que eu fosse criada na religião de minha mãe. O documento tem o selo do primaz da Macedônia e do Épiro. Por último, e provavelmente o documento mais importante para os senhores, o ato da venda da minha pessoa e da pessoa de minha mãe ao negociante armênio El-Kobbir, pelo oficial francês que, em sua infame negociata com a Porta, havia reservado para si, dentro da parte que lhe cabia no saque, a filha e a mulher do seu benfeitor, e que ele vendeu por uma vultosa soma, discriminada no documento de venda.

Uma palidez esverdeada invadiu as faces do conde de Morcerf e seus olhos se injetaram de sangue, ao ouvir as terríveis acusações, recebidas pela assembleia com um lúgubre silêncio.

— Senhora — disse finalmente o presidente —, será que poderíamos interrogar o conde de Monte Cristo, com quem a senhora está em Paris, pelo que sei?

— O conde de Monte Cristo — respondeu a jovem —, meu segundo pai, encontra-se na Normandia há três dias.

— Isso quer dizer que o sr. conde de Monte Cristo nada tem a ver com a sua presença aqui?

— Ele a ignora completamente, cavalheiros, e meu único receio é que desaprove minha iniciativa, quando souber.

— O sr. de Morcerf reconhece a pessoa aqui presente como a filha de Ali-Tebelin, paxá de Janina?

— Não — respondeu o interpelado, fazendo um esforço para se levantar. — Tudo isso não passa de uma trama, urdida por meus inimigos.

Haydée não se conteve:

— Não me reconhece? Pois eu, sim, o reconheço, e felizmente! É Fernand Mondego, o oficial francês, instrutor das tropas de meu nobre pai. Foi quem entregou ao inimigo as fortificações de Janina! Foi quem, enviado por meu pai a Constantinopla, para negociar diretamente com o imperador a vida ou a morte do seu benfeitor, trouxe um falso decreto que concedia plena graça! Foi quem, com esse decreto, obteve o anel do paxá que colocava sob as suas ordens Sélim, responsável pelo arsenal! Foi quem assassinou Sélim com um punhal! Foi quem nos vendeu, a mim e à minha mãe, ao mercador El-Kobbir! Assassino! Assassino! Assassino! Tem ainda marcado na testa o sangue do seu benfeitor! Todos podem ver.

Cada palavra descia como uma punhalada em Morcerf e roubava um pouco da sua energia. No final, ele desabou na poltrona, dominado por um abatido desespero.

— E, então? — insistiu o presidente. — O que decide?

— Nada! — respondeu ele, com uma voz surda, enquanto se levantava.

— Cavalheiros — continuou o presidente, quando o silêncio voltou —, consideram o sr. conde de Morcerf culpado de felonia, de traição e de indignidade?

— Sim! — responderam unanimemente os membros da comissão de inquérito.

Haydée ouviu a sentença sem que um só traço do seu rosto evidenciasse alegria ou pena.

Depois disso, cobrindo de novo o rosto com o véu, ela majestosamente cumprimentou os conselheiros e se retirou.

LVII
A provocação

Albert ergueu o rosto, rubro de vergonha e inundado de lágrimas. Agarrando o braço de Beauchamp, disse:

— Amigo, minha vida está terminada. Só me resta encontrar quem me persegue com tanta inimizade. Depois disso, será matá-lo ou por ele ser morto. E conto com a sua amizade para me ajudar a descobrir o autor de tudo isso.

— Vou, então, contar algo que não contei, voltando de Janina.

— Por favor.

— Passou-se o seguinte, Albert. A primeira coisa que fiz, quando lá cheguei, foi procurar um banqueiro importante para começar a busca de informações. Assim que mencionei o caso, antes mesmo de pronunciar o nome do seu pai, ele disse:

"'Ah! Entendi, já sei o que o trouxe aqui.'

"'Como assim? Por quê?'

"'Porque há apenas quinze dias me fizeram as mesmas perguntas.'

"'Quem?'

"'Um banqueiro de Paris, meu correspondente.'

"'Que se chama?'

"'Danglars.'"

— Ele?! — reagiu Albert. — É bem verdade que há tempos o miserável persegue meu pobre pai com um ódio invejoso! Ele, que se pretende popular e não pode admitir que o conde de Morcerf seja membro da Câmara dos Pares. E, lembre-se, aquela ruptura do projeto de casamento, sem apresentar motivo... Claro, foi ele!

— Informe-se, Albert, e se for verdade... Albert, aja com prudência.

— Ah! Pode ficar tranquilo. Aliás, estará comigo, Beauchamp, coisas solenes devem ser tratadas diante de testemunha. Antes que este dia chegue ao fim, se o sr. Danglars for o culpado, o sr. Danglars terá deixado de viver ou então estarei, eu, morto.

Mandaram chamar uma carruagem ligeira de aluguel. Chegando à mansão do banqueiro, viram o cocheiro e o criado do sr. Cavalcanti à porta.

— Ah, diabos! Boa coincidência! — disse Albert, com uma voz rouca. — Se o sr. Danglars não duelar comigo, mato-lhe o genro. Não deve fugir de um duelo, um Cavalcanti!

Albert foi anunciado a Danglars que, ouvindo o seu nome e sabendo o que se passara no dia anterior, mandou que lhe barrassem a entrada. Porém, tarde demais, o rapaz havia seguido o criado e ouvira a ordem. Ele forçou passagem e invadiu a casa, seguido de Beauchamp, até o escritório do banqueiro, que reagiu:

— Mas o que é isso? Então, não se tem mais o direito, em sua própria casa, de escolher quem se quer ou não receber?

— Não — respondeu duramente Albert. — Há circunstâncias em que é preciso, para não passar por covarde, estar em casa, pelo menos para certas pessoas.

— E o que quer o senhor comigo?

— Quero propor um encontro em algum lugar isolado em que ninguém o incomode por dez minutos, é só o que quero.

Danglars perdeu a cor, Cavalcanti esboçou um gesto. Albert se virou para ele:

— Ah! Se quiser venha também, sr. conde, tem esse direito, já que é da família.

Sem acreditar no que ouvia, Cavalcanti olhou para Danglars que, com esforço, levantou-se e se colocou entre os dois jovens. O ataque de Albert a Andrea acabava de abrir um outro terreno, e o banqueiro achou que talvez aquela visita inesperada tivesse outra causa, diferente da que havia imaginado de início.

— Ah! — ele disse então a Albert. — Se veio procurar confusão com o cavalheiro aqui presente por eu tê-lo preferido no seu lugar, cuidado, isso se torna um caso para o procurador do rei.

— O senhor se engana — respondeu o rapaz com um sorriso triste —, de forma alguma me refiro ao casamento e só me dirigi ao sr. Cavalcanti por achar que, por um momento, ele quis intervir em nossa discussão. Aliás, o senhor está certo, estou hoje procurando confusão com todo mundo, mas fique tranquilo, sr. Danglars, é sua a prioridade.

— Meu jovem — respondeu Danglars, pálido de raiva e de medo —, devo avisar que quando tenho a infelicidade de encontrar no meu caminho um cão raivoso, eu o mato. Veja! É culpa minha a desonra do seu pai?

— Justamente, é sua, miserável! — gritou Morcerf. — É culpa sua! Quem escreveu a Janina.

— A Janina?

— Exato. Quem escreveu pedindo informações sobre o meu pai?

— É claro que escrevi. Parece-me normal, para quem casa a filha, procurar se informar sobre a família do noivo.

— O senhor escreveu — continuou Albert — sabendo perfeitamente a resposta que receberia.

— Eu? Ah, garanto que nunca me passaria pela cabeça escrever a Janina. Nunca nem tinha ouvido falar da catástrofe de Ali Paxá.

— Então alguém o levou a escrever?

— Com certeza.

— Alguém que fez insinuações?

— Exato.

— Quem?... Conclua... Diga...

— Ora! Nada mais simples. Fiz comentário sobre o passado do seu pai, pois a origem da sua fortuna nunca foi muito clara.

A pessoa com quem eu falava perguntou onde ele enriquecera e respondi: na Grécia. Ela, então, sugeriu que eu escrevesse a Janina.

— E quem deu esse conselho?

— Ora! O conde de Monte Cristo, seu amigo.

— O conde de Monte Cristo disse que escrevesse a Janina?

— Isso mesmo. Por isso escrevi. Quer ver minha correspondência? Posso mostrá-la.

LVIII
O insulto

Na saída da casa do banqueiro, Beauchamp perguntou ao amigo:

— Está mesmo resolvido a isso, Albert?

— Estou.

— Bom! Mas acha que vamos encontrá-lo?

— Devia voltar horas depois de mim e provavelmente já chegou.

Eles deram ao cocheiro o endereço da avenida Champs-Élysée, 30. Albert foi num salto só da cabine do porteiro à porta da casa. Baptistin o recebeu.

O conde de fato acabava de chegar, mas tomava banho e avisara que não receberia absolutamente ninguém.

— E depois do banho? — perguntou Morcerf.

— O conde jantará.

— E depois?

— Irá à Ópera.

— Obrigado — agradeceu Albert. — É tudo que eu queria saber.

Em seguida, virando-se para Beauchamp:

— Se tiver algo a fazer, Beauchamp, faça já. Se tiver algo marcado para a noite, passe para amanhã. Conto com você para ir à Ópera. Se puder, leve também Château-Renaud.

Chegando em casa, Albert mandou recados para Franz, Debray e Morrel, dizendo que gostaria de vê-los à noite, na Ópera.

Depois foi ver a mãe que, desde os acontecimentos da véspera, fechara-se em casa sem receber ninguém. Encontrou-a na cama, aniquilada pelo peso da humilhação pública.

— Se veio perguntar como me sinto, filho, com franqueza direi que nada bem. Deveria vir para cá, Albert, e me fazer companhia; gostaria muito de não ficar só.

— Mãe, eu faria isso, e a senhora sabe com que alegria, se algo urgente e importante não me obrigasse a estar fora esta noite.

— É claro, Albert — suspirou Mercedes —, de maneira alguma quero que a compaixão filial seja uma obrigação.

Albert fingiu não entender, beijou a mãe e saiu.

Assim que ele saiu, Mercedes chamou um empregado de confiança e mandou que seguisse o filho por todo lugar em que ele fosse à noite, vindo logo em seguida contar.

Depois, chamou a camareira e, por mais fraca que se sentisse, pediu que a vestisse, para estar pronta para qualquer urgência.

A missão de quem devia seguir Albert não era difícil. O rapaz foi à sua casa, contígua à dos pais, e se vestiu com severo apuro. Faltando dez minutos para as oito horas, Beauchamp chegou: tinha visto Château-Renaud, que prometera estar na plateia antes do espetáculo começar.

Os dois subiram no cupê de Albert que, não tendo por que esconder aonde ia, disse em voz alta:

— Para a Ópera.

Debray não tinha ainda chegado, mas, todos sabiam, ele raramente deixava de ir a uma apresentação. Albert perambulou pelo teatro até o levantar das cortinas. Esperava encontrar Monte Cristo no corredor ou na escada. O terceiro sinal o fez voltar a seu lugar na plateia, entre Château-Renaud e Beauchamp.

Seus olhos, no entanto, não se desviavam do camarote entre as colunas que, durante todo o primeiro ato, parecia teimar em se manter fechado.

Finalmente, enquanto Albert consultava o relógio pela centésima vez, no início do segundo ato a porta do camarote se abriu e Monte Cristo, vestido de preto, entrou, acompanhado de Morrel.

Dando uma olhada geral pela sala, o conde viu um rosto pálido e olhos vivazes que pareciam querer avidamente chamar a sua atenção. Ele bem que reconheceu Albert, mas a expressão transtornada do rapaz provavelmente o aconselhou a não demonstrar isso. Sem então qualquer gesto que evidenciasse seus pensamentos, ele se sentou, tirou um binóculo do estojo e olhou noutra direção.

Parecendo nada notar, o conde, no entanto, não o perdia de vista e, quando a cortina caiu, no final do segundo ato, seu infalível e seguro senso de observação seguiu o rapaz que saía da plateia, seguido por seus dois amigos.

Em seguida, a mesma cabeça apareceu no fundo de um outro camarote, diante do seu. O conde sentiu a aproximação da tempestade. Ao ouvir a chave girar na fechadura do seu camarote reservado, mesmo conversando com Morrel e com a expressão mais risonha, ele sabia o que estava prestes a acontecer. Mas estava preparado.

A porta foi aberta.

Somente depois disso, Monte Cristo se virou e viu Albert lívido e trêmulo. Atrás dele, Beauchamp e Château-Renaud.

— Ah! Meu cavaleiro que partiu às pressas, mas chegou. Boa noite, sr. de Morcerf.

— Não estamos aqui para trocar cortesias hipócritas nem amizades fingidas — disse o rapaz. — Viemos pedir uma explicação, sr. conde.

Albert havia levantado a voz e, com isso, algumas pessoas em outros camarotes se viraram; outras, que passavam pelo corredor, pararam atrás de Beauchamp e Château-Renaud, ao ouvirem a altercação.

— Não sei de que está falando, cavalheiro, e mesmo que soubesse, de qualquer forma está se exprimindo num tom excessivamente alto. Devo lhe dizer que em meu camarote particular, somente eu tenho o direito de erguer a voz. Saia!

E Monte Cristo apontou para a porta.

— Ah! Pois eu o farei sair do seu camarote particular! — continuou Albert, espremendo nas mãos convulsivas uma luva, que o conde não perdia de vista.

— Bem, bem! — disse Monte Cristo com frieza. — Veio procurar barulho, estou vendo. Mas, um conselho, visconde, e guarde-o bem: é um mau costume fazer estardalhaço com provocações. Para muitos, isso não é bom, sr. de Morcerf.

Pronunciado esse nome, um burburinho de assombro percorreu como uma vibração os que ouviam a cena. Desde a véspera, o nome de Morcerf estava em todas as bocas.

Melhor que qualquer outra pessoa, Albert compreendeu a alusão e fez um gesto para lançar a luva no rosto do conde, mas ele, sem se levantar, inclinando a cadeira, apenas estendeu a mão, arrancou dos dedos crispados do rapaz a luva úmida e amassada e disse, com uma entonação terrível:

— Cavalheiro, considero lançada a sua luva e vou devolvê-la junto com uma bala. Agora saia do meu camarote ou chamo meus criados, que o jogarão na rua.

Aturdido, louco, com olhos flamejantes, Albert deu dois passos atrás. Morrel aproveitou para fechar a porta. Monte Cristo pegou de volta o binóculo e colocou-o nos olhos, como se nada de extraordinário houvesse acontecido.

Morrel perguntou em seu ouvido:

— O que fez a ele?

— Eu? Nada, pelo menos pessoalmente — respondeu Monte Cristo.

— Toda essa cena estranha deve, no entanto, ter um motivo…

— A história do conde de Morcerf está afetando o infeliz.

— Mas o que vai fazer com relação a ele?

— Ele quem?

— Albert.

— Albert? Tão certo quanto o senhor estar aqui e eu lhe apertar a mão, vou matá-lo amanhã, antes das dez horas. É o que farei.

A cortina, que se levantara no final da cena de Albert, voltou a cair logo depois. Bateram à porta.

— Pois não — disse Monte Cristo, sem que a voz denotasse qualquer emoção.

Era Beauchamp.

— Boa noite, sr. Beauchamp — disse o conde, como se o visse ali pela primeira vez. — Sente-se, por favor.

Beauchamp o cumprimentou, entrou, sentou-se e disse:

— Sr. de Monte Cristo, eu acompanhava ainda há pouco, como deve ter visto, o sr. de Morcerf.

— O que quer dizer — observou, rindo, o conde — que provavelmente jantaram juntos e fico feliz de constatar, sr. Beauchamp, que é mais sóbrio que ele.

— Só me resta — emendou o jornalista — fixar os arranjos para o combate.

— Diga àquele a quem representa que, mesmo sendo eu o insultado, para ser extravagante até o fim, deixo que escolha as armas: tenho certeza de ganhar.

— Pistolas, às oito da manhã, no Bois de Vincennes — disse Beauchamp indeciso, sem saber se estava lidando com algum fanfarrão presunçoso ou um ser sobrenatural.

— Ótimo. Se estamos acertados, deixe-me por favor assistir ao espetáculo e diga ao seu amigo que não apareça mais por hoje, pois vai acabar se prejudicando, com essas brutalidades de mau gosto.

Beauchamp se foi, bastante surpreso.

— Bom — disse Monte Cristo, voltando-se para Morrel —, posso contar com o senhor, não é?

— Claro que sim, disponha, mas...

— Mas?

— Seria importante, conde, que eu saiba a verdadeira razão...

— A verdadeira razão? Nem mesmo aquele rapaz sabe. A verdadeira razão somente Deus e eu conhecemos, mas dou-lhe minha palavra de honra, Morrel, que Deus, que a conhece, está do nosso lado.

— Para mim isso já basta, conde. Quem será a segunda testemunha?

— Não conheço ninguém em Paris, além de você, a quem eu possa dar essa honra. E também o seu irmão Emmanuel. Acha que ele me faria esse favor?

— Posso responder por ele como por mim, conde.

LIX
A noite

O sr. de Monte Cristo esperou, como era seu hábito, que Duprez cantasse seu famoso *Suivez-moi!* e somente então ele se levantou e saiu. Já na rua, Morrel se despediu, confirmando a promessa de estar na casa dele na manhã seguinte, às sete em ponto, com Emmanuel.

Em seguida, ele tomou o seu coche, sempre calmo e sorridente.

Cinco minutos depois, estava em casa.

Mas seria preciso não conhecê-lo para se deixar enganar pelo tom com que ele disse, ao entrar:

— Ali, minhas pistolas com cabo de marfim!

Ali levou a caixa a seu amo, que se pôs a examinar as armas com o cuidado bem natural para quem vai confiar a vida a um pedaço de ferro e chumbo.

Ele se exercitava em sentir a empunhadura da arma e em buscar o ponto de mira numa plaquinha de lata que servia de alvo, quando a porta do escritório foi aberta e Baptistin entrou.

Mas antes mesmo que dissesse qualquer coisa, o conde percebeu, junto à porta aberta, na penumbra do cômodo ao lado, uma mulher coberta por um véu e que havia seguido o mordomo.

Ela o viu com a pistola na mão, percebeu também duas espadas em cima de uma mesa e entrou.

O conde fez um sinal e Baptistin se retirou, fechando a porta atrás de si.

— Quem é a senhora? — perguntou ele.

A desconhecida olhou em volta para se certificar de que estavam a sós e, juntando as mãos, com um tom de desespero, disse:

— Edmond, não pode matar meu filho!

O conde recuou um passo, tentou conter um grito de surpresa e deixou cair a arma que tinha na mão.

— Que nome disse, sra. de Morcerf?

— O seu — ela exclamou, erguendo o véu. — O seu, que eu talvez seja a única a não ter esquecido. Edmond, esta que veio aqui não é a sra. de Morcerf, é Mercedes.

— Mercedes morreu, minha senhora, e não conheço mais ninguém que se chame assim.

— Mercedes está viva e se lembra, pois somente ela o reconheceu ao vê-lo. Nem seria preciso ver, Edmond, bastaria a voz, o sotaque. E desde então ela o observa, teme e não precisou procurar para saber de qual mão partiu o golpe que atingiu o sr. de Morcerf.

— Fernand, a senhora quer dizer — não se conteve Monte Cristo, com amarga ironia.

E ele pronunciou o nome de Fernand com tal expressão de ódio que Mercedes sentiu o calafrio do horror percorrer seu corpo.

— Como vê, Edmond, não me enganei — exclamou Mercedes — e tenho razão em pedir: poupe meu filho!

— E quem lhe disse, senhora, que tenho alguma coisa contra o seu filho?

— Ah! — não se conteve a condessa. — Que vingança exorbitante por um erro que a fatalidade me fez cometer! Sou eu a culpada, Edmond, e se quiser se vingar de alguém, que seja de mim, que não suportei a sua ausência e o meu isolamento.

— E por que estive ausente? Por que o seu isolamento?

— Porque foi preso, Edmond, estava desaparecido.

— E por que fui preso? Por que estava desaparecido?

— Não sei — disse Mercedes.

— Não sabe, pelo menos assim espero. Pois vou dizer. Fui preso, desapareci porque sob o quiosque da Reserva, na véspera do dia em que eu me casaria com a senhora, um homem, chamado Danglars, escreveu uma carta que o pescador Fernand foi pessoalmente expedir.

— E qual foi o resultado dessa carta?

— O resultado que a senhora conhece, minha prisão. Mas o que a senhora desconhece é o seu tempo de duração. O que desconhece é que estive por 14 anos a um quarto de légua da senhora, numa masmorra do castelo de If. O que desconhece é que, a cada dia daqueles 14 anos, eu renovei a promessa de vingança que fiz a mim mesmo no primeiro dia e, devo lembrar, não sabia ainda que a senhora se casara com Fernand, meu denunciante, e que meu pai tinha morrido de fome!

— Santo Deus! — exclamou Mercedes, perdendo as forças.

— E foi o que descobri ao escapar da prisão, 14 anos depois de ter entrado. E foi o que me fez, por Mercedes viva e meu pai morto, ter jurado me vingar de Fernand. E... é o que faço.

A pobre mulher deixou cair a cabeça entre as mãos. As pernas vacilaram e ela caiu de joelhos.

— Perdoe meu filho, Edmond — suplicou ela. — Perdoe, por mim, que ainda o ama!

Mercedes pronunciou essas palavras com tal sentimento de dor e de desespero na voz que, ao ouvi-las, um soluço ficou preso na garganta de Monte Cristo.

O leão tinha sido domado; o vingador, vencido.

— O que quer? Que o seu filho viva? Pois que seja, ele viverá!

Mercedes deu um grito.

— Obrigada, obrigada, Edmond! Ainda é o Edmond com quem sempre sonhei, a quem sempre amei. Ah! Agora posso dizer isso.

— Até porque — respondeu Monte Cristo — esse pobre Edmond não terá tempo de ser amado pela senhora. A morte voltará à sepultura, o fantasma voltará às trevas.

— O que está dizendo, Edmond?

— Digo que, seguindo a sua ordem, Mercedes, devo morrer.

— O duelo não vai acontecer, já que houve perdão.

— Acontecerá, senhora — disse solenemente Monte Cristo. — A única diferença será que, no lugar do sangue do seu filho, a terra beberá o meu.

Mercedes deu um grito e correu para Monte Cristo, mas, de repente, parou e disse:

— Edmond, há Deus acima de nós, já que você está vivo e que voltei a vê-lo. Acredito nele no mais profundo do meu coração. Esperando o apoio divino, confio na sua palavra. Você disse que meu filho viverá; é verdade, não é?

— Ele viverá — disse Monte Cristo, surpreso por Mercedes, sem maiores exclamações nem surpresa, aceitar seu heroico sacrifício.

— Tenho que ir, Edmond. É só o que posso dizer agora... e obrigada!

Soava uma hora no relógio dos Inválidos quando a carruagem que levava a sra. de Morcerf, trepidando na pavimentação da Champs-Élysées, fez o conde de Monte Cristo erguer a cabeça.

— Tolo que fui no dia em que decidi minha vingança, por não ter me arrancado, junto, o coração! — murmurou ele.

LX
O encontro

Eram cinco horas da manhã.

O barulho de uma carruagem entrando no pátio chamou a atenção.

Monte Cristo aproximou-se da janela e viu Maximilien e Emmanuel descerem.

Só então ele selou o seu testamento com um triplo selo.

Logo em seguida, ouviu passos na sala e foi ele mesmo abrir a porta. Lá estava Morrel, quase vinte minutos adiantado. O conde sensibilizou-se com essa prova de afetuosa consideração e não foi a mão que ele estendeu ao rapaz, mas amplamente abriu os braços, indo em sua direção.

— Morrel — disse ele, com voz emocionada —, é um belo dia este em que confirmo a amizade de alguém como você. Bom dia, Emmanuel.

Uma carruagem os aguardava já atrelada, e Monte Cristo subiu a bordo com suas duas testemunhas.

Quando soaram as oito horas, eles estavam no local do encontro.

Passando a cabeça pela portinhola, Morrel disse:

— Fomos os primeiros a chegar.

— O senhor me desculpe — disse Baptistin, que havia seguido o patrão com indescritível ansiedade —, mas creio haver ali adiante, sob as árvores, outro coche.

Com agilidade Monte Cristo saltou da carruagem e ofereceu a mão a Emmanuel e Maximilien para ajudá-los a descer.

Este último se encaminhou na direção de Beauchamp e Châteu-Renaud que, vendo-o vir, adiantaram-se também até ele.

Os três jovens se cumprimentaram, quando não com camaradagem, mas pelo menos de forma cortês.

— Desculpem-me — disse Morrel —, mas não vejo o sr. de Morcerf.

— Mais cedo — respondeu Château-Renaud —, ele mandou avisar que nos encontraria diretamente aqui.

— Os senhores certamente trouxeram pistolas — disse Morrel. — O conde de Monte Cristo declara abrir mão do direito que lhe assistia de usar as suas próprias.

— Previmos tal delicadeza da parte do conde, sr. Morrel — respondeu Beauchamp. — Trouxe armas que comprei há oito ou dez dias, acreditando que precisaria delas por algo semelhante ao que nos trouxe aqui. Estão perfeitamente novas e nunca foram utilizadas. Quer examiná-las?

— Sr. Beauchamp — disse Morrel, inclinando-se —, sua palavra garantindo que o sr. de Morcerf não teve acesso a essas armas para mim é perfeitamente suficiente.

— Mesmo assim — murmurou Château-Renaud —, Albert não chega e já temos dez minutos de atraso.

— Pronto! — animou-se Beauchamp. — Ele veio a cavalo, vejam, a todo galope, seguido pelo criado.

Albert se aproximou. Estava sem cor, olhos vermelhos e pálpebras inchadas. Via-se que não pregara o olho a noite inteira. Em toda a sua fisionomia ficava evidente uma gravidade triste que não era comum nele.

— Obrigado, amigos — foi a primeira coisa que disse, descendo do cavalo —, por terem aceitado meu convite. Não poderia me sentir mais grato por essa demonstração de amizade.

— Sr. Morrel — disse Château-Renaud —, já pode anunciar ao sr. de Monte Cristo que o visconde de Morcerf chegou e que estamos à sua disposição.

Morrel se preparou para cumprir a sua tarefa, enquanto Beauchamp pegava na carruagem a caixa de pistolas.

— Esperem — pediu Albert —, tenho algo a dizer ao conde.

— Em particular? — perguntou Morrel.

— Não. Diante de todos.

As testemunhas de Albert se entreolharam com surpresa. Franz e Debray trocaram algumas palavras em voz baixa e Morrel, contente com o incidente não previsto, foi chamar o conde, que caminhava numa alameda com Emmanuel.

Monte Cristo se encaminhou, acompanhado por suas duas testemunhas. Sua fisionomia calma e serena contrastava estranhamente com o semblante tenso de Albert que, por sua vez, aproximava-se com seus quatro acompanhantes.

— Ouçam todos, por favor — disse, então, Albert —, não quero que nenhuma das palavras que terei a honra de dizer ao sr. conde de Monte Cristo se perca, pois deverão repeti-las, a quem possa interessar, por mais estranhas que elas pareçam.

— Estou esperando, cavalheiro — disse o conde.

— Senhor — começou Albert, com voz inicialmente trêmula, mas que foi se firmando —, eu o culpei de ter divulgado o comportamento do sr. de Morcerf no Épiro. Por mais culpado que fosse o conde de Morcerf, achei que não lhe assistia o direito de puni-lo. Hoje, no entanto, sei que tem esse direito. Não é a traição de Fernand Mondego contra Ali Paxá que me força a desculpá-lo, é a traição do pescador Fernand contra o senhor e são as misérias inimagináveis que essa primeira traição lhe causou. Por isso digo e proclamo bem alto: sim, o senhor teve razão de se vingar de meu pai e eu, que sou filho, agradeço-lhe por não ter feito mais.

Um raio que caísse no meio daquela cena inusitada não causaria espanto maior que aquela declaração de Albert.

Já Monte Cristo, cujos olhos lentamente se tinham erguido para o céu com uma expressão de infinito reconhecimento, feliz de constatar que mesmo uma natureza fogosa, como a de Albert, bruscamente se curvara àquela humilhação. Viu nisso a influência de Mercedes e finalmente entendeu por que o nobre coração da catalã não se opusera a um sacrifício que ela sabia inútil.

Com olhos úmidos e peito agitado, Monte Cristo estendeu a mão a Albert, que a apertou, com um sentimento em que se mesclavam o respeito e o pavor.

— Amigos — continuou ele —, o sr. de Monte Cristo teve a bondade de aceitar minhas desculpas. Agi precipitadamente e a precipitação é má conselheira: fez-me agir de forma errada. Essa falha foi reparada. Espero que o mundo não vá me considerar covarde, pois fiz o que ditou minha consciência. Em todo caso, se porventura se enganarem a meu respeito — acrescentou Albert, erguendo orgulhosamente a cabeça, como se dirigisse um desafio aos amigos e aos inimigos — tratarei de corrigir tal opinião.

LXI
O suicídio

Enquanto Mercedes organizava suas joias, fechava gavetas, reunia chaves, querendo deixar tudo em perfeita ordem, não notou um rosto pálido e sinistro que a observava pelo vidro da porta, previsto para clarear, com a luz do dia, o corredor. Dali não somente se podia ver, mas também perfeitamente ouvir. Quem então a observava, sem ser visto nem ouvido, muito provavelmente viu e ouviu tudo que se passava nos aposentos da sra. de Morcerf.

Do seu ponto de observação, o homem do rosto pálido se deslocou até o quarto de dormir do conde de Morcerf e, lá chegando, ergueu com mão nervosa a cortina de uma janela que se abria para o pátio.

Ele lá permaneceu por dez minutos, imóvel, mudo e ouvindo as batidas do próprio coração. Esses dez minutos pareceram um tempo enorme, para ele.

Foi como, voltando do encontro no Bois de Vincennes, Albert percebeu o pai atrás da cortina, na expectativa da sua chegada, e desviou o olhar.

As pupilas do conde se dilataram: ele sabia o quão terrível fora o insulto de Albert a Monte Cristo e também que um insulto como aquele, em qualquer país do mundo, implica num duelo mortal. Albert voltava são e salvo para casa: os Morcerf, assim sendo, estavam vingados.

Um indescritível clarão de alegria iluminou o lúgubre semblante.

Mas foi em vão que ele esperou o rapaz vir contar o triunfo alcançado. É compreensível que, antes do duelo, o filho não quisesse ver o pai, cuja honra ele ia defender, porém, cumprida com êxito a tarefa, por que não vinha, esse filho, se jogar em seus braços?

Não podendo ver Albert, o conde, então, mandou que chamassem o criado que o havia acompanhado. Sabemos que Albert o autorizara a nada esconder do que se passara.

Dez minutos depois, o general de Morcerf já estava na entrada da sua casa, vestindo uma sobrecasaca negra de gola militar, calças e luvas também negras.

Com toda evidência, ele já havia dado ordens prévias, pois mal chegou ao último degrau da escada, seu coche, devidamente atrelado, saiu do galpão e parou à sua frente.

O camareiro apareceu em seguida e entregou a ele, já dentro da carruagem, um manto, rijo, porque servia para embrulhar duas espadas. Em seguida, fechou a portinhola e foi se sentar ao lado do cocheiro, que se ergueu no banco para receber ordens.

— Avenida Champs-Élysées, casa do conde de Monte Cristo. Rápido! — disse o general.

Os cavalos saltaram sob o estalo do chicote. Cinco minutos depois, estavam no endereço indicado.

O sr. de Morcerf abriu pessoalmente a portinhola e, com o coche andando ainda, saltou na pista de acesso como se fosse um rapaz novo. Tocou a campainha e entrou, com seu criado.

Um segundo depois, Baptistin anunciava o conde de Morcerf. E, então, Monte Cristo mandou que ele fosse levado ao salão.

— Ah! É o sr. de Morcerf — disse tranquilamente o dono da casa. — Achei ter ouvido mal.

— Eu mesmo — confirmou o general, com terrível contração dos lábios, que o impediam de articular claramente as palavras.

— Só me resta, então, saber qual motivo me proporciona esse prazer de ver o sr. conde de Morcerf a essa hora da manhã.

— O senhor teve, ainda hoje mais cedo, um encontro com meu filho? — perguntou ele.

— O senhor sabe que sim.

— Sei também que meu filho tinha boas razões para fazer o que pudesse para matá-lo.

— É verdade, tinha mesmo, mas, como vê, não me matou.

— Provavelmente por ter apresentado a ele alguma desculpa, ou dado uma explicação?

— Nenhuma explicação. Aliás, foi ele quem pediu que eu o desculpasse.

— E a que atribui essa mudança de comportamento?

— À convicção, provavelmente, de haver em toda essa história alguém mais culpado que eu.

— E quem é essa pessoa.

— O pai dele.

— Pode ser — disse Morcerf, empalidecendo —, mas o senhor sabe que culpados não gostam de ouvir provas de sua culpa.

— De fato, sei... Por isso esperava que esse momento acontecesse.

— Esperava que meu filho fosse um covarde?! — revoltou-se o general.

— Não creio que o cavalheiro — respondeu com frieza Monte Cristo — tenha me procurado para contar seus problemas de família. Vá conversar com o sr. Albert, que possivelmente lhe responderá melhor.

— Tem razão, não foi por isso que vim — devolveu Morcerf com um sorriso que, mal surgiu, desapareceu. — Não foi por isso e, sim, para dizer que também eu o vejo como inimigo! Vim para dizer que o odeio por instinto! E, para terminar, uma vez que as pessoas desse nosso século não duelam mais, a nós cabe ainda cumprir essa formalidade... Não concorda?

— Perfeitamente.

— Ótimo... Está preparado?

— Estou sempre.

— Tem consciência de que lutaremos até a morte de um de nós? — quis confirmar o general, com os dentes cerrados de raiva.

— Até a morte de um dos dois — confirmou o conde de Monte Cristo.

— Então vamos. Não precisamos de testemunhas.

— De fato — concordou Monte Cristo. — Conhecemo-nos muito bem!

— Pelo contrário — disse Morcerf —, é por não nos conhecermos.

O conde de Monte Cristo ficou terrivelmente branco, seu olhar selvagem se incandesceu com uma chama assustadora. Com um salto, ele entrou no escritório e, em menos de um segundo, arrancando a gravata, sobrecasaca e colete, vestiu um pequeno paletó e um boné de marinheiro, soltando os cabelos compridos e negros.

Voltou assim, aterrorizante, implacável, caminhando na direção do general, que recuou um passo e só parando quando encontrou na mesa um ponto de apoio para a mão contraída.

— Fernand! — gritou Monte Cristo. — Dos cem nomes que tenho, basta que eu diga um para fulminá-lo. Você sabe que nome é esse, não sabe? Ou melhor, não se lembra?

O general, com a cabeça tombando para trás, mãos estendidas, olhar paralisado, devorou em silêncio aquela cena e depois, buscando a parede como apoio, foi lentamente se esquivando até a porta, pela qual saiu de costas, deixando escapar apenas um grito lúgubre, lamentoso, dilacerante:

— Edmond Dantès!

Depois, com um suspiro que nada mais tinha de humano, ele chegou ao pátio, atravessou-o como se estivesse bêbado e caiu nos braços do seu criado, murmurando com voz ininteligível:

— Para casa! Para casa!

No caminho, o ar livre e a vergonha causada pela atenção que sua atitude estava chamando o puseram em condição de juntar as ideias, mas o trajeto era curto e, à medida que se aproximava do destino, as dores ficavam ainda mais forte.

A poucos metros de casa, ele mandou parar a carruagem e desceu. O portão externo estava aberto; um fiacre, estranhando ter sido chamado naquela magnífica residência, estacionava no pátio. O conde olhou em desespero o fiacre e correu para os seus aposentos.

Duas pessoas desciam a escada, mas ele mal teve tempo de entrar num quarto para evitá-las.

Era Mercedes, apoiada no braço do filho: os dois abandonavam a casa.

Passaram a dois palmos do infeliz que, escondido atrás da porta com estofo adamascado, praticamente sentiu o roçar do vestido de seda da esposa e o hálito morno dessas palavras, ditas pelo filho:

— Coragem, mãe! Vamos, vamos, esta não é mais a nossa casa.

A frase se apagou no ar, os passos se afastaram. O general se endireitou, com as mãos que se contraíam agarrando o tecido adamascado...

Logo depois, ele ouviu bater a portinhola de ferro do fiacre, a voz do cocheiro e, em seguida, o trepidar do pesado veículo sacudindo os vidros. Só então foi para o seu quarto de dormir.

No mesmo momento em que as rodas do fiacre se chocavam com a pavimentação da arcada de entrada, um tiro de arma de fogo ecoou; uma fumaça escura escapou por uma das janelas do quarto, cujo vidro se quebrara com a força da explosão.

LXII
Valentine

Ao deixar Monte Cristo, Morrel lentamente tomou a direção da casa de Villefort.

Valentine o esperava. Preocupada, ela o pegou pela mão e foram juntos aos aposentos do avô.

— Como sabe, Maximilien, vovô está querendo deixar a casa e se mudar para um apartamento longe daqui.

— Acho ótimo! — disse o rapaz.

— E tem ideia — continuou a jovem — do motivo que o faz querer isso?

Noirtier olhava a neta, para que ela não falasse tanto, mas Valentine não o via, pois tanto os seus olhos, quanto o sorriso, dirigiam-se apenas a Morrel.

— Qualquer que seja o motivo do sr. Noirtier — exclamou ele —, declaro ser um bom motivo.

— Ele diz que os ares da Faubourg Saint-Honoré não são nada bons para mim.

— Pode ser que o sr. Noirtier esteja certo, acho que sua saúde vem se debilitando.

— Um pouquinho, é verdade. E ele decidiu que agora é o meu médico. E como vovô sabe tudo, tenho plena confiança nele.

— É verdade, então, que não tem se sentido bem, Valentine? — perguntou Morrel, já preocupado.

— Ah, por Deus! Não chega a tanto, só um mal-estar geral, nada mais. Ando sem apetite e tenho a impressão de que meu estômago está sempre em luta.

Noirtier não perdia uma palavra da neta.

— E qual tratamento está seguindo?

— É simples, tomo toda manhã uma colherada da poção que trazem para meu avô. Quando digo uma colherada, de fato comecei com uma, mas agora tenho tomado quatro. Vovô diz ser uma panaceia.

Ela sorriu, mas havia algo de triste e de sofrido no sorriso.

De Valentine, a atenção do rapaz passou para Noirtier que, com sua estranha e profunda inteligência, observava a neta, absorta em seu amor. Ele também, como Morrel, seguia os traços de um surdo e pouco visível sofrimento, tão disfarçado, aliás, que passara despercebido de todos, exceto do avô e do namorado.

— Essa poção da qual você chega a tomar quatro colheres — continuou Morrel —, não foi prescrita para o sr. Noirtier?

— Tudo que sei é que é bem amarga — continuou Valentine — e tanto que tudo parece ter o mesmo gosto, depois que bebo.

Noirtier olhou para a neta de maneira interrogativa.

— É isso mesmo, vovô. Ainda há pouco, antes de vir para cá, ainda tomei um copo de água com açúcar e, veja só, deixei pela metade, de tão amarga que parecia.

Noirtier ficou tenso e fez sinal, mostrando querer dizer alguma coisa.

Valentine se levantou para pegar o dicionário.

O enfermo a olhava com visível aflição.

Ao se levantar, o sangue fluiu à cabeça da jovem e suas faces ficaram bem coradas.

— Que estranho! — disse ela, sem perder o bom humor. — Vi um clarão! Terá sido um reflexo do sol?

E ela se apoiou na tranca da janela.

— Não está fazendo sol — disse Morrel, ainda mais preocupado pela expressão do rosto de Noirtier que pela indisposição da jovem, mas correndo até ela, que sorriu.

— Fique tranquilo, vovô; e você também, Maximilien. Não foi nada. Já passou. Mas ouçam! Não é o barulho de uma carruagem no pátio?

Ela abriu a porta da sala de Noirtier, foi até a janela do corredor e voltou rápido:

— É a sra. Danglars e a filha, vindo nos visitar. Bom, tenho que ir, antes que venham me chamar. Mas volto logo, fique com vovô, Maximilien, prometo não demorar.

Morrel a seguiu com os olhos. A porta foi fechada e ele ainda a ouviu subir a escada que levava aos seus aposentos e aos da madrasta.

Assim que os passos se distanciaram, Noitier fez sinal para que o capitão pegasse o dicionário.

Ele fez isso, habituado que já estava a compreender o enfermo.

"Pegue o copo d'água e a garrafa que estão no quarto de Valentine."

Morrel chamou o camareiro que havia substituído Barrois e, em nome de Noirtier, transmitiu a ordem.

O homem voltou logo em seguida.

A garrafa e o copo estavam completamente vazios.

Noirtier fez sinal indicando querer falar:

— Por que o copo e a garrafa estão vazios? Valentine disse ter bebido apenas a metade do copo.

A explanação dessa pergunta demorou ainda cinco minutos.

— Não sei — disse o criado. — Mas a camareira está no quarto da senhorita, talvez o tenha esvaziado.

— Pergunte a ela — disse Morrel, já interpretando o pensamento de Noirtier com um simples olhar.

O criado saiu e quase imediatamente voltou com a explicação:

— A senhorita passou por seu quarto, indo ao da sra. de Villefort e, tendo sede, bebeu o restante do copo. Já a garrafa, o pequeno Édouard esvaziou, querendo fazer um laguinho para os seus patos.

Noirtier olhou para o alto, como um jogador que, num lance só, joga tudo que tem.

A partir daí, os seus olhos se fixaram na porta, sem mais se desviarem.

Naquele meio-tempo, numa espécie de agitação da qual ela não se dava conta, Valentine havia atravessado o quarto de Édouard, sem prestar atenção a não sei qual maldade com que o menino se distraía, e por seu próprio quarto, chegando em seguida à escada. Faltavam ainda os três últimos degraus, quando ela sentiu algo como uma nuvem passar por seus olhos. O pé resvalou sem controle na madeira, as mãos não tiveram força para sustentá-la no corrimão, e então ela, em vez de descer, rolou por aqueles três últimos degraus.

Morrel deu um pulo, abriu a porta e viu Valentine estendida no corredor.

Como um relâmpago, ele a pegou nos braços e a trouxe para uma poltrona.

Ela olhou em volta e viu o terror que as feições de Noirtier exprimiam.

— Não se preocupe, vovô — tentou sorrir. — Não é nada, não é nada… uma tontura, só isso.

— Têm se tornado frequentes — disse Morrel, juntando as mãos. — Tome cuidado, Valentine, por favor.

— Ah! — respondeu ela, com um gesto convulsivo. — No fim das contas, você se alarma com muita facilidade, Maximilien. E dizem que é um oficial, um soldado que nunca teve medo. Ah, ah, ah!

E um riso estridente e doloroso se desencadeou, enquanto os braços se enrijeciam, até a cabeça cair no encosto da poltrona, sem mais se movimentar.

O grito de horror que Deus bloqueou nos lábios de Noirtier explodiu no seu olhar.

Morrel entendeu, precisava pedir de ajuda.

Ele apertou sem soltar a campainha. A camareira que estava no quarto de Valentine e o substituto de Barrois acorreram ao mesmo tempo.

Valentine estava tão pálida, tão fria e inanimada que, sem ouvir o que pediam, o medo que o tempo todo pairava naquela casa maldita tomou conta dos dois empregados, que saíram correndo pelos corredores, gritando por socorro.

LXIII
A confissão

No mesmo momento, Villefort gritou, de dentro do escritório:

— O que houve?

Ele correu até onde estava Valentine e a abraçou.

— Um médico! Um médico! O sr. d'Avrigny! Deixem, vou eu mesmo! — disse e saiu atropeladamente.

Por outra porta, Morrel fazia o mesmo.

Mais rápido que o pensamento, da Faubourg Saint-Honoré ele tomou a rua Matignon e da rua Matignon a avenida Champs-Élysées.

Enquanto isso, numa pequena carruagem de praça, o pai aflito chegava à porta do dr. d'Avrigny. Puxou a campainha com tanta violência que o porteiro foi abrir já assustado. O visitante se lançou pela escada sem forças para qualquer explicação. O porteiro, que o conhecia, deu passagem e apenas gritou:

— No escritório, sr. procurador! Ele está no escritório!

Mas Villefort já empurrava, ou melhor, quase derrubava a porta.

— Ah! — disse o médico. — É o senhor.

Um soluço doloroso eclodiu do coração do pai, que se aproximou de d'Avrigny e o agarrou pelo braço:

— Valentine! Foi a vez de Valentine!

— A sua filha?! — exclamou o doutor, com um espanto condoído.

— O senhor se enganou — murmurou o magistrado. — Está no seu leito de dor. Venha vê-la e, ao mesmo tempo, peça desculpas, por suas suspeitas infundadas.

A mesma carruagem os levou de volta num trote rápido, no mesmo instante em que Morrel batia à porta de Monte Cristo.

Ouvindo ser anunciado o nome de quem há apenas duas horas se despedira, o conde estranhou.

— O que houve, Maximilien? — perguntou. — Está pálido e molhado de suor.

— Amo desesperadamente, amo de forma louca, amo como quem daria todo o seu sangue para evitar uma única lágrima da amada, amo Valentine de Villefort, que está sendo assassinada nesse momento! Amo e pergunto a Deus e ao senhor como salvá-la!

Monte Cristo deu um grito furioso.

— Infeliz! Valentine? Ama alguém daquela raça maldita?

Nunca antes Morrel havia ouvido aquela expressão. Nunca antes um olhar tão diabólico havia brilhado à sua frente. Ele recuou apavorado.

Já Monte Cristo, depois dessa explosiva manifestação, fechou por um instante os olhos, como se estivesse ofuscado por relâmpagos internos. Por algum tempo ele se concentrou com tamanha força que se podia ver, pouco a pouco, acalmar o movimento tempestuoso do seu peito.

Esse silêncio, essa concentração, essa luta duraram vinte segundos, mais ou menos. Ele afinal ergueu o pálido semblante e disse:

— Maximilien, vá para casa tranquilamente. Não dê um passo, não tente nada, não deixe transparecer no rosto sombra de preocupação. Darei notícias. Agora vá.

— Por tudo que é sagrado, conde! Está me assustando com tanto sangue-frio. Pode fazer alguma coisa para salvá-la da morte? É mais do que um simples homem? Um anjo? Um deus?

— Posso muita coisa, meu amigo — respondeu Monte Cristo. — Mas vá, preciso estar só.

Subjugado pelo poderoso ascendente que aquele estranho personagem exercia sobre tudo que estava à sua volta, Morrel sequer tentou entender. Apertou a sua mão e saiu.

Villefort e d'Avrigny tinham se apressado. Ao chegarem, Valentine ainda estava sem sentidos e o médico a examinou. Atento ao que ele observava e dizia, o pai apenas aguardava. Noirtier, ainda mais pálido que a jovem, mais ansioso por uma solução que o próprio Villefort, também se mantinha na expectativa, com toda sua inteligência e sensibilidade à flor da pele.

D'Avrigny, finalmente disse, em voz pausada:

— Ainda está viva.

— Mas a salvo? — perguntou o pai.

— Sim, já que respira.

O olhar de d'Avrigny encontrou nesse momento o de Noirtier, que resplendia com tão extraordinária alegria, tão rico e fecundo pensamento que o médico ficou impressionado.

— Sr. de Villefort — disse ele —, chame, por favor, a camareira de sua filha.

Villefort deixou a cabeça de Valentine, que ele segurava, e correu para ir pessoalmente chamar a servente.

Assim que ele saiu e fechou a porta, d'Avrigny se aproximou de Noirtier.

— Tenho a impressão de que sabe alguma coisa a respeito da doença de sua neta — disse ele.

— Sim — respondeu o velho.

— Previu o que aconteceu hoje?

— Sim.

D'Avrigny pensou um pouco e, chegando ainda mais perto, disse:

— A mesma mão que por engano atingiu Barrois, atingiu agora Valentine? É o que acha?

— Sim.

— Ela, então, vai morrer também? — perguntou o médico, fixando um olhar profundo em Noirtier e procurando observar o seu efeito.

— Não! — respondeu ele, com ares de triunfo que poderiam confundir as conjecturas do mais hábil adivinho.

— Ah! — exclamou d'Avrigny, tendo uma súbita ideia. — Será que o senhor...

Noirtier não esperou que ele terminasse:

— Sim.

— Premuniu-a contra o veneno...

— Sim.

— Habituando-a pouco a pouco.

— Sim, sim, sim — animou-se Noirtier, vendo ter sido entendido.

— É verdade, o senhor me ouviu comentar a presença de brucina nas poções que lhe preparo? Acostumando-a com esse veneno, o senhor quis imunizá-la contra os efeitos de outro?

Uma alegria sobre-humana brilhou nos olhos do velho, voltados para o alto, como expressão de infinito reconhecimento.

LXIV
O contrato

Três dias depois do que acabamos de contar, por volta das cinco da tarde da data marcada para a assinatura do contrato entre Eugénie Danglars e Andrea Cavalcanti, uma brisa fresca fazia tremelicar as folhas do jardinzinho da frente da casa do conde de Monte Cristo. Ele já se preparava para sair, os cavalos se impacientavam pateando, refreados pela mão do cocheiro, há quinze minutos sentado em sua banqueta. Nesse momento, uma elegante carruagem rapidamente manobrou em frente à porta de entrada, e dela o sr. Andrea Cavalcanti, pode-se dizer, foi ejetado nos degraus da escada principal. Ele estava dourado e fulgurante, como alguém prestes a se casar com uma princesa.

Pediu ao criado notícias da saúde do dono da casa, com a familiaridade de sempre e, escalando com presteza o primeiro andar, encontrou-o, em pessoa, no alto da escada.

Ao ver o rapaz, o conde parou. Já Andrea Cavalcanti, estava embalado e, quando isso acontecia, nada podia pará-lo.

— Muito bom dia, caro sr. de Monte Cristo — cumprimentou ele.

— Ah, sr. Andrea! — devolveu o outro, num tom quase que de zombaria. — Como tem passado?

Andrea respondeu da forma mais risonha:

— Como sabe, querido conde, a cerimônia será logo mais. Às nove horas assinamos o contrato na casa do sogro.

— Que felicidade para o senhor, meu caro Cavalcanti. É uma aliança das mais alvissareiras. Além do mais, é bem bonita a srta. Danglars.

— É verdade — concordou Cavalcanti, cheio de modéstia.

— E, mais ainda, muito rica.

— Tanto assim? Acha mesmo?

— Com certeza. Dizem que o sr. Danglars esconde pelo menos a metade do que tem.

— E ele confessa algo em torno de 15 ou vinte milhões — disse Andrea, com o olhar brilhando de felicidade.

— Além disso — acrescentou ainda Monte Cristo —, toda essa fortuna será sua, o que é muito justo, sendo a srta. Danglars filha única. Aliás, a sua fortuna pessoal, pelo menos pelo que me contou seu pai, é quase igual à da sua noiva. Mas deixemos de lado essas questões de dinheiro. O senhor conduziu tudo isso de forma muito sutil e hábil, não concorda?

Andrea ficou reflexivo por um tempo e, logo em seguida, saindo do devaneio disse:

— Resta-me ainda lhe fazer um pedido, mesmo que, talvez, desagradável.

— Diga.

— Preciso de um apoio forte para me acompanhar ao altar e acredito que meu pai não venha a Paris, não é?

— Ele está velho, coberto de ferimentos e sofre muito, pelo que diz, a cada viagem.

— Posso entender. E por isso, justamente, o meu pedido.

— Deus do céu, qual?

— Bem! O de substituí-lo.

— Ah, meu caro amigo! Como? Depois de todo o convívio que tive a felicidade de ter com o senhor, me conhece tão mal assim, para fazer semelhante pedido?

— Então recusa?

— Sem sombra de dúvida. E mesmo que fosse meu filho ou meu irmão, recusaria do mesmo modo.

— Que chato! — exclamou Andrea, decepcionado. — Mas o que fazer, então?

— O senhor mesmo me disse ter cem amigos.

— É verdade, mas foi o senhor que me apresentou aos Danglars.

— Epa! Vamos restabelecer os fatos: eu o chamei para jantar em Auteuil, mas o senhor mesmo se apresentou. Caramba, é bem diferente!

— Vamos, não tem problema — conciliou Andrea —, exceto por sua recusa que, confesso, parte meu coração.

E, apesar de certa resistência por parte de Monte Cristo, cujos lábios se descoraram no esforço para manter um cerimonioso sorriso, Andrea pegou a sua mão, apertou, saltou de volta em sua carruagem e desapareceu.

Às oito e meia da noite, o salão principal dos Danglars e as três outras salas do mesmo andar estavam repletos de convidados ali presentes não por qualquer simpatia, mas sobretudo por essa irresistível necessidade de estar onde se supõe acontecer alguma novidade.

A srta. Eugénie, com a mais elegante simplicidade: um vestido de seda branca com brocados brancos e uma rosa branca semioculta nos cabelos cor de azeviche constituíam toda a sua pompa, à qual joia nenhuma vinha enriquecer.

O sr. Danglars, cercado de deputados e de financistas, explicava uma nova teoria para os impostos, que ele contava pôr em exercício quando a força dos acontecimentos obrigasse o governo a chamá-lo para o ministério.

Andrea, conversando com um dos mais petulantes dândis dos bulevares, impertinentemente explicava seus projetos de vida e os progressos que ele estava certo de produzir, com suas 175 mil libras de renda, no universo fashion parisiense.

No momento em que o ponteiro do pesado relógio de pêndulo marcou nove horas sobre um fundo de ouro e soou nove vezes, o nome do conde de Monte Cristo igualmente soou; então, todos viraram-se para a porta.

Os tabeliões entraram também, no mesmo momento, e foram colocar seus editais escritos em cima do veludo bordado de ouro que cobria a mesa preparada para as assinaturas.

Um deles se sentou, enquanto o outro permaneceu de pé.

Iniciou-se, então, o procedimento de leitura do contrato que a metade de Paris, presente na solenidade, assinaria.

O documento foi lido no mais profundo silêncio, mas assim que foi concluída a leitura, o burburinho voltou ainda maior às salas: aquelas somas prodigiosas, os milhões que completavam a explanação feita, o enxoval da noiva e os seus diamantes, tudo isso repercutia com fragor na invejosa assembleia.

O notário solenemente empunhou a pluma, ergueu-a acima da cabeça e declarou:

— Senhores, o contrato será assinado.

O barão a empunhou e assinou. Em seguida, foi a vez do oficial público.

A baronesa se aproximou, de braço dado com a sra. de Villefort.

— Minha amiga — ela dizia, pegando por sua vez a pena —, não é desesperador? Um incidente repentino, na sequência daquele caso de assassinato e roubo do qual o sr. conde de Monte Cristo quase foi vítima, nos priva da companhia do sr. de Villefort.

— Meu Deus! E temo ter sido eu a causa involuntária dessa ausência — disse Monte Cristo, aproximando-se.

Todos se puseram avidamente à escuta: Monte Cristo, que tão raramente abria a boca, ia falar.

— Devem se lembrar — começou ele, dentro de profundo silêncio — de ter sido na minha propriedade que morreu o infeliz que ali viera para roubar e, indo embora, foi morto, ao que tudo indica, pelo seu cúmplice.

— É verdade — concordou Danglars.

— Pois bem! Tentando socorrê-lo, nós o despimos e as roupas foram jogadas num canto, onde a Justiça as recolheu. Levou as calças e a veste para que fossem arroladas no registro público, mas esqueceu o colete.

Andrea visivelmente empalideceu e, devagar, aproximou-se da porta. Via surgir uma nuvem no horizonte, nuvem esta que podia trazer em seu interior uma tempestade.

— Continuando! O tal colete do infeliz foi encontrado hoje, coberto de sangue e furado na altura do coração.

As senhoras deixaram escapar um grito; duas ou três delas se prepararam para um desmaio.

— Quem o encontrou levou-o a mim. Ninguém podia imaginar de onde vinha aquele trapo, exceto eu, que achei ser provavelmente o colete da vítima. De repente, meu camareiro, revistando aquela relíquia, descobriu um papel num bolso: era uma carta endereçada sabem a quem? Ao senhor, barão.

— A mim? — estranhou Danglars.

— Meu Deus! Isso mesmo, ao senhor! Consegui ler o seu nome entre as manchas de sangue — acrescentou Monte Cristo, no meio da surpresa geral.

— Mas por que isso impediria a vinda do sr. de Villefort? — perguntou a sra. Danglars, olhando preocupada para o marido.

— Muito simples, baronesa — respondeu Monte Cristo —, o tal colete e a carta constituem provas criminais, que tratei de enviar ao sr. procurador do rei.

Andrea olhou fixamente para Monte Cristo; em seguida, desapareceu na sala ao lado.

— É verdade — disse Danglars —, o indivíduo assassinado não era um antigo condenado aos trabalhos forçados?

— Era, sim — concordou o conde —, um antigo prisioneiro, chamado Caderousse.

Danglars perdeu um pouco a cor. Enquanto isso, Andrea deixou a sala ao lado e passou para o saguão.

— Mas assinem, assinem — desculpou-se Monte Cristo —, estou vendo que essa história desviou a atenção de todo mundo. Humildemente peço desculpas por isso à sra. baronesa e à srta. Danglars.

Mas nesse mesmo momento a multidão presente se comprimiu, aterrorizada, no salão.

E tinha motivo para tanto, como também para se assustar e gritar: um oficial da polícia colocava dois soldados à porta de cada sala e se dirigia ao dono da casa, tendo à frente um comissário com suas insígnias.

A sra. Danglars deu um grito e desmaiou.

O marido, imaginando-se ameaçado (certas consciências nunca estão tranquilas), não pôde disfarçar, diante dos convidados, uma fisionomia desfigurada pelo pavor.

— O que está acontecendo, cavalheiro? — perguntou Monte Cristo, adiantando-se em direção ao comissário.

— Qual dos senhores — perguntou o magistrado, sem responder a pergunta — se chama Andrea Cavalcanti?

Uma surpresa geral ecoou por todos os cantos da sala.

— Mas que Andrea Cavalcanti é esse, afinal? — perguntou Danglars, quase alucinado.

— Um preso foragido dos trabalhos forçados de Toulon.

— E que crime cometeu?

— Ele é suspeito — disse a autoridade, com voz impassível — de ter assassinado o indivíduo Caderousse, seu antigo colega de cadeia, no momento em que este último saía da casa do conde de Monte Cristo.

Monte Cristo deu uma olhada em volta.

Andrea havia desaparecido.

LXV
A lei

A sra. Danglars lamentava horrivelmente que o casamento de Eugénie tivesse sido um fracasso, não por considerar boa e bem combinada aquela união, fazendo a felicidade da filha, mas porque devolveria a ela a liberdade.

Às 23h40, ela procurou ouvir atrás da porta de Eugénie e, não ouvindo barulho algum, tentou entrar. Estava trancada por dentro.

Chamou, então, a camareira para fazer perguntas.

— A srta. Eugénie está lá dentro com a srta. d'Armilly. Tomaram chá e em seguida me dispensaram, dizendo não precisar mais de mim.

A sra. Danglars foi, então, se deitar sem qualquer preocupação com relação à filha, mas ficou revendo na memória os acontecimentos.

O tal Andrea era um patife, ladrão e assassino, mas, no entanto, suas maneiras indicavam alguma educação, quem sabe até uma boa educação. Apresentara-se na sociedade parisiense parecendo dispor de grande fortuna e com o apoio de pessoas honradas.

Como encontrar uma pista, naquele labirinto? A quem consultar para escapar de tão cruel situação?

A baronesa, então, pensou no sr. de Villefort.

Dele é que viera a decisão de prender Cavalcanti. Fora ele quem, sem dó nem piedade, causara tanta confusão no seio da sua família, como se fosse uma família qualquer.

No dia seguinte, às nove horas, ela se levantou e, vestida com a mesma simplicidade da véspera, desceu a escada, deixou a residência, subiu numa carruagem e mandou que a levasse à casa do sr. de Villefort.

— Em primeiro lugar, quem é a senhora? — perguntou o porteiro.

— Quem sou? O senhor me conhece.

— Não conhecemos mais ninguém, senhora.

— Que coisa estranha! Vou me queixar com o sr. de Villefort da impertinência dos seus empregados.

— Não se trata de impertinência, mas de precaução: ninguém mais entra aqui sem uma autorização do sr. d'Avrigny ou sem ter falado com o sr. procurador do rei.

— Pois é justamente com ele que quero falar.

— É urgente?

— Pode perfeitamente imaginar, pois não voltei ainda à minha carruagem. Não vou continuar essa conversa, pegue meu cartão e leve a seu amo.

Por mais preocupada que estivesse a sra. Danglars com a razão que a tinha levado ali, a maneira como fora recebida era tão indigna que foi por onde ela começou.

Mas Villefort ergueu a cabeça de forma dolorosa e sorriu com tanta tristeza, que as queixas expiraram antes mesmo de serem pronunciadas.

— Queira perdoar meus empregados por um terror do qual não posso culpá-los. Sob suspeita, eles próprios passaram a suspeitar de todos. Mas veio me falar do que aconteceu em sua casa, não é?

— Exatamente, uma grande desgraça.

— Infelizmente, senhora — contrapôs o procurador do rei com imperturbável calma —, comecei a só denominar desgraça coisas irreparáveis.

— E acha possível esquecer o que aconteceu em minha casa?

— Tudo se esquece. O casamento de sua filha será amanhã, se não pôde ser hoje, ou dentro de oito dias, se não puder ser amanhã. E não creio que a senhora lamente o futuro que teria a srta. Eugénie.

— Vim procurar saber, meu amigo, em que ponto está o caso do impostor.

— Impostor? — repetiu Villefort. — Realmente, é uma tendência da senhora atenuar certas coisas e exagerar outras. Impostor, o sr. Andrea Cavalcanti, ou melhor, o sr. Benedetto? A senhora se engana, o sr. Benedetto é pura e simplesmente um assassino.

— Não vou negar que tem razão em me corrigir, mas quanto maior o rigor aplicado contra esse infeliz, mais se prejudicará minha família. Veja, esqueça-o por um minuto e, em vez de persegui-lo, deixe-o fugir.

— Procurou-me tarde demais, senhora, as ordens já foram dadas

— E tem certeza — retomou a sra. Danglars — de ser ele tão culpado quanto dizem?

— Veja a senhora mesma a sua ficha: Benedetto, condenado primeiro a cinco anos de trabalhos forçados por falsidade ideológica, aos dezesseis anos de idade. Como vê, um rapaz promissor. Mais tarde, foragido e, depois, assassino.

A baronesa juntou as mãos.

— Villefort! — disse ela, com sua mais doce e cativante entonação.

— Santo Deus, senhora! — reagiu o procurador do rei, com uma firmeza na qual não deixava de ter alguma secura. — Santo Deus! Nunca me peça clemência por um culpado.

Ele pronunciou essas últimas palavras com uma raiva febril, que lhes garantiam uma feroz eloquência.

— Mas o senhor — tentou a sra. Danglars um último esforço — não disse que o rapaz é um vagabundo, órfão e abandonado por todo mundo?

— É pena, é pena, ou melhor, ainda bem! A Providência o fez assim para que ninguém o lamente.

— Está perseguindo um fraco.

— Um fraco que assassina!

— Sua desonra respingará na minha família.

— E não tenho a morte na minha própria?

— Ah! O senhor não tem piedade dos outros. Assim sendo, vou lhe dizer, não teremos também piedade do senhor!

— Que seja! — disse Villefort, erguendo com um gesto de ameaça a mão ao céu.

— Ele fugiu, deixe-o fugir. A inércia é uma fácil clemência.

— Já lhe disse que é tarde. Ao amanhecer a busca já foi telegrafada e, a essa hora...

— Senhor — interrompeu o camareiro entrando —, um soldado acaba de trazer essa mensagem do ministério do Interior.

Villefort pegou o envelope e o abriu com ansiedade.

A sra. Danglars estremeceu de pavor; Villefort, de alegria.

— Preso! — exclamou o procurador. — Foi preso em Compiègne. Está acabado.

A visitante se levantou pálida e fria:

— Adeus, senhor.

— Adeus, senhora — respondeu ele, quase alegre, acompanhando-a até a porta.

LXVI
A aparição

Valentine não se recuperou.

Devastada pelo cansaço, ela não saía mais da cama. Foi no próprio quarto e pela boca da madrasta que ela soube dos acontecimentos que acabamos de contar.

Na noite seguinte, uma cena inesperada se passou nesse mesmo quarto, tão cuidadosamente resguardado.

Já há dez minutos, mais ou menos, a acompanhante de Valentine tinha se retirado. Da mecha da lamparina se desprendiam milhares e milhares de fulgores, carregados de estranhas significações, quando, de repente, entre aqueles reflexos vacilantes, a doente achou que sua biblioteca, numa reentrância da parede ao lado da lareira, lentamente se movia.

Por trás das prateleiras, surgiu uma figura humana.

Já habituada à permanente febre, Valentine estava também familiarizada com esse tipo de aparição, por isso não se assustou. Apenas abriu bem os olhos, esperando ver Morrel.

A figura continuou vindo em direção à cama e depois parou, parecendo ouvir com toda atenção.

Nesse momento, um reflexo da lamparina brilhou no rosto do visitante noturno.

— Não é quem eu queria! — murmurou Valentine, simplesmente.

E quis, então, pegar o copo de cristal na mesinha em que ele estava, mas enquanto o braço enfraquecido se alongava para fora da cama, a aparição, de forma mais decidida do que nunca, deu dois passos à frente e chegou tão perto que a jovem ouviu sua respiração, achando também sentir a pressão da sua mão.

Essa pressão procurava impedir o movimento do seu braço.

Valentine, então, o recolheu devagar.

A figura, cujo olhar não se desviava do seu e que, na verdade, parecia mais de proteção do que de ameaça, pegou o copo, aproximou-o da lamparina e inspecionou o conteúdo, como se quisesse avaliar a transparência e a limpidez.

Mas esse teste não bastou.

O homem, ou melhor, o fantasma, pois caminhava com tanta leveza que o tapete abafava o som dos seus passos, o homem recolheu do copo uma colherada do líquido e bebeu.

— Pode beber agora! — disse ele.

Valentine sentiu um arrepio.

Era a primeira vez que uma das suas visões falava de maneira tão clara.

Ela se preparou para dar um grito.

O homem encostou um dedo nos seus lábios

— Conde de Monte Cristo! — murmurou ela.

Ele apontou para a biblioteca.

— Estava escondido. Atrás desse móvel — explicou ele —, há uma porta que dá para a casa ao lado, que aluguei.

Com um gesto de pudico orgulho, a jovem desviou os olhos e disse, com terror:

— Cavalheiro, o que fez é insano ao mais alto ponto e se assemelha muito a um insulto.

— Valentine, durante toda essa vigília, só o que me interessou foram as pessoas que entraram aqui, quais alimentos e quais bebidas lhe serviram. Se algo me parecesse perigoso, eu entrava como acabo de fazer, esvaziava o seu copo e trocava o veneno por uma bebida medical que, no lugar da morte que lhe preparam, faz circular vida nas suas veias.

— Veneno! Morte! — exclamou a moça, achando novamente estar sob o domínio de alguma febril alucinação. — De que está falando?

— Shh, menina! — fez Monte Cristo, levando o dedo aos lábios. — Eu disse veneno, foi o que ouviu. Disse morte e posso repetir. Mas, antes, tome isso.

O conde tirou do bolso um frasquinho contendo um líquido vermelho, do qual colocou algumas gotas no copo.

— O que o senhor está dizendo é pavoroso, quer me fazer acreditar em algo infernal.

— Por acaso é a primeira a quem a mesma mão ataca, Valentine? Já não viu caírem ao seu redor o sr. de Saint-Méran, a sra. de Saint-Méran e Barrois? Não teria visto cair o sr. Noirtier, se o tratamento que ele segue há três anos não o protegesse, combatendo o veneno pelo hábito do veneno?

— E quem é esse assassino, o criminoso?

— Não sabe quem trama contra a sua vida?

— Não, não sei. Por que alguém haveria de querer a minha morte?

— Pois logo vai saber — disse Monte Cristo, ficando de ouvido atento.

— Como assim? — perguntou Valentine, olhando assustada em volta.

— Você agora não tem febre nem delira, está bem desperta, meia-noite está batendo e essa é a hora dos assassinos.

Em seguida, com um sorriso tão triste e paternal que o coração da jovem se encheu de gratidão, ele voltou na ponta dos pés para a porta atrás da biblioteca.

Antes de fechá-la de volta, porém, ele disse:

— Não se mexa, não diga nada, finja que dorme. Sem isso, não é impossível que seja morta antes que eu possa acudir.

Com essa assustadora recomendação, o conde desapareceu atrás do móvel, que, logo em seguida, voltou silenciosamente a seu lugar.

LXVII
Locusta

Valentine ficou só. Em lugares diferentes, dois relógios soaram meia-noite. Depois, fora o barulho de carruagens que passavam ao longe, tudo voltou ao silêncio.

Toda a atenção da jovem se voltou, então, para o relógio do quarto, cujo pêndulo marcava os segundos.

Uma única ideia, uma ideia terrível agitava o seu espírito, a de haver no mundo uma pessoa que tentava matá-la e que continuaria tentando.

Vinte minutos, vinte eternidades assim se passaram. Depois, mais dez e finalmente o relógio, gritando um segundo antes, acabou batendo uma pancada no dispositivo sonoro.

Nesse mesmo momento, um imperceptível arranhar de unha contra a madeira da biblioteca indicou a Valentine que o conde continuava ali e recomendava atenção.

Então, de fato, do lado oposto, ou seja, do lado do quarto de Édouard, pareceu vir um rangido do assoalho. Ela conteve a respiração, concentrando-se na escuta. A maçaneta girou e a porta foi aberta.

Valentine tinha se apoiado nos cotovelos e, rapidamente, voltou a se deitar por completo e a esconder os olhos sob o braço.

Em seguida, trêmula, agitada e com o coração comprimido por indizível aflição, esperou.

Alguém se aproximou da cama e encostou no cortinado.

Juntando todas as suas forças, a jovem procurou manter o movimento regular da respiração de quem tranquilamente dorme.

— Valentine! — chamou bem baixinho alguém.

Ela tremeu até no fundo do coração, mas conseguiu não responder.

— Valentine! — a pessoa repetiu.

Mesmo silêncio, de quem prometera a si mesma não se trair.

Mas depois, tudo permaneceu imóvel.

Mesmo assim, Valentine ouviu o barulho quase imperceptível de um líquido caindo no copo que ela acabava de esvaziar.

Só então se atreveu, oculta pelo braço estendido, a entreabrir uma pálpebra.

Viu uma mulher num penhoar branco, colocando no seu copo o preparado de uma garrafinha.

Por um curto instante, Valentine talvez tenha prendido a respiração ou feito algum movimento, pois a intrusa se assustou, parou o que estava fazendo e se debruçou sobre a cama para confirmar se ela realmente dormia: era a sra. de Villefort.

Reconhecendo a madrasta, Valentine foi tomada por um arrepio agudo que transmitiu algum movimento à cama.

A visitante imediatamente se colou à parede e dali, oculta pelo cortinado da cama, muda, atenta, espiava qualquer eventual agitação.

Porém, tranquilizada pela calma reinante, em que voltara a se ouvir a respiração regular do sono, a sra. de Villefort estendeu de novo o braço e, ainda semioculta pelo cortinado repuxado junto à cabeceira do leito, acabou de esvaziar no copo da enteada o conteúdo da garrafinha.

Depois ela se foi, sem que o menor ruído denunciasse a sua partida.

Mas havia desaparecido aquele braço, pelo menos isso. O braço grácil e bem torneado de uma mulher de vinte e cinco anos, jovem e bonita, disseminando a morte.

É impossível descrever o que Valentine sentiu durante aquele minuto e meio em que a sra. de Villefort esteve no seu quarto.

O arranhar da unha na biblioteca tirou a jovem do estranho torpor em que ela havia mergulhado, semelhante a uma dormência.

Foi só com esforço que conseguiu erguer a cabeça.

Sempre em silêncio, a porta voltou a se abrir e o conde de Monte Cristo apareceu.

— O que me diz? — perguntou ele. — Ainda alguma dúvida?

— Meu Deus! Meu Deus! — murmurou a jovem.

— Pôde ver?

— Infelizmente, sim.

— Reconheceu?

Valentine deixou escapar um gemido.

— Mas por que, Deus do céu, ela me persegue assim?

— Você é rica, Valentine, dona de duzentas mil libras de rendas, e esse dinheiro deixa de ir para o menino.

— Édouard! Pobre criança, é por quem se cometem todos esses crimes?

— Ah, finalmente está compreendendo!

— E vejo também que estou condenada a morrer — exclamou a moça, esvaindo-se em lágrimas.

— De forma alguma, Valentine. Previ todos os complôs e nossa inimiga foi derrotada, uma vez que descoberta. Você vai viver, viver para amar e ser amada, viver para ser feliz e tornar feliz um nobre coração. Mas para isso, Valentine, terá que ter toda confiança em mim.

— É só dizer; o que acha que devo fazer?

— Aceitar cegamente o que vou lhe dar.

— Farei o que for necessário para viver, conde, pois há dois seres no mundo que me amam e morreriam se eu própria morrer: meu avô e Maximilien.

— Tomarei conta deles, como fiz com você.

— Pois então disponha de mim, conde.

Em seguida, em voz mais baixa, acrescentou:

— Meu Deus, meu Deus! O que vai acontecer comigo?

— Algo vai acontecer, Valentine, mas não se apavore. Mesmo que sinta dor, perca a vista, a audição, o tato, não tenha medo. Mesmo que, ao acordar, se veja num túmulo sepulcral ou presa dentro de um caixão, procure se controlar e pense: "Um amigo, um pai, alguém que quer minha felicidade e a de Maximilien, esse alguém não me esqueceu e cuida de mim".

O conde tirou do bolso do colete uma caixinha de pílulas, ergueu a tampa de ouro e deixou cair na mão direita de Valentine um comprimido redondo, do tamanho de uma ervilha.

Valentine levou-o à boca e engoliu.

— Agora vou tentar ir dormir, filha — disse ele. — Você está salva.

— Obrigada. E o que quer que aconteça comigo, prometo não ter medo.

Monte Cristo ficou ainda por um tempo a olhar a jovem que pouco a pouco adormecia, vencida pela força do narcótico que acabara de tomar.

Ele, então, pegou o copo e o esvaziou um pouco na lareira, para que se tivesse a impressão de que a doente havia tomado o que faltava. Em seguida, colocou-o de volta na mesinha de cabeceira e, voltando à porta atrás da biblioteca, desapareceu, não sem antes lançar um último olhar à moça, que dormia com a tranquilidade e a candura de um anjo aos pés do Senhor.

LXVIII
Valentine

A lamparina continuava a queimar em cima da lareira de Valentine. Todos os barulhos tinham realmente desaparecido, mas o silêncio interior era assustador.

A porta do quarto de Édouard foi aberta e uma cabeça apareceu no espelho oposto a essa porta: era a sra. de Villefort, que vinha confirmar o efeito do veneno administrado.

Ela parou à entrada, ouviu os estalidos da chama, único som perceptível naquele aposento que se poderia imaginar deserto. Em seguida, caminhou devagar até a mesinha de cabeceira para ver se o copo ali deixado estava vazio.

Havia ainda um quarto do conteúdo, como dissemos.

A sra. de Villefort o pegou e acabou de esvaziá-lo nas cinzas, que foram reviradas para melhor absorção. O cristal foi cuidadosamente lavado, enxugado com um lenço e colocado de volta na mesinha.

Armando-se de coragem, ela afastou o cortinado, apoiou-se na cabeceira da cama e olhou para Valentine.

A jovem não respirava mais e, por seus dentes semicerrados, não passava sequer um átomo do fluido indicador da vida. Nos lábios descorados havia cessado qualquer tremor, os olhos, afundados num vapor avioletado que parecia ter brotado da pele, formavam uma saliência mais clara no lugar em que o globo infla a pálpebra, com os longos cílios negros cortando a epiderme já fosca como cera.

Fazendo apelo a coragem ainda maior, a sra. de Villefort ergueu a coberta e colocou a mão à altura do coração da enteada.

Mudo e gélido.

Para a madrasta, não havia mais dúvida: tudo terminado, a obra terrível, a última a que ela se obrigava, estava finalmente concluída.

Nesse mesmo instante, a lamparina se apagou e o quarto mergulhou numa apavorante escuridão.

No meio dessa escuridão, o relógio despertou e soou os trinta minutos das quatro horas.

A envenenadora, assustada por tantas e sucessivas emoções, ganhou às apalpadelas a porta e voltou a seu quarto, com o suor da aflição na testa.

O escuro reinou por duas horas mais.

Em seguida, pouco a pouco a manhã leitosa invadiu os aposentos, filtrada pelas lâminas das persianas. Ainda pouco a pouco, a claridade foi se firmando, devolvendo cor e formas aos objetos e aos corpos.

Nesse momento, a tosse da acompanhante de Valentine ecoou na escada e ela entrou no quarto, com uma xícara de chá na mão.

Tentou recompor o braço da doente junto ao corpo, mas o membro obedeceu com uma rigidez assustadora que dificilmente enganaria uma enfermeira.

— Socorro! Socorro! — gritou ela.

— Como assim, socorro? — disse ainda embaixo, na escada, o dr. d'Avrigny.

Era a hora em que o médico, em geral, passava.

— Como assim, socorro? — foi a vez de exclamar Villefort, saindo precipitadamente do seu escritório. — Doutor, não ouviu alguém gritar por socorro?

— Ouvi, ouvi! Foi lá em cima — respondeu d'Avrigny. — Vamos rápido, é do quarto de Valentine.

Mas antes que o pai e o médico entrassem, os criados que se encontravam no mesmo andar, nos quartos ou nos corredores, já estavam lá e, vendo a jovem sem cor e imóvel na cama, erguiam mãos aos céus, trêmulos como se sofressem de vertigens.

— Chamem minha mulher! Acordem a sra. de Villefort! — gritou o dono da casa ainda na porta do quarto, no qual ele parecia ter medo de entrar.

Os empregados, porém, em vez de responder, olhavam para o dr. d'Avrigny que, ele sim, havia entrado, corrido até Valentine e a erguia nos braços.

O pai desabou como se suas pernas tivessem se quebrado e encostou a cabeça na cama de Valentine.

Nesse momento, a sra. de Villefort, acabando ainda de vestir o penhoar da manhã, ergueu o reposteiro. Ficou parada à entrada, parecendo se perguntar o que era tudo aquilo e tentando fazer subir aos olhos algumas lágrimas rebeldes.

De repente, ela deu um passo, ou melhor, um salto para a frente, com os braços estendidos na direção da mesa. Tinha acabado de ver d'Avrigny se debruçar curiosamente sobre aquele móvel e pegar o copo que ela tinha certeza de ter esvaziado há algumas horas.

O copo continuava um quarto cheio, exatamente como antes de ter despejado todo o conteúdo nas cinzas.

Se o espectro de Valentine aparecesse à sua frente, não causaria maior efeito.

A envenenadora deu meia-volta, seus olhos faiscaram, depois se acalmaram e ela, vacilante, procurou com a mão a porta e desapareceu.

Pouco depois, ouviu-se o barulho distante de um corpo que cai no chão.

Mas ninguém pareceu se preocupar. A enfermeira seguia com curiosidade a análise química que o sr. d'Avrigny procurava fazer, enquanto Villefort continuava aniquilado.

Apenas o médico, justamente, acompanhara com os olhos a sra. de Villefort, notando a sua brusca retirada.

Ele ergueu a tapeçaria que separava os quartos de Valentine e Édouard, podendo ver mais adiante o da sra. de Villefort, que estava estendida no piso, sem qualquer movimento.

— Vá ajudar a sra. de Villefort — disse ele à enfermeira. — Ela não está bem.

— E a srta. Valentine?

— A srta. Valentine não precisa mais de ajuda — respondeu d'Avrigny —, ela está morta.

— Morta! Morta! — suspirou o pai, no espasmo de uma dor ainda mais dilacerante por ser nova, desconhecida e inédita para aquele coração de bronze.

— Morta? — exclamou outra voz. — Quem disse que Valentine está morta?

O doutor e o pai viram que, na porta, estava Morrel de pé, pálido, desfigurado, terrível.

LXIX
Maximilien

Villefort se ergueu, quase envergonhado por ser visto naquele acesso de dor.

Seu olhar, por um momento perdido, afinal se fixou no recém-chegado.

— Quem é o senhor, que entra assim numa casa habitada pela morte? — perguntou ele. — Saia, por favor, saia!

Morrel, no entanto, permanecia paralisado, sem conseguir despregar os olhos do assustador espetáculo daquela cama em desordem e da lívida pessoa ali deitada.

— Saia! Não ouviu? — gritou Villefort, enquanto d'Avrigny ia à porta para fazer com que o intruso se retirasse.

Com o olhar desnorteado, o rapaz fitava o cadáver, os dois homens, o quarto. Pareceu por um momento hesitar, abriu a boca, mas afinal deu meia-volta, enfiando as mãos nos cabelos, de tal forma que Villefort e d'Avrigny, por um segundo distraídos das suas preocupações, trocaram um olhar, como quem diz:

— Um louco.

Mas nem cinco minutos se passaram e eles viram Morrel que, com força sobre-humana, havia levantado a cadeira de rodas de Noirtier e, junto com ela, trouxera o velho até o primeiro andar da casa.

— Veja o que fizeram! — gritou ele, com a mão ainda apoiada no encosto da cadeira que ele acabava de deixar junto da cama, enquanto a outra mão apontava para Valentine. — Veja, meu pai, veja!

E a voz do rapaz se afogou em lágrimas.

A respiração ofegante do velho sacudia o seu peito, como se ele estivesse em plena agitação que precede a agonia.

Villefort, enfim, recuperou a palavra e disse a Maximilien:

— Cavalheiro, o senhor ama Valentine. Eu ignorava esse amor, esse compromisso. Mesmo sendo o pai, eu o perdoo, pois vejo que é grande, real e verdadeira a sua dor. Porém, como vê, o anjo que o senhor esperava deixou esta terra. Faça, então, seus adeuses aos tristes restos esquecidos entre nós. Tome pela última vez essa mão que o senhor pretendia e dela se separe para sempre. Valentine, propriamente, precisa agora apenas de um padre que a abençoe.

— Engana-se, senhor — exclamou Morrel, erguendo-se num joelho. — Morta como foi morta, Valentine precisa não só de um padre, mas também de quem a vingue! Cuide de encontrar o padre e tratarei eu da vingança.

— O que está dizendo?

— Quero lembrar que há, no senhor, dois homens. O pai já chorou o bastante, que o procurador do rei comece agora o seu trabalho. Valentine morreu assassinada!

— É o senhor que está enganado — disse Villefort. — Não se cometem crimes na minha casa. A fatalidade me agride, Deus me põe à prova, mas não houve assassinato!

Morrel ergueu a cabeça e, lendo nos olhos do velho, que lançavam fulgores sobrenaturais, disse:

— O sr. Noirtier quer falar.

O enfermo dirigiu ao infeliz Morrel um sorriso melancólico e depois, pregando, por assim dizer, os olhos do seu interlocutor nos seus, ele os desviou para a porta.

— Quer que eu saia? — perguntou dolorosamente Morrel.

— Sim.

— Pelo menos poderei voltar?

— Sim.

— Quer estar a sós com o sr. de Villefort?

— Sim.

— Mas ele conseguirá compreendê-lo?

— Ah! — exclamou Villefort, quase alegre pelo fato de a conversa se dar de forma mais privada. — Não se preocupe, compreendo muito bem meu pai.

D'Avrigny pegou o rapaz pelo braço e levou-o para um cômodo ao lado.

Na casa inteira, fez-se um silêncio mais profundo que o da morte.

Quinze minutos depois, puderam ser ouvidos passos vacilantes, e Villefort apareceu à porta da sala em que estavam d'Avrigny e Morrel, um pensativo e o outro mal conseguindo respirar.

— Podem vir — disse ele, e levou-os até a cadeira de Noirtier.

Morrel olhou atentamente para Villefort.

O procurador do rei estava exaurido. Amplas manchas cor de ferrugem apareciam no rosto e, entre os dedos, uma pena retorcida de mil maneiras sofria, destroçada em farrapos.

— Tenho que pedir — começou ele, com uma voz abafada, dirigindo-se a d'Avrigny e a Maximilien — a palavra de honra dos senhores de que o terrível segredo que contarei ficará enterrado entre nós! Meu pai revelou o nome do culpado. Como o sr. Morrel, ele tem sede de vingança e, no entanto, ele insiste, como eu, para que guardem segredo do crime. Não é assim, meu pai?

— Sim — demonstrou resolutamente Noirtier.

Morrel deixou escapar um gesto de horror e de incredulidade.

Villefort parou-o nesse movimento e exclamou:

— Ah! Se meu pai, a personalidade inflexível que o senhor bem conhece, faz esse pedido, é por saber que Valentine será tremendamente vingada. Não é assim, meu pai?

O ancião fez sinal concordando.

Villefort continuou:

— Ele me conhece e dei a ele minha palavra. Estejam, então, tranquilos, senhores. Três dias, é tudo que peço. É menos do que seria necessário à Justiça. Em três dias, a vingança que tirarei do crime contra a minha filha causará arrepios, até o fundo do coração, no mais indiferente dos homens. Não é assim, meu pai?

Dizendo isso, ele rangia os dentes e sacudia a mão adormecida do ancião.

LXX
A assinatura Danglars

O dia seguinte amanheceu triste e nublado.

Às onze horas, as carruagens fúnebres avançaram pela pavimentação do pátio e a rua Faubourg Saint-Honoré fervilhava com o murmúrio do povaréu, ávido tanto das alegrias quanto do luto dos ricos.

Os que se conheciam trocavam olhares e se reuniam em pequenos grupos. Juntos, então, estavam Debray, Château-Renaud e Beauchamp.

— A quem tanto procura, Debray?

— Ao sr. de Monte Cristo — respondeu ele.

— Eu o encontrei no bulevar, vindo para cá. Acho que está de partida, pois se dirigia ao escritório do seu banqueiro — contou Beauchamp.

E, é verdade, a caminho do compromisso funerário, o jornalista havia encontrado Monte Cristo que, por sua vez, encaminhava-se à residência dos Danglars, à rua Chaussée-d'Antin.

Da janela de casa, o banqueiro tinha visto a carruagem do conde manobrando no pátio e fora ao seu encontro, com expressão triste, mas afável.

— Meu caro conde — disse ele estendendo a mão —, veio me apresentar suas condolências? Não tem sido um ano bom para as pessoas da nossa geração: Villefort que perdeu toda sua família de maneira estranha, Morcerf desonrado e morto, eu, coberto de ridículo pela patifaria do tal Benedetto…

— Assim é a vida, querido barão — respondeu Monte Cristo. — Desventuras de família, perdas que seriam arrasadoras para um pobre diabo que tem nos filhos toda a sua fortuna, mas que são suportáveis para um milionário.

Danglars olhou de viés, para ver se o conde ironizava ou falava sério.

— Por falar nisso — disse o banqueiro —, quando o senhor entrou eu estava fazendo cinco pequenas ordens de pagamento e já havia assinado duas. Permite-me continuar as outras três?

— Ordens de pagamento da Espanha, do Haiti, de Nápoles? — perguntou Monte Cristo.

— Nada disso — riu Danglars. — Ordens de pagamento ao portador, a serem sacadas contra o Banco de França. Veja só, prezado conde, o senhor que é o imperador das finanças, como sou o rei, já viu papeizinhos como esses valerem, cada qual, um milhão?

Como se os pesasse, Monte Cristo pegou os cinco pedaços de papel que Danglars orgulhosamente apresentava e leu:

> "Queira o sr. gerente do banco pagar, por ordem minha e débito do capital que tenho em meu nome, a soma de um milhão, em valor líquido.
>
> Barão Danglars."

— Um, dois, três, quatro, cinco — contou Monte Cristo. — Cinco milhões! Caramba, o barão não brinca em serviço, um verdadeiro Creso!

— É a minha maneira de fazer negócios! — gabou-se o outro.

— É maravilhoso que uma soma dessa se pague em dinheiro.

— Tem dúvidas?

— Nenhuma.

— Porque disse isso com um tom... Proponho que acompanhe meu funcionário ao banco e terá o prazer de vê-lo sair com ordens de pagamento do Tesouro nesse mesmo montante.

— Não, obrigado — respondeu Monte Cristo dobrando os cinco papéis —, agradeço. A coisa é de fato instigante, mas farei a experiência por conta própria. Meu crédito com o senhor era de seis milhões, já peguei novecentos mil francos, o senhor me deve ainda cinco milhões e cem mil francos. Fico, então, com os seus cinco papéis, que considero bons, bastando para mim a sua assinatura. Faço-lhe um recibo total de seis milhões, fechando nossa conta. Já vim com ele pronto, pois, devo dizer, vou precisar muito de dinheiro hoje.

Enquanto uma das mãos de Monte Cristo colocava as cinco ordens de pagamento num bolso, a outra entregava o recibo ao banqueiro.

Um raio que caísse aos pés de Danglars não o teria aterrorizado mais.

— Como?! — balbuciou ele. — O sr. conde vai sacar esse dinheiro? É uma soma que devo aos hospícios públicos e que prometi pagar essa manhã.

Mas ele, de repente, mudou de ideia, fez um esforço enorme e se conteve.

Depois conseguiu sorrir e, pouco a pouco, suavizar os traços da fisionomia alterada. Finalmente, disse:

— É claro... o seu recibo é dinheiro.

— Ah, por Deus! Com certeza! Estivesse o senhor em Roma, com esse meu recibo a casa Thomson & French criaria tão pouca dificuldade para pagá-lo quanto o senhor mesmo aqui em Paris.

— É claro, sr. conde, queira me desculpar.

— Posso, então, sacar esse dinheiro?

— Certamente — disse Danglars, enxugando o suor que lhe brotava na raiz dos cabelos. — Faça isso, claro.

Monte Cristo colocou as cinco ordens de pagamento no bolso e se dirigiu à porta, no exato momento em que o camareiro anunciava:

— O sr. de Boville, da Arrecadação Geral dos Hospícios.

— Puxa! — exclamou Monte Cristo. — Cheguei bem a tempo para assistir às suas assinaturas, elas estão sendo disputadas.

Assim que Monte Cristo saiu, Danglars não se conteve:

— Imbecil!

Em seguida, fechando o recibo de Monte Cristo numa pequena carteira, disse para si mesmo:

— Ao meio-dia, estarei longe.

Ele trancou a porta por dentro, esvaziou todas as gavetas do caixa, reuniu uns cinquenta mil francos em dinheiro, queimou alguns papéis, colocou outros em evidência e começou a escrever uma carta que foi, em seguida, selada e endereçada: "à sra. baronesa Danglars".

"Logo mais deixo a carta na sua penteadeira", pensou

Depois, consultando um passaporte tirado de uma gaveta:

"Ótimo, ainda é válido por dois meses."

LXXI
O cemitério de Père Lachaise

Era para o Père Lachaise que se dirigia o pomposo cortejo que partira da rua Faubourg Saint-Honoré. Atravessou-se Paris inteira, tomando a Faubourg du Temple e depois os bulevares externos, até o cemitério. Mais de cinquenta carruagens particulares seguiam vinte coches funerários. Além disso, quinhentas pessoas andavam a pé.

Na saída de Paris, chegou uma rápida carruagem de quatro cavalos: era o conde de Monte Cristo. Ele desceu e se misturou à multidão que seguia a pé a carruagem funerária.

Finalmente, o cemitério.

O olho atento do conde sondou o bosque de teixos e pinheiros, então ele pôde relaxar com alívio: viu uma sombra que se esgueirava pelas alamedas escuras.

Quando o cortejo parou, ficou claro que a tal sombra era Morrel, de sobrecasaca negra abotoada até o alto, faces lívidas e escavadas, chapéu maltratado por suas mãos nervosas. Encostara-se numa árvore que crescia num ponto mais alto, dominando o mausoléu, e dali não perdia detalhe algum da fúnebre cerimônia que viria.

Monte Cristo nada ouvia, nada via, ou melhor, via apenas Morrel, cujas calma e imobilidade formavam um espetáculo assustador para o único ali que podia ler o que se passava no fundo do coração do jovem oficial.

— Olhe — disse Beauchamp a Debray —, é Morrel! O que, diabos, ele está fazendo ali?

Os dois o mostraram também a Château-Renaud.

— Como está abatido! — estranhou este último.

— Nossa! Ele mal conhecia a srta. de Villefort — disse Debray.

— Pode ser. Mas me lembro de que naquele baile da sra. de Morcerf ele dançou três vezes com ela.

Terminada a cerimônia fúnebre, todos se preparavam para tomar de volta o caminho de Paris.

Monte Cristo se enfiara atrás de umas moitas e, escondido por um túmulo grande, acompanhou os movimentos de Morrel que, pouco a pouco, tinha se aproximado do mausoléu abandonado, primeiro pelos curiosos e depois também pelos operários do cemitério.

Ele se ajoelhou.

O conde não perdia um só gesto do rapaz, que afinal se levantou, limpou os joelhos branqueados pela pedra e tomou o rumo de Paris, sem virar uma só vez a cabeça. Desceu lentamente pela rua da Roquete, enquanto Monte Cristo, dispensando o seu coche estacionado no Père Lachaise, seguiu-o, cem metros atrás.

Maximilien atravessou o canal e, pelos bulevares, chegou à rua Meslay, onde morava.

Cinco minutos depois da passagem de Morrel, a porta voltou a ser aberta, para Monte Cristo.

Ele subiu os dois pisos que separavam do térreo o apartamento do capitão e, chegando ao andar, parou para ouvir: barulho nenhum.

Como na maioria das casas antigas sem outros locatários, o saguão era fechado apenas por uma porta com quadrados de vidro. Mas que estava trancada.

Monte Cristo deu uma cotovelada num dos vidros, que voou em pedaços. Depois ergueu a cortina e viu Morrel, diante da sua escrivaninha, com uma pena na mão, sobressaltado com o barulho da porta sendo forçada.

— Estava escrevendo? Com as pistolas ao lado? — perguntou Monte Cristo, apontando para as armas em cima da mesa.

Aproximando-se, ele tirou a folha em branco que fora jogada em cima da carta começada e pegou-a. Morrel se lançou em cima dele para arrancá-la, mas sua reação tinha sido prevista e Monte Cristo agarrou-o pelo pulso.

— Pretendia se matar, Morrel, é o que está escrito!

— E muito bem! — reagiu o rapaz, passando sem transição de uma aparente calma à expressão da violência. — Muito bem! Digamos que seja verdade, quem vai me impedir?

— Eu!

— Mas quem, afinal, acha que é, para se arrogar esse direito tirânico sobre pessoas livres e racionais? — irritou-se Maximilien.

— Quem? Sou a única pessoa no mundo com o direito de dizer: Morrel, não quero que o filho do seu pai morra hoje!

Majestoso, transfigurado, sublime, de braços cruzados, Monte Cristo avançou na direção do rapaz ofegante que, vencido pela quase divindade do oponente, recuou um passo.

— Por que está falando de meu pai? — balbuciou ele.

— Porque sou Edmond Dantès, que o carregou no colo, quando você era criança!

Morrel deu outro passo atrás, vacilante, mal podendo respirar, esmagado. Suas forças de repente o abandonaram e, com um grito, ele caiu aos pés de Monte Cristo.

— Tenha pena de mim, conde.

— Tenho tanta, Maximilien, ouça bem, sinto tanto por você que se eu não solucionar esse seu sofrimento em um mês, contados os dias e as horas, preste toda atenção, Morrel, em um mês deixo-o diante dessas pistolas carregadas e também de uma taça do mais eficaz veneno da Itália, mais ainda do que o que matou Valentine.

— Pode mesmo prometer isso, conde? — perguntou o rapaz, alucinado de dor.

— Não só prometo, mas juro — afirmou Monte Cristo, estendendo a mão.

— Em um mês, contados os dias e as horas, por sua honra, se eu não me sentir consolado o senhor me deixará livre para fazer o que quiser da minha vida e, faça eu o que for, não me chamará de ingrato?

— Um mês, Maximilien, dia a dia. Em um mês, a essa mesma hora, você terá, em cima da mesa diante da qual ambos estaremos sentados, boas armas e morte suave. Em contrapartida, promete viver até lá?

— Prometo, conde. E, igualmente, juro!

Monte Cristo abraçou o rapaz e o manteve junto ao peito por bom tempo.

LXXII
O juiz

Tudo em Noirtier demonstrava uma grande resignação, uma calma surpreendente para todos que sabiam do profundo carinho que o avô tinha pela neta.

O sr. de Villefort não havia voltado a ver o ancião, desde aquela manhã da morte. Aliás, o júri começava a se formar para o julgamento e o procurador, fechado em seu gabinete de trabalho, acompanhava com febril atividade o processo aberto contra o assassino de Caderousse.

Tão pouco tempo havia transcorrido desde que a pobre Valentine fora deixada no túmulo. A dor em toda a residência era ainda recente demais e a ninguém, então, causava estranhamento que o pai se entregasse com tanto afinco ao dever, única distração para o seu desgosto.

Chegou a hora do almoço e o sr. de Villefort não apareceu à mesa.

Seu camareiro foi ao escritório.

— A senhora pede que o avise — disse ele — que já passa das 11 horas e que a audiência está marcada para meio-dia.

— Sim, e daí?

— A senhora já se preparou e pergunta se deverá acompanhá-lo.

— Diga à senhora que desejo falar com ela e que peço, então, que me espere em seus aposentos.

Assim, Villefort, com o processo debaixo do braço e chapéu na mão, dirigiu-se ao quarto da esposa. Antes de entrar, parou por um momento e enxugou com o lenço o suor que se formava em sua testa abatida. Depois, entrou.

— Meu Deus! — exclamou a jovem mulher olhando para ele e tentando sorrir, o que acentuou ainda mais a gélida impassibilidade do marido. — O que houve?

— Onde guarda o veneno que normalmente usa? — perguntou com toda clareza o magistrado.

Um som rouco, partido, escapou do peito da sra. de Villefort, que empalideceu até a completa lividez.

— Ah, marido!... — murmurou ela, sem conseguir dizer mais que isso.

— A senhora não respondeu! — incriminou o terrível interrogador, que, em seguida, acrescentou, com um sorriso ainda mais assustador que a raiva: — É verdade que também não negou!

A sra. de Villefort contorceu as mãos e caiu de joelhos.

— Sei muito bem... eu sei — continuou ele. — Confissão feita quando não se pode mais negar em nada diminui o castigo!

— Castigo?! — assustou-se a sra. de Villefort.

— Ah! Não se preocupe com o patíbulo — disse o magistrado. — Não quero essa desonra para a senhora, pois estaria atingindo a mim mesmo. Não posso fazê-la morrer no patíbulo.

— Não entendi. O que está dizendo? — balbuciou a infeliz, completamente aterrorizada.

— O que estou dizendo é que a mulher do primeiro magistrado da capital não manchará, com a sua infâmia, um nome sem mácula, desonrando ao mesmo tempo seu marido e seu filho.

— Não, não!

— Pois então, senhora, será uma boa ação de sua parte, uma boa ação da qual lhe serei grato.

— Grato? Mas de quê?

Ela se levantou, com os cabelos desfeitos e os lábios espumando.

— Lembre-se de que sou sua mulher!

— É uma envenenadora!

— Em nome de Deus…

— Não.

— Em nome do amor que já teve por mim!…

E um riso terrível, um riso demoníaco, um riso de louca interrompeu a frase e se perdeu num estertor visceral.

A sra. de Villefort tinha caído aos pés do marido.

Ele se aproximou.

— Pense nisso, senhora. Se quando eu voltar não tiver feito justiça a si mesma, eu a denunciarei pessoalmente e também pessoalmente a prenderei.

A infeliz mulher soltou um suspiro, seu corpo todo se afrouxou, ela desmoronou no carpete.

O procurador do rei pareceu ter uma reação de pena, olhou-a de forma menos dura e, inclinando-se um pouco, disse lentamente:

— Adeus, senhora, adeus!

Esse adeus caiu como um golpe fatal na sra. de Villefort. Ela desmaiou.

O procurador do rei saiu e, fazendo isso, girou duas vezes a chave na fechadura da porta.

LXXIII
O julgamento

O caso Benedetto, como era chamado tanto no Palácio da Justiça quanto na sociedade, causava enorme interesse em todos. Frequentador do Café de Paris, do bulevar de Gand e do Bois de Boulogne, o falso Cavalcanti, enquanto morou na cidade e nos dois ou três meses que durou o seu esplendor, tinha feito uma quantidade de relações. Os jornais detalharam as diversas estações do foragido, tanto em sua vida elegante, quanto à época dos trabalhos forçados. Daí a viva curiosidade, sobretudo, entre os que haviam pessoalmente conhecido o príncipe Andrea Cavalcanti. Assim sendo, eram muitos os que se sentiam dispostos a tudo para acompanhar, no banco dos réus, o sr. Benedetto, assassino do seu colega de cadeia.

Todos acorreram, então, à sessão do tribunal, uns para saborear o espetáculo, outros para comentá-lo. Às sete horas, já havia fila diante das grades e, uma hora antes da abertura, a sala estava lotada.

Os juízes deram início aos trabalhos em meio ao mais profundo silêncio, e os jurados ocuparam as suas cadeiras. O sr. de Villefort, objeto da atenção geral, de cabeça coberta assumiu o seu posto, deixando que o olhar tranquilamente passeasse pela sala.

— Guardas! — conclamou o presidente da sessão. — Tragam o acusado.

Pronunciadas essas palavras, o interesse do público se concentrou inteiro na porta por onde Benedetto devia passar.

A porta foi aberta e entrou o réu.

Sua fisionomia não demonstrava a marca dessa emoção profunda que comprime o sangue no coração e descolora as faces.

O presidente pediu que se lesse o auto de acusação, redigido pela pena hábil e implacável do procurador do rei.

Andrea não prestou a menor atenção às sucessivas acusações que se levantavam e pesavam contra a sua pessoa: o sr. de Villefort nenhuma vez conseguiu fazê-lo baixar os olhos, quaisquer que fossem a fixidez e a profundidade do seu olhar.

A leitura, afinal, terminou.

— Acusado, seu nome e sobrenome — intimou o presidente.

Andrea se pôs de pé.

— Por favor, me desculpe, sr. presidente — disse ele, com uma voz cujo timbre vibrava perfeitamente límpido —, mas pressinto perguntas numa ordem que não terei como acompanhar. Queira permitir que eu responda seguindo uma ordem diferente e nem por isso deixarei de tudo responder.

Surpreso, o presidente olhou para os jurados, que olharam para o procurador do rei.

— Sua idade? — retomou, então, o presidente. — Pode responder a essa pergunta?

— Tenho vinte e um anos, isto é, terei dentro de alguns dias, tendo nascido na noite de 27 a 28 de setembro de 1817.

O sr. de Villefort, que tomava nota, ergueu a cabeça ao ouvir a data.

— Onde nasceu? — continuou o presidente.

— Em Auteuil, na vizinhança de Paris — respondeu Benedetto.

O sr. de Villefort ergueu de novo a cabeça, olhou para Benedetto e ficou sem cor.

— Profissão? — perguntou o presidente.

— Primeiro fui falsário — disse Andréa, da forma mais tranquila do mundo. — Depois ladrão e, mais recentemente, assassino.

Um murmúrio, ou melhor, uma tempestade de indignação e de surpresa explodiu na sala. O sr. de Villefort se levantou, olhando em volta como um desvairado: estava sem ar.

— Procura alguma coisa, sr. procurador do rei? — perguntou Benedetto com o mais agradável sorriso.

Villefort não respondeu e voltou a se sentar ou, melhor dizendo, a despencar em sua poltrona.

— Será agora que o réu consentirá nos dizer o seu nome? — perguntou o presidente.

— Não tenho como dizer meu nome, pois não o conheço, mas conheço o de meu pai, e vou dizê-lo.

Um choque doloroso cegou Villefort. Enormes gotas de um acre suor caíram do seu rosto nos papéis que ele revirava com mãos convulsivas e descontroladas.

— Diga, então, o nome de seu pai — retomou o presidente.

Não havia corrente de ar ou respiração que fosse capaz de perturbar o silêncio da imensa assembleia. Todo mundo esperava.

— Meu pai é procurador do rei — respondeu com tranquilidade Andrea.

— Procurador do rei! — exclamou, estupefato, o presidente.

— Exato. E como quer saber o seu nome, vou dizer: de Villefort, é como ele se chama!

A explosão, por tanto tempo contida pelo respeito que se tem pelas sessões do tribunal, ecoou como um trovão, saindo do fundo de todos os peitos. As interjeições e os insultos dirigidos a Benedetto, que se mantinha impassível, os gestos enérgicos, a movimentação dos guardas, tudo isso durou cinco minutos, até que os magistrados e os funcionários conseguissem restabelecer a ordem.

Durante todo o tumulto, Andrea havia virado o rosto sorridente para o público, com uma mão apoiada no parapeito de carvalho do seu banco. E fez isso numa atitude perfeitamente graciosa.

— Senhores — ele disse finalmente —, sabe Deus não ser minha intenção insultar esta corte nem criar, na presença de tão honrada assembleia, um escândalo inútil. Perguntou-se minha idade e eu disse; perguntou-se onde nasci e eu disse; perguntou--se o meu nome e não pude dizer, pois fui abandonado por meus pais. Mas pude dizer o de meu pai e aqui repito: meu pai se chama sr. de Villefort, e posso provar.

Havia, na fala do rapaz, uma certeza, uma convicção, uma energia que reduziram o tumulto ao silêncio. Os olhares recaíram por um momento sobre o procurador do rei, que mantinha, em seu assento, a imobilidade de alguém a quem um raio acaba de transformar em cadáver.

— Senhores — continuou Andrea, impondo silêncio pelo gesto e pelo tom da voz —, repito que nasci em Auteuil, na noite de 27 a 28 de setembro de 1817, sendo filho do sr. de Villefort, procurador do rei. Querem detalhes? Posso dar. Nasci no primeiro andar de uma casa, no número 28 da rua da Fontaine, num quarto de paredes atapetadas com um adamascado vermelho. Meu pai me pegou nos braços dizendo à minha mãe que eu estava morto, colocou-me numa toalha tendo bordadas as letras H e N e me levou para o jardim, onde me enterrou vivo. Nesse mesmo jardim e naquela mesma noite, escondia-se um homem que o odiava mortalmente e há tempos o vigiava para uma vingança corsa. Esse homem estava num ponto mais alto, viu meu pai enterrar um embrulho e o atacou com uma faca durante essa operação. Depois, achando se tratar de algum tesouro que fora enterrado, ele reabriu o fosso, me encontrou ainda vivo e me levou ao asilo das crianças abandonadas, onde fui inscrito como número 57. Três meses depois, a irmã do meu salvador fez a viagem de Rogliano a Paris para me buscar, declarou-me seu filho e me levou. Por isso é que, mesmo nascido em Auteuil, fui criado na Córsega.

Houve um instante de tão profundo silêncio, que parecia estar vazia a sala.

— E sua mãe? — perguntou o presidente.

— Minha mãe achou que eu estava morto, não chega a ter culpa. Não procurei saber o seu nome, que desconheço.

Nesse momento, um grito agudo ecoou no meio de um grupo em torno de uma mulher. Ela havia caído em violenta crise nervosa e foi tirada dali. Enquanto estava sendo carregada, o escuro véu que escondia o seu rosto se afastou e pôde-se reconhecer a sra. Danglars.

— E as provas? As provas? — questionou o presidente. — O detento deve lembrar que esse tecido de horrores precisa se apoiar nas mais contundentes provas.

— Provas? — perguntou Benedetto, rindo. — Querem provas?

— Elas são necessárias.

— Ora! Basta olhar para o sr. de Villefort e peçam ainda provas.

Todos se voltaram para o procurador do rei que, sob o peso daqueles mil olhos fixados nele, avançou vacilante pelo recinto do tribunal, cabelos em desordem e rosto marcado pela pressão das unhas.

O público em peso produziu um longo murmúrio de espanto.

— Querem provas, pai — disse Benedetto. — Preciso apresentá-las?

— Não, não — balbuciou o sr. de Villefort com a voz sufocada. — Não, são desnecessárias.

Pronunciando essas palavras de forma quase ininteligível, o procurador do rei continuou, cambaleante, em direção à porta, aberta maquinalmente pelo meirinho de serviço.

LXXIV
A expiação

Villefort se arrastou ao longo dos corredores, chegou aos tropeções ao pátio Dauphine, localizou sua carruagem, acordou o cocheiro ao abrir ele mesmo a portinhola e desabou nas almofadas, mostrando com os dedos a direção da Faubourg Saint-Honoré.

O cocheiro pôs o veículo em movimento.

A carruagem seguia em velocidade. Sacudido nas almofadas, Villefort sentiu algo que o incomodava.

Procurou o que era e descobriu um leque esquecido pela esposa entre o assento e o encosto do banco. Esse leque despertou uma lembrança, que foi como um clarão no meio do escuro.

— Rápido, mais rápido! — mandou ele, com um tom que fez o cocheiro dar um pulo em seu posto.

Os cavalos voaram até a residência e só pararam no pátio interno.

Villefort saltou do estribo à escada de entrada, notou que os criados estavam surpresos por ele ter chegado tão cedo, mas somente por isso.

Passou diante do quarto de Noirtier e, pela porta entreaberta, percebeu algo como duas silhuetas, mas não se interessou em saber quem estava com o seu pai; era a outro lugar da casa que a ansiedade o empurrava.

Entrou na saleta em que toda noite era preparada uma cama para Édouard.

— Ninguém — disse a si mesmo. — Provavelmente no quarto de dormir.

Correu para a porta.

Trancada por dentro.

Ele parou, trêmulo, e gritou:

— Héloïse!

Teve a impressão de ouvir um móvel ser remexido.

— Héloïse! — repetiu.

— Quem é? — perguntou ela.

A voz parecia mais fraca que o normal.

— Abra, abra! Sou eu!

Mas, apesar da ordem, apesar do tom aflito com que fora dada, a porta não se abriu.

Villefort derrubou-a com um pontapé.

À entrada do quarto que dava para o budoar, a sra. de Villefort estava de pé, branca, com a fisionomia contraída e os olhos alarmantemente fixos.

— Héloïse! Héloïse! O que você tem? Diga!

A jovem mulher estendeu para ele a mão tensa e sem cor.

— Pronto, meu senhor — conseguiu dizer, com uma voz que parecia dilacerar a garganta —, o que mais deseja?

Então, caiu de uma só vez no tapete.

Villefort correu até a esposa e pegou a sua mão, que convulsivamente apertava uma garrafinha de cristal com tampa de ouro.

Ela estava morta.

Estonteado de pavor, o marido recuou até a soleira da porta e olhou para o cadáver.

— Meu filho! — Assustou-se de repente. — Onde está meu filho? Édouard! Édouard!

O cadáver da sra. de Villefort estava caído à entrada do budoar, onde certamente se encontrava Édouard e esse cadáver, com olhos fixos e abertos, parecia guardar a passagem, com uma terrível e misteriosa ironia nos lábios.

Lá dentro, a cortina erguida permitia que se visse uma parte da alcova, com um piano de armário e um divã de cetim azul, do qual se percebia uma extremidade.

Villefort deu três ou quatro passos nessa direção e, ali deitado, estava seu filho.

O pobre e miserável pai teve ainda um ímpeto de formidável alegria, um raio de pura luz que descia naquele inferno em que ele se debatia.

Abraçou, então, com força a criança, sacudiu-a, chamou; sem qualquer resposta. Colou os lábios no rosto lívido e gelado, apalpou os braços enrijecidos, apoiou a mão no coração... O coração não batia mais.

A criança também estava morta.

Um papel dobrado em quatro caiu do peito de Édouard.

O pai desabou de joelhos, fulminado, deixando escapulir dos braços inertes o menino, que rolou para perto da mãe.

Villefort pegou o papel, reconheceu a letra da esposa e, então, leu avidamente:

> "Bem sabes que fui boa mãe, pois por meu filho me tornei criminosa! Uma boa mãe não vai a lugar nenhum sem seu filho!"

Sob o peso da dor, Villefort deixou cair a cabeça. Ergueu-se dos joelhos, agitou os cabelos úmidos de suor, arrepiados de pavor; ele, que nunca tivera pena de ninguém, foi procurar o seu velho pai para ter, em sua fragilidade, a quem contar a desgraça que o esmagava, alguém ao lado de quem pudesse chorar.

Desceu a escada e entrou nos aposentos de Noirtier.

O ancião parecia atento a ouvir, tão carinhosamente quanto permitia sua invalidez, o padre Busoni, como sempre calmo e frio.

O reverendo endireitou-se e, percebendo a alteração estampada no rosto do magistrado, o brilho ardente dos seus olhos, entendeu ou achou ter entendido ser efeito do ocorrido no tribunal, ignorando o resto.

— Vim lhe dizer que já pagou a dívida que tinha comigo — disse ele a Villefort — e que, a partir desse momento, rezarei a Deus para que Ele o considere quite, como eu.

— Meu Deus! — exclamou Villefort recuando, assustado. — Essa voz... não é a do padre Busoni!

— Não — respondeu o padre, arrancando a falsa tonsura, sacudindo a cabeça e deixando os cabelos compridos caírem nos ombros.

— É o sr. de Monte Cristo! — Assustou-se Villefort, sem se conter, com os olhos esbugalhados.

— Também não, sr. procurador do rei, busque com cuidado, mais distante.

— Essa voz, essa voz! Onde já a ouvi antes?

— Foi em Marselha, há vinte e três anos, no dia do seu casamento com a srta. de Saint-Méran. Procure nos seus arquivos.

— Não é Busoni? Não é Monte Cristo? Por Deus, é o inimigo oculto, implacável, mortal!

— É verdade, tem toda razão, é isso mesmo — concordou o conde, cruzando os braços diante do vigoroso tórax. — Procure mais, procure mais!

— Mas que mal lhe fiz? — desesperou-se Villefort, cujo espírito flutuava já na fronteira em que se confundem a razão e a demência. — Que mal lhe fiz? Diga, fale!

— Condenou-me a uma morte lenta e horrível, matou meu pai, roubou-me o amor junto com a liberdade e a fortuna, junto com o amor!

— Quem é você? Quem é você, pelo amor de Deus?!

— Sou o espectro de um infeliz que o senhor mandou para as masmorras do castelo de If. Ao espectro escapado, enfim, do seu túmulo, Deus ofereceu essa máscara de conde de Monte Cristo, além de cobri-lo de diamantes e ouro, para que o senhor só o reconhecesse hoje.

— Estou vendo! Posso ver! — disse o procurador do rei. — É...

— Sou Edmond Dantès!

LXXV
A partida

Os recentes acontecimentos preocupavam Paris inteira. Emmanuel e a mulher os comentavam, com uma surpresa bem natural, na pequena sala de estar da rua Meslay, aproximando aquelas três catástrofes, tão repentinas quanto inesperadas, de Morcerf, de Danglars e de Villefort.

Maximilien, que os visitava, ouvia, sem participar tanto da conversa, mergulhado na insensibilidade que vinha, para ele, se tornando habitual.

— Quantos desastres! — concluiu Emmanuel.

Ele mal acabava de dizer isso, quando ouviram o som da campainha. Era o sinal que o porteiro dava para preveni-los da chegada de alguma visita. Quase ao mesmo tempo, a porta da sala foi aberta e o conde de Monte Cristo apareceu.

Houve uma dupla exclamação de alegria por parte do casal. Maximilien apenas ergueu a cabeça e deixou-a tombar de volta.

— Maximilien — disse o conde, fingindo não notar as diferentes impressões que sua presença causava —, vim pedir que venha comigo.

Com um gesto ele sublinhou o convite, já que Morrel se mantinha passivo, apático e desolado, como estava sempre, desde a morte de Valentine.

— Bom, ele concorda — declarou Monte Cristo. — Vamos!

Mal disse isso e quase já se podia ouvir o coche em movimento e os cavalos levantando da pavimentação uma poeira de faíscas.

Percorreram dez léguas sem trocar uma só palavra. Morrel devaneava, Monte Cristo o observava devanear, mas, afinal, perguntou:

— Amigo, estaria arrependido de me acompanhar?

— Não, sr. conde, mas me afastar de Paris...

— Se eu achasse que a felicidade o espera em Paris, meu caro, eu o teria deixado por lá.

— É em Paris que Valentine repousa e sair de Paris é perdê-la mais uma vez.

— Maximilien, as pessoas amadas que perdemos não repousam na terra, mas em nosso coração. Pessoalmente, tenho dois amigos que, dessa forma, estão sempre comigo. Um foi o que me deu a vida e o outro o que me deu a inteligência. O espírito dos dois vive em mim e, se porventura alguma vez fiz o bem, é aos conselhos deles que devo isso. Consulte a voz do coração, Morrel, e pergunte se deve continuar a me fazer essa cara feia.

A viagem transcorreu com a maravilhosa rapidez que se tornara uma das características mais conhecidas do conde: as cidades passavam como sombras pela estrada e as árvores, sacudidas pelos primeiros ventos do outono, pareciam vir à frente deles como gigantes descabelados, mas fugindo rapidamente, assim que eles os alcançavam. No dia seguinte, chegaram a Châlon, onde os esperava o barco a vapor do conde. Sem perder um minuto, o coche foi levado a bordo com os dois passageiros, e a embarcação partiu.

Ao conde, uma serenidade parecia ir envolvendo, na medida em que se distanciavam de Paris.

Logo chegaram a Marselha, branca, morna e viva; Marselha, a irmã caçula de Tiro e de Cartago, sucedendo-as no império do Mediterrâneo. Essa mesma Marselha, sempre mais jovem à medida que envelhece, surgiu aos olhos deles. Para os dois viajantes, aquela torre redonda, o forte Saint-Nicolas, o prédio da prefeitura de Puget, o porto com docas de tijolos em que tanto um quanto outro brincaram quando criança, eram imagens ricas de lembranças.

— Maximilien — disse o conde —, você pediu, durante a viagem, para ficar alguns dias em Marselha. Continua querendo isso?

— Não há nada mais que eu queira tanto assim, conde, mas acho que a espera será menos cansativa em Marselha do que em qualquer outro lugar.

— Ótimo, pois vou deixá-lo, mas tenho ainda a sua palavra, não é?

O rapaz deixou a cabeça cair no peito, num desanimado sinal de afirmação.

— Tem a minha promessa — confirmou ele, após um instante de silêncio e estendendo a mão a Monte Cristo —, mas lembre-se...

— No dia 5 de outubro, Morrel, estarei esperando por você na ilha de Monte Cristo. No dia 4, procure o capitão de um iate chamado *Eurus*, no porto de Bastia, ele o levará até onde estarei. Combinado, Maximilien?

— Combinado, conde. Farei o que diz, mas no dia 5 de outubro, lembre-se...

— Sendo jovem, você não sabe ainda o quanto pesa a promessa de um homem... Vinte vezes já disse que, nesse dia, caso queira ainda morrer, eu o ajudarei. Até lá, tenho coisas a fazer na Itália.

LXXVI
Peppino

No momento em que o barco a vapor do conde desaparecia por trás do cabo Morgiou, um viajante, na diligência do correio que percorria a estrada de Florença a Roma, acabava de passar pela cidadezinha de Aquapendente.

Diante da Cidade Eterna, isto é, chegando a La Storta, ponto de onde se vê Roma, ele nem de longe sentiu a entusiasmada curiosidade que leva todo estrangeiro a se espichar na poltrona, tentando ver a famosa cúpula de São Pedro.

Nada disso. Ele apenas tirou do bolso uma carteira e, de dentro dela, um papel dobrado em quatro, limitando-se a dizer:

— Bom! Ainda estou com ele.

O coche atravessou a porta del Popolo, virou à esquerda e parou no hotel de Espanha.

Mestre Pastrini, antigo conhecido nosso, recebeu o viajante à entrada, de chapéu na mão.

O hóspede desceu, encomendou um bom jantar e perguntou o endereço da Casa Thomson & French, que foi imediatamente indicado, pois era uma das mais conhecidas de Roma.

O francês tinha tanta pressa para ir à Thomson & French que não esperou que os cavalos fossem atrelados, dizendo que o coche o pegasse no caminho ou esperasse à porta do banco.

E chegou antes do coche.

Ele entrou, deixando no saguão o guia que o acompanhava.

Ao mesmo tempo, outro homem havia entrado. O primeiro tocou a campainha no balcão e passou a uma saleta de espera. Sua sombra fez o mesmo.

— Srs. Thomson e French — pediu o estrangeiro.

Uma espécie de contínuo se levantou, depois do sinal de um funcionário de confiança, guardião formal da primeira etapa.

— A quem devo anunciar? — perguntou o empregado, preparando-se para seguir à frente do estrangeiro.

— Sr. barão Danglars — respondeu o viajante.

— Queira me acompanhar — disse o homem.

Uma porta foi aberta; então, o contínuo e o barão desapareceram por ela.

O indivíduo que havia entrado atrás de Danglars sentou-se no banco de espera.

O funcionário continuou a escrever por mais ou menos cinco minutos, e o homem sentado se manteve no mais absoluto silêncio e a mais estrita imobilidade.

A pena finalmente parou de ranger no papel, o funcionário ergueu a cabeça, olhou em volta e, confirmando estarem a sós, exclamou:

— Ah! É você, Peppino?

— Eu! — respondeu laconicamente o outro.

— Farejou alguma coisa de interessante no figurão?

— Não tenho muito mérito nisso, fui avisado.

— Sabe, então, o que ele veio fazer aqui, ou está curioso?

— Bom, ele veio sacar. Resta saber qual soma.

— Digo isso daqui a pouco, amigo.

Peppino fez sinal afirmativo e, tirando um rosário do bolso, começou a murmurar orações, enquanto o funcionário desaparecia pela mesma porta por onde haviam passado o contínuo e o barão.

Uns dez minutos depois, o funcionário voltou, radiante.

— E então? — perguntou Peppino.

— Alerta geral, alerta! A soma é bem redonda!

— De cinco a seis milhões, não é?

— Isso. Você sabia?

— Contra um recibo de Sua Excelência o conde de Monte Cristo.

— Conhece o conde?

— Aquele que tem crédito em Roma, Veneza e Viena.

— Exato! — exclamou o funcionário. — Como sabe de tudo isso?

— Já disse que fomos previamente informados.

— Então, por que veio falar comigo?

— Para ter certeza de ser o cliente certo.

O funcionário pegou de volta a sua pena; e Peppino, o seu rosário: um escrevia e ou outro rezava, quando a porta se abriu.

Danglars surgiu radiante, na companhia do banqueiro, que o levou até a saída.

No dia seguinte, Danglars acordou tarde, fez uma farta refeição e pediu seus cavalos de posta para meio-dia.

Os cavalos chegaram somente às duas horas e o guia só trouxe o seu passaporte visado às três.

— Qual estrada? — perguntou o postilhão em italiano.

— Direção de Ancona — respondeu o barão.

De fato, Danglars queria passar por Veneza, onde pegaria parte da sua fortuna e, depois de Veneza, Viena, onde sacaria o restante.

Mal avançou três léguas pelos campos de Roma, a noite começou a cair.

— Paro na primeira posta — disse ele para si mesmo.

Danglars pensou por dez minutos na esposa, por mais dez na filha e por outros dez em seus credores e na maneira como empregaria o dinheiro deles. Depois, sem ter mais em que pensar, fechou os olhos e dormiu.

A carruagem parou e o passageiro achou ter chegado ao tão esperado destino. Acordou bem e olhou pelo vidro da janelinha, na expectativa de estar em alguma cidade ou pelo menos algum vilarejo, mas por perto só viu mesmo uma espécie de casebre isolado.

Ele esperou um pouco que o postilhão, tendo terminado a sua etapa, viesse cobrar o dinheiro do trajeto. Aproveitaria para pedir algumas informações ao novo cocheiro, mas os cavalos foram desatrelados e substituídos sem que ninguém viesse falar com ele que, então, abriu a portinhola. No entanto, um braço vigoroso fechou-a de volta e a carruagem voltou a se mover.

Tudo isso, realmente, acordou o barão.

— Ei, amigo! Aonde estamos indo? — perguntou ele, passando a cabeça pela janela.

— *Dentro la testa!* — ordenou uma voz grave e imperiosa, acompanhada por um gesto de ameaça.

Danglars entendeu que "*dentro la testa*" queria dizer: "cabeça para dentro". Um homem envolto numa capa galopava junto à portinhola da direita.

"Um policial", pensou. "Será que os franceses já me denunciaram às autoridades pontificais por telégrafo?"

Mas resolveu não ficar na ansiedade:

— Para onde estou sendo levado?

— *Dentro la testa!* — repetiu a mesma voz, com o mesmo tom de ameaça.

Danglars se voltou para a portinhola da esquerda.

Outro homem galopava, também daquele lado.

"Não há dúvida", pensou, já suando, "fui mesmo pego."

A carruagem continuava em velocidade. Uma hora se passou, terrível, pois a cada novo indício que aparecia, o fugitivo confirmava estarem refazendo o mesmo caminho já percorrido. Ele, em seguida, viu uma massa mais escura, contra a qual teve a impressão de que o coche ia trombar. Mas desviaram e seguiram ao longo dessa massa escura, que nada era senão as muralhas que cercam Roma.

— Ai, ai! — lamentou-se Danglars. — Não entramos na cidade; não fui, então, parado pela Justiça. Santo Deus! Pensando bem, seriam…

Seus cabelos ficaram de pé.

Foi por se lembrar das pitorescas histórias sobre bandidos romanos, tão desacreditadas em Paris, que Albert de Morcerf havia contado à sra. Danglars e a Eugénie, à época em que o jovem visconde devia se tornar genro de uma e marido da outra.

— Ladrões, é bem possível! — murmurou.

Por ordem do cavaleiro que galopava à direita, a carruagem parou. Ao mesmo tempo, a portinhola da esquerda foi aberta.

— *Scindi!* — ordenaram.

Ele desceu sem discutir. Não falava ainda italiano, mas já podia entender.

Quis dizer alguma coisa, a língua não obedeceu.

— *Avanti!* — comandou a mesma voz, num tom breve e imperativo.

Dessa vez foi dupla a compreensão de Danglars: pela palavra e pelo gesto, pois o sujeito que andava atrás dele o empurrou tão forte que ele esbarrou no da frente.

Esse da frente, que mostrava o caminho, outro não era senão o nosso amigo Peppino, que parou diante de um rochedo bem encoberto por uma moita encorpada, mas que, entreaberto como uma pálpebra, cedeu passagem.

Não cabia mais qualquer dúvida, o bancarroteiro francês tinha pela frente bandidos romanos.

Dois outros homens desceram atrás de Danglars, formando uma escolta. Empurrando-o, se ele por acaso parasse, o fizeram chegar, por um leve declive, ao centro de uma encruzilhada de aparência bem sinistra.

— Quem vem lá? — gritou a sentinela.

— Amigo! Amigo! — respondeu Peppino. — Onde está o capitão?

— Ali — apontou a sentinela, indicando por cima do ombro uma espécie de salão escavado na pedra.

— Boa presa, capitão — disse Peppino em italiano.

Pegando Danglars pela gola da sobrecasaca, ele o levou até uma abertura servindo de porta e dando acesso a um recinto que parecia ser o alojamento do capitão.

— É esse o homem? — ele perguntou, interrompendo a leitura que fazia, com toda atenção, da vida de Alexandre, biografado por Plutarco.

— O próprio, capitão.

— Ótimo. Mostre-o.

Seguindo essa ordem bem impertinente, Peppino aproximou o archote que tinha nas mãos com tanta brusquidão do rosto de Danglars, que ele foi obrigado a dar um pulo, para não ter as sobrancelhas queimadas.

Sua expressão transtornada oferecia todos os sintomas do mais lívido e pavoroso terror.

— Esse homem está cansado — disse o capitão —, leve-o para a cama dele.

O banqueiro deixou escapar um surdo gemido e seguiu o seu guia. Bateu num degrau e, compreendendo ter uma escada à frente, instintivamente se abaixou para não bater a cabeça e se viu numa cela escavada na rocha. Um leito feito de relva seca e coberto de peles de cabra o esperava num canto.

Um trinco rangeu; Danglars estava preso.

LXXVII
O serviço à la carte de Luigi Vampa

Danglars acordou.

— Não, não tem dúvida, estou nas mãos dos bandidos dos quais nos falou Albert de Mourcerf.

Ele levou com ansiedade a mão aos bolsos. Estavam intactos: os cem luíses reservados para a viagem de Roma a Veneza continuavam no bolso da calça e a carteira com a ordem de pagamento de cinco milhões e cinquenta mil francos estava no bolso da sobrecasaca.

"Estranhos bandidos, que me deixaram bolsa e carteira!", pensou.

Nada aconteceu até o meio-dia.

O tempo todo, uma sentinela se mantivera à porta. Ao meio-dia, foi substituída por outra. Danglars teve a curiosidade de ver o novo vigia e se aproximou.

Era um bandido realmente atlético, um Golias de olhos grandes, beiços grossos, nariz achatado.

Quatro horas depois, veio para o lugar do gigante outro membro da quadrilha. Danglars, de quem o estômago já reclamava muito, levantou-se sem fazer barulho, aplicou outra vez o olho às fendas da porta e reconheceu seu guia.

Era, com efeito, Peppino que se preparava para montar guarda da forma mais tranquila possível, sentando-se frente à porta e colocando entre as pernas uma panela de argila que continha, quentes e perfumados grãos-de-bico refogados com toicinho. Perto desses grãos-de-bico, Peppino colocou ainda um belo cestinho com uvas de Velletri e uma bojuda garrafa de vinho de Orvietto.

Assistir a esses preparativos gastronômicos deu água na boca de Danglars.

— O senhor me desculpe, mas será que não me darão de comer também? — perguntou ele.

— Agora mesmo, Excelência. O que deseja?

Peppino deixou no chão a gamela, o que só fez com que a cheirosa fumaça subisse diretamente às narinas de Danglars.

— Vocês têm cozinhas aqui? — estranhou o banqueiro.

— Como não? Cozinhas ótimas!

— Puxa! Se é assim, um frango.

— Como quiser Vossa Excelência.

Então, Peppino, endireitando-se em seu banco, gritou a plenos pulmões:

— Um frango para Sua Excelência!

O pedido ainda ecoava sob as arcadas, quando apareceu um jovem, com um frango numa bandeja de prata.

— Pronto, Excelência — disse Peppino, pegando o prato das mãos do aprendiz de bandido e colocando-o em cima de uma mesa carcomida que, com um banquinho e a cama de couro de bode, constituía todo o mobiliário da cela.

Danglars pegou a faca com a mão esquerda, o garfo com a direita e se preparou para destrinchar o frango.

— Desculpe-me mais uma vez, Excelência — interrompeu Peppino, colocando a mão no ombro do banqueiro —, mas aqui costumamos pagar antes de comer.

— Ah! Um frango deve custar uns dez tostões em Roma — deu-se por entendido o banqueiro, jogando um luís para Peppino.

Peppino pegou a moeda, Danglars aproximou a faca do prato.

— Um momento — disse Peppino, ficando de pé —, um momento, Vossa Excelência me deve ainda alguma coisa.

— Bom, e quanto?

— Vossa Excelência me deu um luís de sinal. Deve-me, então, não mais que 4.999 luíses.

Danglars arregalou os olhos.

— Muito engraçado — murmurou ele. — Engraçadíssimo, de verdade!

— Nunca rimos, Excelência — explicou Peppino, sério como um quacre.

— Como?! Cem mil francos por esse frango?

— Vossa Excelência não imagina como é difícil criar aves nessas grutas miseráveis.

— E vou pagar com o quê, animal? — irritou-se Danglars. — Acha que ando com cem mil francos no bolso?

— O senhor tem cinco milhões e cinquenta mil no bolso, Excelência — disse Peppino. — O que dá para cinquenta frangos a cem mil francos, e meio frango a cinquenta mil.

Danglars teve um arrepio, tudo se esclareceu a seus olhos: continuava sendo uma piada, mas ele finalmente passou a entender.

— Bom, bom. E pagando esses cem mil francos, pelo menos vão me considerar quite e vou poder comer à vontade?

— Perfeitamente — assegurou Peppino.

— Mas como posso pagar? — perguntou Danglars, respirando mais livremente.

— Nada mais simples. A partir do crédito que tem com os srs. Thomson & French, via dei Banchi, Roma. Dê-me um vale de quatro mil, novecentos e noventa e nove luíses contra esses cavalheiros e o nosso banqueiro o trocará.

Danglars quis pelo menos demonstrar boa vontade; pegou a pena e o papel que Peppino lhe apresentava, escreveu a ordem de pagamento e assinou.

— Tome, aqui está o vale ao portador.

— E aqui está o frango.

Danglars atacou a ave com um suspiro: parecia bem magrinha para tão alta soma.

Já Peppino, leu com toda atenção o papel, colocou-o no bolso e voltou a comer seus grãos-de-bico.

LXXVIII
O perdão

No dia seguinte, Danglars voltou a estar com fome. A atmosfera da caverna realmente abria muito o apetite, mas o prisioneiro achou que não teria despesas naquele dia, pois, sendo alguém econômico, tinha escondido a metade do frango e um pedaço de pão num canto da cela.

Mas assim que comeu, ficou com sede. Não tinha pensado nisso.

Lutou contra essa sensação, até o momento em que sentiu que a língua ressecada se colava ao céu da boca.

Quando não pôde mais resistir, chamou.

— Aqui estou, Excelência — atendeu Peppino com toda solicitude. — O que deseja?

— Beber — disse o prisioneiro.

— Vossa Excelência deve saber que o vinho chega a preços exorbitantes, nos arredores de Roma.

— Nesse caso, dê-me água — tentou Danglars escapar da armadilha.

— Ah, Excelência! Água é coisa ainda mais rara que o vinho, atravessamos uma época de seca!

— Tudo indica que vamos começar tudo de novo.

Mas, mesmo sorrindo para fingir participar da brincadeira, o infeliz sentia o suor escorrer pelas têmporas. Mesmo assim, acrescentou:

— Vamos, amigo, peço só um copo de vinho; vai me negar isso?

— Já expliquei, Excelência — respondeu Peppino com gravidade —, não vendemos no varejo.

— Que seja! Traga, então, uma garrafa.

— De qual?

— Do mais barato.

— Todos têm o mesmo preço.

— E que preço é esse?

— Vinte e cinco mil francos a garrafa.

— Diga logo que quer me depenar, será mais prático do que me devorar assim, lasca a lasca.

— É possível que seja esse o plano do patrão — disse Peppino.

— E quem é o patrão?

— Aquele a quem eu o levei anteontem.

— Gostaria de vê-lo.

— É fácil.

Pouco depois, Luigi Vampa estava à frente de Danglars.

— Chamou? — perguntou ele ao prisioneiro.

— O que quer de mim como resgate? Diga.

— Ora, os cinco milhões que tem no bolso.

Danglars sentiu um violentíssimo golpe esmagar o seu coração.

— É só o que me resta no mundo, o que sobrou de uma imensa fortuna, se for para me tirar isso, tire-me logo a vida.

— Fomos proibidos de derramar o seu sangue, Excelência.

— E quem os proibiu?

— A pessoa a quem obedecemos.

— Vocês, então, obedecem a alguém?

— Exato, a um chefe.

— Achei ser o senhor o chefe.

— Sou o chefe desses homens, mas outro homem é meu chefe.

— E esse chefe obedece a alguém?

— Perfeitamente.

— A quem?

— A Deus.

— Pois saibam, miseráveis, que vou estragar esses seus cálculos infames! — irritou-se Danglars. — Se é para morrer, prefiro acabar logo de uma vez. Pode me torturar, causar sofrimento, matar, mas não terão minha assinatura.

— Como quiser, Excelência — sorriu Vampa, retirando-se da cela.

Danglars pensou em evasão.

As paredes, porém, eram a própria rocha e a única saída para o exterior era um homem que lia e, atrás dele, viam-se sombras armadas de fuzis.

A decisão de não assinar durou dois dias, depois dos quais ele pediu comida e ofereceu um milhão,

Serviram-lhe magnífica ceia e pegaram o seu milhão.

A vida do infeliz prisioneiro se tornou uma perpétua divagação. Tinha sofrido tanto que não queria mais se expor ao sofrimento e aceitava todas as exigências. No final de 12 dias, numa tarde em que havia comido como nos bons tempos da riqueza, ele fez suas contas e viu que já distribuíra tantas ordens de pagamento ao portador que só lhe restavam cinquenta mil francos.

— O chefe! — gritou ele. — Chamem o chefe!

— Aqui estou! — disse Vampa, surgindo de repente. — O que mais quer?

— Pegue todo o resto — balbuciou Danglars, entregando a carteira — e deixe-me viver aqui nesta caverna: nem quero mais a liberdade, apenas estar vivo.

— O sofrimento é grande, então? — perguntou Vampa.

— Enorme. E cruel!

— Mas pelo menos se arrepende? — perguntou outra pessoa, com voz sombria e solene, que fez se eriçarem os cabelos na cabeça de Danglars.

Seu olhar enfraquecido tentou distinguir os objetos; então, ele viu, atrás do bandido, um homem, abrigado numa capa e confundido na sombra de uma pilastra de pedra.

— De que preciso me arrepender? — gaguejou Danglars.

— Do mal que fez — disse a mesma voz.

— Sim, me arrependo, me arrependo! — exclamou Danglars, batendo com o punho no peito emagrecido.

— Então vou perdoá-lo — disse o homem, jogando para as costas a capa e dando um passo para se colocar numa área mais iluminada.

— Conde de Monte Cristo! — espantou-se Danglars, ficando branco, mais de terror do que pela fome ou pela miséria.

— Engana-se, não sou o conde de Monte Cristo.

— E quem é, então?

— Alguém que o senhor vendeu, entregou, desonrou. Alguém de quem o senhor prostituiu a noiva, a quem o senhor pisoteou para alcançar a fortuna. Sou aquele de quem o senhor fez o pai morrer de fome e que, por isso, o condenou a igualmente morrer de fome, mas que, no entanto, agora o perdoa, pois precisa também ser perdoado... Sou Edmond Dantès!

Danglars apenas deu um grito e caiu prostrado.

— Levante-se, sua vida está salva, sorte que não tiveram seus dois cúmplices: um está louco e o outro morto! — disse o conde. — Fique com os cinquenta mil francos que sobraram. Já os cinco milhões roubados dos hospícios públicos, foram devolvidos por alguém que não se identificou. Agora, pode comer e beber, é meu convidado esta noite. Vampa, quando esse homem estiver satisfeito, pode soltá-lo.

Danglars permaneceu prostrado, enquanto o conde se afastava. Quando afinal ergueu a cabeça, viu apenas uma espécie de sombra que desaparecia no corredor, diante da qual se inclinavam os bandidos.

Seguindo as ordens dadas, Vampa serviu ao prisioneiro o melhor vinho e as mais belas frutas da Itália. Em seguida, colocou-

-o na diligência de posta e abandonou-o na estrada, encostado numa árvore.

Ele lá ficou até o amanhecer, sem saber onde se encontrava.

Com a luz do dia, viu que passava bem perto um riozinho. Estando com sede, arrastou-se até lá.

Abaixando-se para beber, Danglars descobriu que seus cabelos tinham ficado brancos.

LXXIX
O dia 5 de outubro

Eram mais ou menos seis horas da tarde. Um dia de cor opala, em que um belo sol outonal filtrava seus raios dourados, caindo do céu sobre o mar azulado.

Nesse imenso lago que se estende de Gibraltar a Dardanelos e de Túnis a Veneza, um lépido iate, de formas puras e elegantes, navegava nos primeiros vapores do fim de tarde.

De pé, na proa, um homem de alta estatura, pele bronzeada, olhos bem abertos, via se aproximar a terra, como massa escura e cônica, projetando-se fora das ondas como um imenso chapéu de catalão.

— É Monte Cristo? — perguntou o viajante, sob as ordens de quem o iate parecia navegar.

Dez minutos depois, as velas estavam sendo arriadas e a âncora lançada a quinhentos metros de um pequeno porto. O bote já estava no mar com quatro remadores, além do piloto, então o viajante desceu para seu bordo. Em vez de se sentar à popa, preparada para ele com um tapete azul, permaneceu de pé, de braços cruzados.

Os oito remos mergulharam nas vagas ao mesmo tempo, sem levantar a menor gota d'água e o bote, cedendo ao impulso, rapidamente deslizou.

Num instante chegaram a uma enseada naturalmente aberta, até que a embarcação tocou o fundo de areia fina.

O jovem caminhou com a água na cintura e, uns trinta passos depois, chegou à praia. Ele bateu bem os pés no terreno seco, procurando enxergar em volta o caminho que provavelmente lhe indicariam, pois a noite já era total.

No momento em que virava a cabeça, uma voz o surpreendeu:

— Olá, Maximilien! Foi pontual, obrigado.

— É o senhor, conde?! — exclamou o rapaz, numa reação que se podia dizer de alegria, apertando com as duas mãos a de Monte Cristo.

— Não encontrou consolo? — perguntou Monte Cristo, com um olhar estranho.

— Ah! — suspirou Morrel, cheio de amargura. — Achou mesmo que isso poderia acontecer?

Ele fez essa pergunta com uma explosão de energia que causou no conde um arrepio.

— Meu amigo — continuou o recém-desembarcado, vendo que o outro nada dizia —, marcamos o dia 5 de outubro como fim do prazo que pediu… Estamos em 5 de outubro, meu amigo…

— Que seja! — concordou Monte Cristo. — Venha comigo.

Morrel o seguiu maquinalmente e já estavam no interior da gruta sem que ele sequer se desse conta.

O visitante sentou-se e o anfitrião fez o mesmo, à sua frente.

— Não se arrepende? — perguntou ele.

— Não!

Monte Cristo levantou-se então e foi buscar num armário uma pequena caixa de prata magnificamente lavrada e cinzelada.

Abrindo-a, tirou uma outra, menor, de ouro, cuja tampa se abria por pressão sobre uma mola secreta.

Esse último recipiente continha uma substância pastosa, quase sólida, de cor indefinível, muito por causa do reflexo das esmeraldas, dos rubis e do ouro polido da caixa.

O conde pegou uma pequena quantidade da substância com uma colherinha de prata dourada e ofereceu a Morrel, olhando-o com insistência.

— Foi o que pediu, e eu prometi.

Lentamente, sem qualquer hesitação além de leve pressão da mão esquerda, com que ele segurava o braço do conde, Morrel engoliu, ou melhor, saboreou a consistente pasta.

Sentado à frente, Monte Cristo o observava encoberto pela sombra e, dele, Morrel via apenas o brilho dos olhos.

— Amigo — disse ele —, sinto que estou morrendo; obrigado.

Ele fez um esforço para lhe estender a mão pela última vez, mas, sem força suficiente, não conseguiu.

Teve, porém, a impressão de ver Monte Cristo sorrir, com a complacência que têm os pais diante das pequenas travessuras dos filhos.

Abatido, dominado, Morrel se desfez em sua poltrona: um torpor agradável se insinuou pelas veias; assim, os olhos, pesados, por si só se fecharam. Por trás das pálpebras, no entanto, movia-se uma imagem que pôde ainda ser reconhecida, apesar da escuridão pela qual ele se imaginava cercado.

Era o conde que acabava de abrir uma porta.

A forte claridade do cômodo ao lado inundou aquele em que Morrel se entregava à mansa agonia.

Ele, então, viu surgir, na abertura entre os dois ambientes, uma mulher de maravilhosa beleza.

Branca e suavemente sorridente, a imagem parecia a do anjo da misericórdia, conjurando o anjo das vinganças.

"Será já o céu que se abre para mim?", pensou o moribundo. "Esse anjo lembra muito aquele que perdi."

Monte Cristo indicou à mulher o sofá em que estava Morrel. Ela se aproximou, com um sorriso nos lábios e os do rapaz esboçaram um movimento.

— Ele chama por você, do fundo da dormência — disse o conde —, a mesma à qual você confiou o seu destino. O destino quis separá-los, mas felizmente eu estava lá e venci a morte! Vocês não devem mais se separar neste mundo, Valentine, pois, para encontrá-la, ele quis se precipitar na tumba. Sem minha intervenção, ambos estariam mortos; eu os entrego um ao outro. Possa Deus pôr em minha conta essas duas existências que salvei!

Valentine pegou a mão de Monte Cristo e, num irresistível impulso de alegria, levou-a aos lábios.

Aproximadamente uma hora se passou, durante a qual ela permaneceu ao lado de Morrel, até, finalmente, ouvir o coração bater, uma respiração imperceptível entreabrir os lábios e o levíssimo estremecer que anuncia o retorno à vida percorrer, de cima a baixo, o corpo do rapaz. As pálpebras se moveram e a visão voltou, precisa e real. Com a visão, o sentimento e, com o sentimento, a dor.

— Ai, estou vivo! — gemeu ele, com a entonação do desespero. — O conde me enganou!

Sua mão foi à mesa, ele pegou uma faca.

— Amigo — disse Valentine, com seu adorável sorriso. — Acorde e olhe para mim.

Morrel deu um grito e, delirando, tomado por dúvidas, deslumbrado como por uma visão celestial, caiu de joelhos...

* * *

No dia seguinte, à primeira claridade do dia, Morrel e Valentine passeavam de braços dados pela praia. Ela contava como Monte Cristo havia aparecido no seu quarto, como apontara o crime sem qualquer dúvida e, enfim, como a salvara da morte, fazendo crer a todos que estava morta.

Haviam encontrado aberta a porta da gruta e tinham saído. No azul matinal do céu, ainda luziam as últimas estrelas da noite.

No claro-escuro de um amontoado de rochedos, Morrel distinguiu um homem e mostrou a Valentine.

— É Jacobo, o capitão do iate — explicou ela e, com um gesto, pediu que o marinheiro se aproximasse.

— Tem algo a nos dizer? — perguntou Maximilien.

— Apenas entregar essa carta, da parte do conde.

Morrel a abriu e leu:

"Meu caro Maximilien,

Uma embarcação os espera na enseada. Jacobo os levará a Livorno, onde o sr. Noirtier espera pela neta, a quem quer abençoar antes que ela siga o noivo ao altar. Tudo que há nessa gruta, meu amigo, assim como a casa da Champs-Élysées e meu pequeno castelo de Tréport constituem o presente de casamento de Edmond Dantès ao filho do seu antigo patrão Morrel. Aceite a srta. de Villefort a metade, pois peço a ela que doe aos pobres de Paris toda a fortuna que herdou do pai, que enlouqueceu, e à qual se acrescenta a parte de seu meio-irmão, morto em setembro último, com a mãe.

Diga ao anjo que vai zelar por sua vida, Morrel, que às vezes reze por este que, como Satã, achou-se por um instante igual a Deus, mas que reconheceu, com toda humildade cristã, que apenas na mão de Deus se encontram a suprema força e a infinita sabedoria. Que possam essas orações, espero, suavizar o remorso que ele carrega no fundo do coração.

Gostaria de lhe contar, Morrel, o segredo do meu comportamento com relação a você: não há felicidade nem infelicidade neste mundo, mas somente a comparação entre um estado e outro, só isso. Apenas quem chegou ao extremo infortúnio está apto a gozar da extrema ventura. É preciso ter querido morrer, Maximilien, para saber como é bom viver.

Assim sendo, vivam e sejam felizes, filhos queridos do meu coração, e nunca se esqueçam de que toda a sabedoria humana se limita a essas duas palavras: espera e esperança!

Deste amigo,

Edmond Dantès, o conde de Monte Cristo."

Durante a leitura dessa carta, em que soube do enlouquecimento do pai e da morte do irmão, morte e loucura que ignorava, Valentine empalideceu, um dolorido suspiro escapou do seu peito e lágrimas, não menos pungentes por serem silenciosas, rolaram por suas faces: a felicidade tinha um preço bem alto.

Morrel olhou preocupado em volta:

— Onde está o conde, meu amigo? Leve-me até ele.

Jacobo estendeu a mão para o horizonte.

— Como? O que está querendo dizer? — perguntou Valentine. — Onde está o conde?

— Olhem — disse apenas Jacobo.

Os olhos dos dois jovens se fixaram na linha indicada pelo marinheiro e, nessa linha azul escuro que separava ao longe o céu e o Mediterrâneo, eles perceberam uma vela branca, do tamanho ainda de uma asa de gaivota.

— Ele se foi! — exclamou Morrel. — Ele se foi! Adeus, meu amigo, meu pai.

— Maximilien — disse Valentine —, não acabou o conde de nos dizer que a sabedoria humana cabe inteira nessas duas palavras: "espera e esperança"?